Guía para Observar las Estrellas

El cielo a simple vista

Guía para Observar las Estrellas

El cielo a simple vista

Fernando Pérsico Barberán

LIBSA

© 2004, Editorial LIBSA
C/ San Rafael, 4
28108 Alcobendas. Madrid
Tel. (34) 91 657 25 80
Fax (34) 91 657 25 83
e-mail: libsa@libsa.es
www.libsa.es

Textos: Fernando Pérsico Barberán
Edición: Equipo editorial LIBSA

ISBN: 84-662-0906-9
Depósito legal: M-775/04

Impreso en España/*Printed in Spain*

Contenido

Introducción

La Astronomía tiene una característica que la distingue del resto de las ciencias: a diferencia de la Física, la Química o las Matemáticas, que son desarrolladas casi exclusivamente por profesionales que han cursado los correspondientes estudios académicos, el cuerpo de conocimientos de la Astronomía recibe el constante aporte de muchos astrónomos aficionados que, observando el cielo desde diferentes latitudes, descubren fenómenos y objetos que luego pasan a engrosar las listas y catálogos. Hay quienes se dedican a la caza de cometas, quienes toman nota minuciosa de las lluvias de estrellas o personas que tienen la suerte de detectar, con sus modestos prismáticos o a simple vista, el punto luminoso que marca la aparición de una supernova. Todos estos hallazgos son cabalmente reconocidos y agradecidos por la comunidad de astrónomos porque en el fondo, la Astronomía es una ciencia que necesita de muchos pares de ojos para seguir avanzando.

El primer tropiezo que tiene toda persona que intenta aprender cualquier disciplina suele ser el no saber por dónde empezar. Como en cualquier otra, en ésta, lo más importante es entender la naturaleza de aquello que se observa, ponerle nombre y clasificarlo a fin de poder recabar más información sobre el objeto o el fenómeno.

El presente libro no es una obra de carácter estrictamente teórico sino práctico. Aunque en los primeros capítulos se explican algunos conceptos básicos, éstos no exigen un conocimiento científico previo para poder ser fácilmente comprendidos.

En los capítulos posteriores, se detalla cada una de las 88 constelaciones aceptadas por la Unión Astronómica Internacional incluyendo, sobre todo, las principales estrellas que la componen y las que pueden ser observadas a simple vista o con prismáticos a menos que haya otra, sólo visible por telescopio, que tenga una cualidad curiosa o especial. Del mismo modo se mencionan las nebulosas, galaxias o cúmulos que se encuentren en el sector y todos los objetos Messier que haya en la zona.

Al final del libro se adjuntan los mapas mensuales del cielo que puede observarse desde el hemisferio norte y desde el hemisferio sur, así como varios apéndices que serán útiles a la hora de buscar en el firmamento diversos objetos o fenómenos.

Esta es una obra de consulta, un manual de campo que, esperamos, sea útil al lector a la hora de dar sus primeros pasos en esta apasionante ciencia.

Para mirar el cielo

Mirar el cielo por la noche es una actividad que puede resultar relajante o sobrecogedora. Esa inmensa oscuridad que parece no tener fin, casi nunca nos deja indiferentes, sino que, por el contrario, nos sugiere preguntas acerca de la naturaleza del universo y de nosotros mismos. No es de extrañar, por ello, que las más antiguas civilizaciones hayan colocado en el cielo la morada de sus dioses y el lugar al cual van las almas.

A pesar de los enormes adelantos científicos que han permitido explicar, entre otras cosas, la formación de los diversos cuerpos que pueblan la bóveda celeste, son muchas las preguntas que aún quedan por responder. Periódicamente se descubren nuevos objetos o se detectan diferentes características en los que habían sido ya catalogados, descubrimientos que no siempre han sido hechos por astrónomos profesionales provistos de grandes telescopios sino que, en muchos casos, fueron el resultado de las observaciones hechas por aficionados provistos tan sólo de unos prismáticos o únicamente de sus ojos.

EQUIPO NECESARIO

Es frecuente que alguien que se sienta atraído por la Astronomía se plantee la compra de un pequeño telescopio con la idea de que, con ese instrumento, podrá hacer grandes y rápidos avances. Sin embargo, empezar por ahí es como dedicarse a mirar por un microscopio las células que forman un vegetal sin haber visto jamás la planta entera. En estos casos los adelantos suelen ser mínimos y las frustraciones, por el contrario, frecuentes. Para dar los primeros pasos en Astronomía lo único indispensable es una herramienta (los ojos) y un manual de instrucciones (un libro) que tenga mapas o diagramas que expliquen, aunque sea someramente, qué es lo que se está observando o dónde es conveniente dirigir la mirada. Un elemento útil puede ser una brújula, ya que será necesario saber dónde están los puntos cardinales a fin de orientarse con los mapas.

Como el cielo se observa de noche, y cuanto más oscura sea mejor visibilidad se conseguirá, habrá que contar también con una linterna con la que iluminar los mapas. Al respecto es necesario saber que en la oscuridad, el ojo humano tarda unos veinte minutos en dilatar al máximo la pupila para dejar paso a la mayor cantidad de luz posible; de esta manera logra la máxima visibilidad. Lamentablemente, bastará un mínimo destello de luz blanca para que la pupila se contraiga perdiendo, con ello, la adaptación que tanto se había tardado en conseguir. Sin embargo, es menos sensible al color rojo; recuperarse después de observar una luz de este color sólo le lleva unos pocos segundos. Por esta razón, lo más aconsejable es poner en la linterna tres o cuatro capas de celofán rojo a fin de que la luz emitida sea claramente rojiza. Dado que los mapas se hacen en sentido norte-sur, a la hora de observar el cielo, habrá que situarse sobre este eje, mirando hacia uno u otro punto según el mapa que se tome como referencia.

Lo mejor es escoger noches con poca Luna y, de ser posible, ir a un lugar donde no haya luces de ciudad ya que éstas restarían visibilidad. Es costumbre, entre los aficionados, cubrirse la cabeza con un paño negro, como hacían los fotógrafos de antaño, a fin de que sus ojos se acostumbren cuanto antes a la oscuridad y puedan, entonces, percibir las estrellas más tenues que hay en el cielo.

LOS PRISMÁTICOS

Estos sistemas ópticos son ni más ni menos que dos pequeños telescopios refractarios unidos entre sí a fin de poder observar a través de ellos con los dos ojos. Sirven para aumentar los objetos distantes de modo que se puedan ver detalles que escapan al ojo desnudo.

Nunca llegan a aumentar tanto como lo hace un pequeño telescopio, pero tienen sobre éstos la ventaja de permitir el seguimiento de objetos que se mueven rápidamente, como por ejemplo los cometas; pueden ser transportados con absoluta comodidad y, además, son mucho más baratos. Por todo ello es el tipo de instrumento más recomendable para el principiante.

A la hora de adquirirlos, lo más importante a tener en cuenta es el aumento (cantidad de veces que agrandan los objetos) y la apertura (diámetro del objetivo o lente principal). Los aumentos se representan por un número seguido por una «X», y el diámetro, por otra cifra a continuación. Así, los prismáticos 10X50 aumentan 10 veces y tienen una apertura de 50 mm.

Ventajas y desventajas de una mayor apertura
Cuanto mayor sea el tamaño de la lente, mayor cantidad de luz podrá entrar a través de ella, lo que permitirá que los objetos que brillan débilmente puedan ser detectados. El inconveniente es que resultan más pesados.

Ventajas y desventajas de un mayor aumento
Obviamente, la ventaja es que los pequeños objetos se verán más grandes; se podrán captar detalles más nítidamente. Sin embargo, si se observa una nebulosa muy débil, por ejemplo, conviene que el aumento no sea tan grande como para que ésta ocupe todo el campo de visión, ya que es preferible que entre también un poco de fondo a fin de percibir la diferencia de luminosidad.

Otra de las desventajas de un aumento excesivo es que cualquier movimiento hace que el objeto salga del campo de visión; a veces con el simple latido del corazón es suficiente como para hacer temblar los prismáticos aunque se tengan los codos firmemente apoyados.

La mayor magnificación para poder observar cómodamente sin trípode es de 7X. Hay también quienes usan los de 10X, pero a partir de este aumento lo aconsejable es que estén fijamente instalados en diversos dispositivos que se venden a tal efecto.

CON QUÉ PRISMÁTICOS EMPEZAR

Casi todos los astrónomos coinciden: los más aconsejables son los de 7X50. Hay varias razones que hacen que sean los mejores para empezar:

- Su aumento es significativo, ya que a través de ellos cada punto se ve siete veces más grande. Con ellos se pueden observar detalles interesantes de la Luna, resolver algunas binarias, etc.

- El tamaño de su lente permite ver objetos con una magnitud máxima de 10 (a simple vista sólo se llegan a percibir los de magnitud 6-6,5, de modo que representan un avance significativo).

• La pupila de salida es la misma que la del ojo humano adulto. La luz que entra por cada uno de los tubos del prismático, adquiere la forma de cono que se dirige hacia el ojo. Su vértice, que puede tener diferentes diámetros según el instrumento, es lo que se llama pupila de salida.

La retina humana, una vez acostumbrada a la oscuridad, tiene un diámetro de 7 mm. Si la pupila de salida del prismático tiene un diámetro de 10 mm, por ejemplo, habrá 3 mm de luz que se estarán desperdiciando, que no podrán ser captados por el ojo ya que éste sólo abre hasta 7 mm.

Para esta característica en los prismáticos que se desee adquirir, bastará con dividir el diámetro de la lente por los aumentos. En el caso de los de 7X50, la fórmula sería: *Pupila de salida = apertura / aumentos es igual a 50/7=7,1.*

A pesar de que muchos recomiendan como pupila ideal 7,1, otros abogan por el uso de otras más pequeñas para ganar en nitidez.

El incremento de cualquiera de las características de unos prismáticos va siempre en detrimento de otras, por esta razón los astrónomos acostumbran a tener varios que utilizan según las necesidades que surjan en cada momento. Una nebulosa tenue puede ser captada con una apertura mayor, pero la resolución de una doble, en ocasiones, exige un mayor aumento o una menor pupila de salida. De ahí que normalmente se insista en que, para empezar, lo mejor es utilizar unos prismáticos de 7X50 en los cuales todos estos elementos se encuentran más equilibrados.

La siguiente tabla sirve para tener una idea de lo que se puede observar con algunos de los innumerables tipos de prismáticos que hay en el mercado:

Tipo	Apertura	Pupila de salida	Campo de visión	Magnitud límite
8X30	30	3,8	7°	9
7X50	50	7,1	7°	10
10X50	50	6,0	5°	10,3
10X70	70	7,0	5°	10,5
11X80	80	7,3	4°	11
15X80	80	5,3	4°	11,2

Cuando el prismático supera los 10 aumentos, su peso exige el uso de un trípode ya que sostenerlos y, más aún, mantenerlos quietos, resulta imposible.

Objetos celestes

En el firmamento hay una gran variedad de objetos, algunos de los cuales tienen formas increíblemente bellas o curiosas. El hombre, además de contemplarlas, ante cada una de ellas se ha hecho una infinidad de preguntas: de qué material está compuesta, cómo se ha formado, hacia dónde se dirige, de qué manera interactúa con las que están en su proximidad y muchas cosas más.

Plantearse qué había antes del universo o qué hay fuera de éste, es una cuestión que está a caballo entre la ciencia y la filosofía; un tema muy complejo e imposible de tratar en unas pocas páginas.

FORMACIÓN DE LOS OBJETOS CELESTES

Investigaciones relativamente recientes aseguran que, en un principio, el universo era una especie de sopa constituida por materia sólida y gaseosa. La distribución de estos componentes era relativamente homogénea, pero había zonas donde la densidad era mayor que en otras. Por efecto de la atracción gravitatoria, las áreas menos densas fueron lentamente absorbidas por otras de mayor densidad que estaban en su proximidad. En ellas, la materia empezó a compactarse en torno a un punto central y a girar sobre sí misma. Estos núcleos reciben el nombre de protogalaxias. A medida que fueron absorbiendo más material, su densidad se hizo aún mayor y, con ello, su capacidad de atracción y su velocidad de giro; las protogalaxias lentas dieron lugar a las galaxias más pequeñas y las más rápidas, a las de mayor tamaño.

Pero estos movimientos no sólo son cosa del pasado; las fuerzas que los han generado siguen aún vigentes de manera que las galaxias continúan girando y absorbiendo el material circundante.

Como ejemplo claro de ello se pueden considerar las galaxias espirales NGC 2207 e IC 2163 situadas en la constelación Canis Major: ambas tiran, lentamente, una de otra y los astrónomos aseguran que la primera, mayor, en un tiempo relativamente breve, astronómicamente hablando, absorberá a la menor. Las imágenes de estos dos objetos obtenidas a través del telescopio son, sencillamente, soberbias.

El paso inicial para acercarse a la astronomía consiste en conocer el tipo de estructuras o cuerpos que se encuentran en el cielo. En ellos hay que distinguir dos tipos: los que se encuentran dentro del sistema solar, es decir el Sol, los planetas y sus satélites, por un lado, y los que están fuera de éste.

El movimiento de los planetas, al ser observados desde la Tierra, es muy rápido; por esta razón las tablas que se puedan hacer para un año no sirven para el siguiente. Los segundos, por el contrario, se desplazan tan lentamente que los mapas de constelaciones que se construyan para el cielo de hoy no perderán vigencia y podrán ser utilizados con mínimas correcciones durante milenios.

OBJETOS DEL CIELO PROFUNDO

Se denominan así las estructuras que, además de las constelaciones, se encuentran fuera del sistema solar: galaxias, nebulosas, cúmulos abiertos, cúmulos globulares, etc. Muchos de ellos se pueden observar a simple vista o con prismáticos, pero siempre es aconsejable hacerlo en las noches oscuras, con Luna nueva, ya que de esta manera es más fácil localizarlos.

A medida que se fueron descubriendo, los astrónomos los incluyeron en diversos catálogos en los que consignaron su descripción, magnitud, posición y cualquier otro detalle de interés.

Hacia finales del siglo XVIII, hubo en Francia un astrónomo que se dedicó a la caza de cometas; su nombre era Charles Messier. Con las observaciones que realizó, construyó el que hoy es considerado como el catálogo más conocido que lleva por nombre Catálogo Messier. En él aparece la descripción y posición de los 110 objetos más relevantes del cielo profundo. No todos ellos fueron descubiertos por su autor, pero sí debemos a Messier la lista organizada de los 110 objetos más fácilmente visibles.

Algunos de ellos son más conocidos por su nombre propio, como el M42 que es la Gran Nebulosa de Orión; otros, sin embargo, se conocen más por la denominación con la que aparecen en el catálogo (una M seguida a continuación de un número).

Otro de los catálogos más utilizados en Astronomía es el NGC (New General Catalogue), de J. L. E. Dreyer, que se publicó en 1887. En él se ofrecen datos de cúmulos globulares y abiertos, restos de supernovas y galaxias de todo tipo. En 1895 y 1907 se publicaron dos suplementos que incluyen nuevos objetos del cielo profundo; son conocidos como IC I e IC 2. Los objetos que aparecen en estas tres listas llevan como sufijo las siglas NGC o bien IC a los que sigue el número.

Un catálogo menos conocido es el que elaboró el astrónomo británico Philibert Jacques Melotte en 1915; éste contiene la descripción de 250 cúmulos abiertos que llevan como sufijo «Mel».

Todos ellos se pueden adquirir en las librerías especializadas pero para quienes se inician en Astronomía, el más útil es el de Messier.

GALAXIAS

Las galaxias presentan una gran variedad de formas, pero los astrónomos las han clasificado en cuatro grandes grupos: espirales, elípticas, lenticulares e irregulares. Los dos primeros abarcan prácticamente todas las de gran tamaño y el tercero, las galaxias pequeñas.

Galaxias espirales

Contempladas a través de un telescopio, estas galaxias muestran una forma de disco por lo general achatado, rodeado de sombras que dibujan una o varias espirales. Están formadas por algunas estrellas viejas, situadas hacia la zona central de la espiral, y por numerosas estrellas jóvenes, que se encuentran en los brazos de la espiral.

Allí también hay mucho gas y polvo que, con el tiempo, se condensa, dando lugar a nuevas estrellas.

Pueden presentar diferentes números de vueltas o enrollamiento; algunas son muy apretadas y otras, como la Vía Láctea, son más bien holgadas: sus brazos se esparcen sobre una gran extensión.

El mejor ejemplo de galaxia espiral es el de la gran Galaxia de Andrómeda, cuyas fotografías son ampliamente conocidas. Tiene la ventaja de poder ser observada a simple vista.

Dibujo de una galaxia espiral.

El requisito para conseguirlo es que la noche sea despejada y oscura, mejor con Luna nueva, y que la observación se haga lejos de las luces de la ciudad.

Otra de las galaxias espirales que se pueden detectar a simple vista es la Galaxia del Molinillo, mirando directamente hacia Triangulum.

En Coma Berenices también se puede ver la Galaxia del Ojo Negro, de nuevo bajo buenas condiciones de visibilidad. Se encuentra cerca del centro de la constelación y como es una región bastante pobre en estrellas brillantes, es posible localizarla sin dificultad.

En la cola de la Osa Mayor está la Galaxia del Molinillo. Da la sensación de que fuera doble ya que parece que, de ella, cuelga otra más pequeña.

Dibujo de una galaxia espiral barrada.

Dentro de las galaxias espirales hay algunas cuyo núcleo central está atravesado por una «barra» de estrellas, de ahí que reciban el nombre de galaxias espirales barradas. Hay astrónomos que opinan que la nuestra pertenece a este subgrupo.

Galaxias elípticas

En esta categoría se encuentran las galaxias más grandes que existen; tanto su tamaño como su brillo es mucho mayor que el de las galaxias espirales.

Pueden adoptar diferentes formas: desde un diseño claramente elíptico hasta perfectamente redonda u oval. Contienen muchas estrellas viejas y un escaso número de estrellas jóvenes, gas y polvo.

La más importante de todas las galaxias de este grupo es la gigantesca M87, también llamada Virgo A. Tiene un diámetro aparente de 7' de arco y una extensión de 120.000 años luz, un diámetro mayor que el de nuestra galaxia, la Vía Láctea, y se estima que está situada a unos 60 millones de años luz.

Esta gigantesca formación, al parecer tiene varias galaxias enanas satélites en sus proximidades entre las que se pueden mencionar NGC 4476, NGC 4478 y NGC 4486 A y B.

Una de las características que hacen de esta galaxia un objeto especial es que contiene un elevado número de cúmulos globulares (como se verá más adelante, es la forma en que se designa cierto tipo de agrupación de estrellas). Mientras que la Vía Láctea tiene unos 150-200 cúmulos, los más recientes cálculos arrojan, para la M87, un número que oscila entre 13.000 y 15.000.

Dibujo de una galaxia elíptica.

Galaxias lenticulares

Reciben esta denominación las que tienen una estructura intermedia entre las espirales y las elípticas. Poseen, al igual que éstas, un núcleo central pero carecen de brazos y de estructura espiral.

Por lo general están formadas por muchas estrellas viejas y poco gas. A menudo están atravesadas por nubes de polvo.

Dibujo de una galaxia lenticular.

Galaxias irregulares

Son la más pequeñas y no presentan forma organizada, como las espirales o elípticas.

Antiguamente se pensaba que eran muy poco pobladas, pero actualmente, gracias a descubrimientos hechos en las constelaciones Antlia y Carina han evidenciado lo contrario.

Las dos galaxias irregulares más conocidas son La Gran Nube de Magallanes (GNM) y La Pequeña Nube de Magallanes, ambas cercanas al polo sur y sólo visibles desde el hemisferio austral y desde las latitudes más bajas del boreal. La GNM es la más brillante del cielo y la segunda en cuanto a su proximidad a nuestra galaxia. Está compuesta por una barra de estrellas rojas y viejas y nubes de estrellas jóvenes.

En ella se encuentra la Nebulosa de la Tarántula, una región brillante en la que se están formando nuevas estrellas.

Ambas nubes pueden verse a simple vista; aparecen como una nube blancuzca, una a cada lado de Hydrus.

En la GNM, en 1987, explotó la supernova más brillante de los últimos tiempos: la denominada 1987 A. Uno de los tantos enigmas sin resolver se relaciona con ella: cuando en el año 1994 el telescopio «Hubble» fue apuntado hacia la región donde se encuentra, a fin de ver los restos de la supernova, se constató que está enmarcada por dos curiosos anillos que aparecen como enlazados. Hay diversas teorías que intentan explicar su aparición, pero los científicos no llegan a un acuerdo. Los últimos informes hablan del descubrimiento de un incipiente tercer anillo.

La luminosidad de algunas de estas galaxias irregulares se modifica porque están en plena actividad.

Dibujo de una galaxia irregular.

El Grupo Local

Las galaxias, por lo general, no están aisladas unas de otras, no son objetos independientes; en estas condiciones, se habrán catalogado, como mucho, poco más de 20. Lo habitual es que se presenten en agrupaciones llamadas cúmulos que, a su vez, componen grupos mayores llamados supercúmulos.

El Sistema Solar está en una galaxia espiral llamada Vía Láctea que, junto a otras que rondarán la treintena, forma lo que se conoce como Grupo Local. Éste, a su vez, integra el Supercúmulo Local.

En el Grupo Local, las dos galaxias con mayor masa (y, por tanto, mayor poder de atracción) son la Vía Láctea y Andrómeda (M31); ambas contienen el 90 por ciento de toda la masa del grupo y comparadas con ellas, las demás son sumamente pequeñas.

En el Grupo Local hay cuatro galaxias irregulares (entre las que se incluyen las dos Nubes de Magallanes) y tres galaxias espirales (Vía Láctea, Andrómeda o M31 y la Nebulosa del Triángulo o M33); el resto son galaxias elípticas, la mayoría de ellas enanas.

Galaxias activas

Las variaciones que se producen en el seno de las galaxias, por lo general no son apreciables por el ojo humano, ya que se deben a lentos procesos que tardan miles de años en mostrar sus efectos. Sin embargo, gracias a los modernos aparatos con que hoy cuentan los astrónomos, es posible registrar por otras vías la actividad que se produce en el seno de estos objetos.

Los principales tipos de galaxias activas son las radiogalaxias, las galaxias de Seyfert y los quásares. A pesar de no ser visibles, se encuentran entre los objetos más curiosos del universo.

Las radiogalaxias

En comparación con las galaxias que se han mencionado anteriormente, las radiogalaxias tienen un tamaño descomunal; están formadas por dos centros emisores de energía, llamados lóbulos, separados por una distancia tan enorme que la galaxia elíptica que se encuentra equidistante a ambos, es apenas perceptible. Sin embargo es precisamente esa pequeña galaxia la que, según parece, ha expulsado la materia que ha formado los lóbulos.

Las galaxias de Seyfert

Estos objetos tienen un núcleo activo tan intenso y brillante que, al ser observado por telescopio, éste se ve como un pequeño punto. Así pues, para observar la galaxia completa es necesario someterla a una alta exposición fotográfica y es que el centro de la galaxia tiene un brillo equiparable al del resto de la formación.

Los quásares

Es otro tipo de galaxia activa. El nombre procede del inglés: «quasistellar radio source» o «fuente de radio casi-estelar».

Se perciben como una estrella brillante, pero lo importante es que se hallan a unas distancias increíblemente elevadas y se están alejando.

Para dar una idea de su intensidad, basta con señalar que uno de estos objetos puede emitir más energía que la que emite toda la Vía Láctea. Para que esto suceda, su masa debe ser inmensa.

Los quásares sólo pueden ser observados con telescopios muy potentes. Son los objetos más distantes de todo el universo conocido. La distancia del más lejano observado hasta 1992, el PC1158+4635 en dirección a Ursa Major, se estima que está a 10.000 millones de años luz.

LAS NEBULOSAS

En el espacio interestelar hay enormes masas de gas y polvo que reciben el nombre de nebulosas. Es común observarlas en torno a las galaxias y si se mira con atención la Vía Láctea durante el tiempo suficiente como para que la vista se acostumbre, se pueden detectar muchas de ellas como manchas de forma y tamaño irregular.

En principio se subdividen en dos grupos: oscuras y brillantes. Las primeras, son nebulosas de absorción y no emiten luz; se detectan en el espacio como una mancha oscura y no se localizan estrellas a su alrededor. La más conocida es la Cabeza de Caballo, localizada en Orión; es una curiosa formación que tiene la forma de un caballo de ajedrez.

Las nebulosas brillantes tienen una gran luminosidad; según el origen de ésta se clasifican en cuatro categorías:

- **Nebulosas de emisión.** Son de color rojizo y emiten luz propia que nace por la combinación de diferentes partículas atómicas que se producen en su seno. Ejemplo de estas nebulosas es Trífida, en Sagitario.

- **Nebulosas de reflexión.** Estas nebulosas brillan debido a la luz que reflejan. Se encuentran, por lo general, en zonas donde hay muchas estrellas de gran luminosidad y grandes nubes de polvo. Frecuentemente presentan un color azulado.

- **Nebulosas planetarias.** Se forman cuando una estrella gigante roja pierde masa para terminar convirtiéndose finalmente en una enana blanca. Estas nebulosas adoptan frecuentemente la forma de un disco o de un reloj de arena. En la Vía Láctea hay unas 1.500 nebulosas de este tipo y una de las más vistosas es la del Ojo de Gato, considerada también una de las más complejas de cuantas se conocen. Los astrónomos sospechan que la estrella central pudiera ser una doble. La nebulosa está situada en la constelación de Draco.

- **Restos de una supernova.** Un ejemplo de nebulosa de este tipo es la del Cangrejo. En el año 1054, un astrónomo de la corte china llamado Yang Wei-te, anunció el nacimiento de una nueva estrella interpretando lo que dicha aparición auguraba al emperador. Describió que sobre la estrella había un halo amarillo y los registros colocan a esta nebulosa en la constelación de Tauro. Fue posible observarla durante dos años y su brillo era, en un principio, superior al de Venus. Con el tiempo fue paulatinamente extinguiéndose.
  En la actualidad, en esa misma zona del cielo se encuentra la Nebulosa del Cangrejo o M1, el primer objeto que fue catalogado por Messier. Gracias a las periódicas fotografías que se han tomado, se puede afirmar que se está expandiendo. Ésta se podría comparar con una explosión a cámara muy lenta.

Cúmulos estelares

Son agrupaciones de estrellas que se mueven en conjunto.

Los cúmulos contienen estrellas de todas las edades: algunas muy viejas y otras, en cambio, estrellas que acaban de nacer.

Uno de los cúmulos más interesantes es el de las Pléyades, en la constelación de Tauro.

Cúmulos abiertos

Sus miembros, cuyo número se sitúa en un rango de algunas decenas hasta varias centenas, están más o menos dispersos. Por lo general son estrellas muy jóvenes.

Suelen encontrarse en los brazos espirales de las galaxias. Un ejemplo de este tipo de cúmulo lo constituyen las Pléyades, en la constelación de Tauro o el de Perseo.

Estos cúmulos se clasifican, según su concentración, con números romanos del I al XII.

Esquema de cúmulo abierto.

Cúmulos globulares

Constituyen otro tipo de formación que difiere del anterior; se trata de una cantidad relativamente grande de estrellas que se distribuyen en forma de disco o de halo alrededor de una galaxia.

Este tipo de cúmulos, observados a simple vista y en una noche clara, se pueden percibir como manchas blancuzcas de luz débil, pero a través de un telescopio, es posible verlos como hermosísimos conglomerados de estrellas esféricas y brillantes, los cuales presentan una mayor densidad en el centro que en el borde.

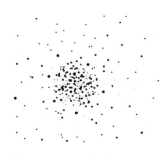

Esquema de cúmulo globular.

La mayoría de ellos están compuestos por estrellas viejas. Uno más conocidos es el de Omega Centauri.

Según la concentración de estrellas que presenten, se clasifican con letras de la C a la G.

LAS ESTRELLAS

Una estrella es un globo de gas, de forma esférica, que se mantiene en equilibrio gracias a la acción de dos fuerzas opuestas: la gravitatoria, que impulsa a que su materia se colapse hacia el centro, y la ejercida por la energía que se genera en su núcleo, que se propaga hacia el exterior.

En algunas estrellas, esta energía es producida por reacciones nucleares que transforman el hidrógeno en helio y, en etapas más avanzadas, a éste en carbono; en otras, como las que se han formado a partir de restos de estrellas anteriores, se producen, además, elementos metálicos más pesados.

Nacimiento y vida de una estrella

Con respecto a cómo se produce el nacimiento de una estrella, debemos tener en cuenta una serie de etapas fundamentales en el proceso:

– Una estrella comienza a formarse cuando una nube de gas y polvo se colapsa gravitatoriamente, aumentando así, paulatinamente, su densidad. La primera consecuencia de todo esto es que la materia que la compone empieza a calentarse; la segunda es que ese incremento de temperatura imprime un giro a la masa de gas. A consecuencia de ello la masa gaseosa se aplana.

– Posteriormente, en una segunda etapa que transcurre sin interrupción con la primera, se inician diversas reacciones nucleares en el seno de esa masa de gas. Eso hace que, en algunas ocasiones, salga expulsada del núcleo de dicha masa cierta cantidad de polvo sobrante, que es lo que formará los planetas.

– En la tercera etapa, llamada secuencia principal ya que es la más larga, el hidrógeno empieza a transformarse en helio. El Sol, precisamente, se encuentra en este estadio. El brillo que presenta una estrella en este punto es uniforme y estable y su color, temperatura, brillo, tamaño y tiempo de vida dependen de su masa.

Por esta misma razón, una de las clasificaciones importantes que se han hecho es aquella que relaciona el brillo y color de los distintos tipos de estrellas:

Enana marrón	1.000 °C
Enana roja	2.800 °C
Enana amarilla	5.500 °C
Enana blanca	10.000 °C
Estrella azul-blanca	16.000 °C
Estrella azul	24.000 °C

— En relación con el tiempo total de vida de una estrella, la cuarta etapa es particularmente corta. Una vez que se agota el hidrógeno, la estrella comienza a hincharse y el helio empieza a transformarse en carbono. Como la temperatura de su superficie disminuye, las capas externas de la estrella aparecen rojizas e infladas, por eso en esta fase ya se denominan gigantes rojas.

— La estrella entonces sigue creciendo de tal manera que engulle los planetas que la orbitan y el carbono que se encuentra en su interior empieza a transformarse en hierro. Es en este estadio cuando se les llama supergigantes rojas.

— En la última fase, la estrella expulsa su parte gaseosa más externa (materia que da lugar a las nebulosas planetarias) y queda con su interior, o núcleo, al descubierto.

Este centro seguirá evolucionando, pero de diferente manera según sea la masa de la estrella:

• **Enanas blancas.** Este tipo de estrellas tienen una gran densidad: 60 kg por cm³ (para tener una idea más precisa de lo que se está comentando, decir que la densidad del Sol es de 1 g por cm³). Así, por ejemplo, una simple caja de fósforos llena del material de que están hechas estas estrellas, pesaría unos 720 kilos. Si bien se han podido detectar algunas enanas blancas, no es nada fácil conseguirlo puesto que a medida que se enfrían pierden luminosidad. Sirio, por ejemplo, tiene como compañera una enana blanca.

- **Estrellas de neutrones.** La principal característica de estas estrellas es su impresionante densidad. Toda su masa abarca un radio de entre 10 y 20 km y está formada por neutrones. Estas partículas son inestables y normalmente se trasforman en relativamente poco tiempo en electrones, protones y antineutrinos.

Sin embargo, en las estrellas y debido a la enorme densidad de la materia comprimida, el proceso que se realiza es, al parecer, el opuesto: electrones y protones se combinan entre sí para formar neutrones. Aún no se ha detectado ninguna estrella de neutrones. Los astrónomos opinan que son muy débiles pero también creen que, seguramente, será posible conseguirlo a través de los púlsares.

> *Púlsares.* Llamamos púlsares a las estrellas de neutrones que emiten un pulso de radio en períodos precisos; podemos encontrar púlsares que ejecutan este proceso cada pocos milisegundos y otros que lo emiten cada pocos segundos.
>
> Los astrónomos opinan que esta sorprendente precisión en la emisión se debe a que los púlsares son estrellas que tienen una rotación muy rápida y que a la vez emiten un haz de radiación que, como si de un faro se tratase, barre el cielo debido al giro que realizan sobre su propio eje.
>
> Actualmente han sido localizados más de 300 púlsares; sin embargo, se estima que sólo en nuestra galaxia puede haber unos 200.000 y que, si se consideran también aquellos cuyo haz no barre en nuestra dirección, podría hablarse de cerca de un millón. Se sabe que cada púlsar emite durante unos 4.000 años y que, tras este período, ha perdido tanta energía rotacional que los pulsos que emite ya no son detectables.
>
> Últimamente se han encontrado púlsares en cúmulos globulares; otros, nacen tras la explosión de supernovas. Este parece ser el caso del Púlsar del Cangrejo.

En el año 1054, un equipo de astrónomos chinos y japoneses registró una supernova que dejó, como residuo, la Nebulosa del Cangrejo. De su centro es desde donde se recibe el púlsar más energético de todos los conocidos.

• **Agujeros negros.** Al hablar de agujeros negros nos estamos refiriendo a cuerpos celestes con una masa muy elevada. Ésta se muestra tan compacta, que su tamaño es muy reducido. La elevada densidad llega a tal punto que hace imposible que los fotones, esto es, partículas de luz, salgan de ellas porque se ven impulsados hacia su interior por la atracción gravitatoria que ejercen.

• **Supernovas.** En ocasiones, la masa gaseosa que recubre la estrella es expulsada hacia el espacio de una forma increíblemente violenta. Cuando esto ocurre, emiten en muy poco tiempo la energía que, de hacerlo de otro modo, tardarían millones de años en emitir. Por esta razón adquieren una gran luminosidad que, en ocasiones, supera a la de las estrellas normales. La observación de supernovas no es un hecho demasiado frecuente, pero cada tanto aparecen y en ocasiones son descubiertas por astrónomos aficionados.

Tipos de estrellas

Aunque no se trate de algo que sea perceptible a simple vista, la mayoría de las estrellas forman parte de sistemas compuestos por dos o más elementos que se mantienen unidos entre sí gracias a una mutua acción gravitatoria. En este sentido el Sol, que no tiene compañera, es un tipo de estrella poco común.

Sin embargo, no todas las estrellas que a simple vista o a través de un telescopio se ven muy próximas son binarias; así, por ejemplo, las estrellas denominadas dobles ópticas se ven juntas y, sin embargo, no tienen nada que ver la una con la otra: una de ellas se encuentra muchísimo más próxima al Sistema Solar que la otra.

Las estrellas binarias se dividen en los siguientes grupos:

• **Estrellas binarias o dobles.** Son estrellas de masa y tamaño similares que giran alrededor de un centro de masas común. Al observarlas, se ve claramente el par y la manera en que una gira alrededor de la otra.

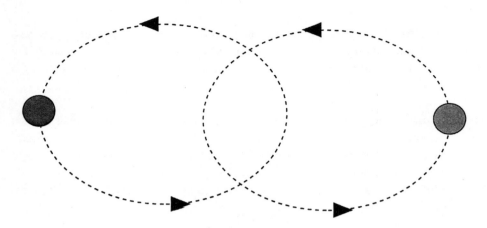

Sistema binario en el que las masas de ambas estrellas son iguales.

- **Estrellas binarias eclipsantes o fotométricas.** Son sistemas binarios en los que una de las dos oculta, cada cierto tiempo, total o parcialmente a la otra. Es un sistema igual al anterior que, debido a su posición desde nuestro punto de observación, se ve de forma diferente.

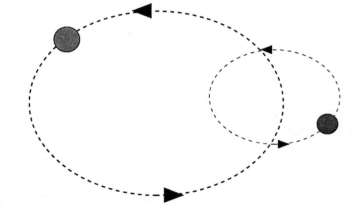

En este sistema binario, la estrella más oscura tiene menor masa.

Un ejemplo de binaria eclipsante es Algol, en la constelación de Perseo. Esta doble está formada por una componente muy brillante que tiene una compañera más débil. Cuando ésta eclipsa la primera, lo que se observa desde la tierra es una disminución del brillo de la primaria. Cuando el fenómeno es opuesto, es decir, cuando la más brillante eclipsa a la más opaca, el aumento de luminosidad es muy notorio. Como las órbitas de estas estrellas es estable, la disminución del brillo se produce a intervalos exactamente regulares.

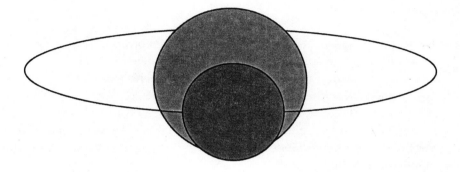

Sistema binario eclipsante.

- **Estrellas variables.** Por norma general, este tipo de estrellas muestra una disminución en su brillo durante períodos regulares. Sin embargo, algunas de estas estrellas variables tienen fluctuaciones que son abiertamente irregulares.

- **Variables cefeidas.** Este tipo de estrellas son amarillas, muy brillantes y tienen mayor masa que el Sol. Las cefeidas más luminosas necesitan entre dos y tres meses en completar su ciclo de cambios, en tanto que una débil, sólo necesita unos pocos días. Estas estrellas han sido muy útiles a los astrónomos ya que les ha permitido establecer la distancia a la que se encuentran algunas estrellas lejanas.

- **Dobles ópticas.** Son estrellas que, aunque parezcan estar muy próximas entre sí, en realidad se hallan a muchos miles de años luz de distancia. Dos de sus coordenadas coinciden pero, por decirlo de alguna manera, se hallan a diferente «profundidad», de ahí que estén aparentemente juntas.

Características de una estrella

A la hora de estudiar una estrella, sus propiedades físicas, su edad, su estado, etc., hay muchas variables que pueden tenerse en cuenta.

Sin embargo, para simplificar de manera que todo resulte más sencillo para su comprensión, diremos que las propiedades más relevantes son cinco: brillo, color, temperatura, espectro y tamaño, las cuales vamos a pasar a continuación a comentar.

- **Brillo.** Ante todo es necesario distinguir entre el brillo intrínseco o luminosidad, y el brillo aparente que es el que se percibe desde la Tierra.

  Una estrella puede parecernos a simple vista mucho más débil que otra y ello se puede deber, sencillamente, a que se encuentre a una distancia muy superior.

  La escala de brillos se mide por magnitudes; las más bajas indican un mayor brillo que las más altas. De este modo Sirio, la estrella más brillante, tiene una magnitud de -1,4.

  La magnitud también puede ser intrínseca o aparente.

- **Color.** El color de una estrella está relacionado con la longitud de onda en la que emite su luz y ésta, a su vez, en parte está determinada por la temperatura que tiene la estrella.

- **Temperatura.** Como se deduce del apartado anterior, decir que el color sirve para saber cuál es la temperatura que hay en la superficie de una determinada estrella.

- **Espectro.** La luz, ya sea de una estrella, de una bombilla o de cualquier fuente luminosa, está formada por ondas electromagnéticas de diferente longitud.

  Si se descompone la luz blanca en su espectro, se obtienen muchos datos acerca de la fuente emisora; por ejemplo, se sabe qué tipo de átomos o moléculas la forman.

  En el caso de las estrellas, el estudio de sus respectivos espectros permite conocer su composición, así como la temperatura de la misma, lo cual permite agruparlas, según sea la clase espectral que presenten, de la siguiente manera:

Cl. espectral	Tipo de estrella	Temperatura	Ejemplo
O	Azul o verdosa	25.000 °C	L. Lacertae
B	Azul	11.000-25.000 °C	Rigel, Spica
A	Blanco-azulada	7.500-11.000 °C	Sirius, Vega
F	Blanca	6.000-7.500 °C	Canopus
G	Amarilla	5.000-6.000 °C	Sol, Capella
K	Anaranjada	3.500-5.000 °C	Aldebarán
M	Roja	3.500 °C	Betelgeuse

- **Tamaño.** Existen estrellas de los más variados tamaños; desde las gigantes hasta las enanas.

  Las dimensiones indican también la etapa de la vida en la que se encuentran; por ejemplo, la compañera de Sirio es un poco más grande que la Tierra, sin embargo Antares, la gigante roja de Escorpio, tiene un diámetro que supera en 500 veces el del Sol.

  El tamaño de una estrella se puede determinar por dos parámetros: temperatura superficial y brillo intrínseco.

  El primer parámetro, es decir, la temperatura superficial, indica la radiación que emite por metro cuadrado de superficie, y el segundo parámetro, el brillo, lo que nos señala es la radiación total proveniente de toda la superficie estelar.

Los nombres de las estrellas

Las estrellas más importantes de cada constelación tienen, por lo general, un mombre propio que la mayoría de las veces proviene del árabe. Además también se designan con una letra del alfabeto griego, habitualmente ordenada según su importancia.

Hay libros en los cuales se utiliza el grafismo griego en tanto que en otros, se usa el nombre latinizado de la letra (alfa, beta, etc.).

Alfabeto griego

α alfa	ζ zeta	λ lambda	π pi	φ fi
β beta	η eta	μ mi	ρ rho	χ ji
γ gamma	θ theta	ν ni	σ sigma	ψ psi
δ delta	ι iota	ξ xi	τ tau	ω omega
ε épsilon	κ kappa	o ómicron	υ ípsilon	

Cuerpos menores

Además de los cuerpos que se han explicado hasta ahora, hay otros que se consideran cuerpos menores y que se forman también a partir de las nebulosas: los asteroides, los cometas y los meteoroides.

Asteroides

Reciben este nombre los pequeños cuerpos rocosos, compuestos de metales y silicatos, que orbitan alrededor del Sol. La mayor parte de los conocidos son los que componen el Cinturón de Asteroides, que tienen sus órbitas entre Marte y Júpiter.

Los de mayor tamaño son esféricos; el resto, tiene forma irregular. El de mayor tamaño, Ceres, tiene un diámetro de más de 1.000 km.

Hay otro grupo de asteroides que se encuentran en la órbita de Júpiter formando dos nubes, una delante y otra detrás; son conocidos con el nombre de Troyanos.

Quirón, descubierto hace unas décadas entre las órbitas de Saturno y Urano, tiene una órbita muy excéntrica, similar a la de los cometas.

También hay grupos que se encuentran atravesando las órbitas de los planetas interiores, como Marte o la Tierra. El que más se acerca al Sol es conocido con el nombre de Faetón; atraviesa la órbita de Marte.

Cometas

La característica más notoria de estos cuerpos que orbitan alrededor del Sol es su larga y llamativa cola. Constan de un núcleo formado de roca y hielo, denominado cabeza, y una nube gaseosa llamada cabellera o coma. Ésta siempre apunta en dirección al Sol, debido a la presión que el viento solar ejerce sobre las partículas de polvo y gas que la conforman. Por esta razón, cuando el cometa se aproxima al Sol, su cola se hace más larga y luminosa y va disminuyendo paulatinamente a medida que se aleja de éste.

Los cometas pueden tener varias colas que pueden ser de polvo o de gas. Aunque ambas apuntan en la dirección opuesta al Sol, se suelen diferenciar porque las de polvo tienen por lo general una forma ligeramente curva.

Las órbitas de los cometas tienen la particularidad de ser largas y estrechas; para recorrerlas, algunos suelen emplear millones de años en tanto que otros, como por ejemplo el cometa Halley que aparece cada 76 años, tienen órbitas más cortas. De la misma manera, el Enke tiene un período de 3,3 años y el Grigg-Skejellerup, de 4,9.

La Nube de Oort y el Cinturón de Kuiper

La mayor parte de los cometas que orbitan en el sistema solar forman un conjunto denominado Nube de Oort, que forma una suerte de esfera exterior que constituiría la frontera del Sistema Solar. Según las últimas investigaciones, los astrónomos opinan que los cometas que estaban integrados en esta nube se habían formado más cerca del Sol, pero que fueron expulsados de su proximidad por sus encuentros con los planetas exteriores más grandes; sobre todo por Júpiter y Saturno.

Otra zona en la que abundan cometas es la conocida como Cinturón de Kuiper; tiene forma aplanada y está situado casi en el mismo plano que las órbitas de los grandes planetas.

Meteoroides

Son pequeños meteoros que, al chocar contra la atmósfera terrestre, se queman emitiendo luz. Algunos son sumamente pequeños, del tamaño de un grano de arena, y están diseminados por el espacio. Otros, por el contrario, tienen gran tamaño. El mayor de los que se conserva de cuantos han caído a la Tierra es el meteorito Hoba; se encuentra en el Parque Nacional Etosha, en Namibia, y su peso se estima en unas 60 toneladas. Se calcula que cayó hace unos 80.000 años y está compuesto de un 82 por ciento de hierro, 16 por ciento de níquel, un uno por ciento de cobalto y rastros de otros elementos.

Para los científicos resulta interesante el estudio de estas piezas, ya que permite averiguar muchos detalles acerca de la materia que hay en el espacio. En años relativamente recientes se especuló con la posibilidad de haber encontrado, en un meteorito, rastros de materia orgánica. De confirmarse finalmente la noticia, podría inferirse que lo más probable es que haya vida en otros lugares del espacio.

Según dónde se encuentren estos cuerpos, reciben un nombre diferente:

• **Meteoroides.** Son los que están en el espacio.

• **Meteoros.** Reciben este nombre en el momento en el que entran en contacto con la atmósfera.

• **Meteoritos.** Así se llaman los que llegan a la superficie de la Tierra.

A lo largo del año y en fechas más o menos fijas, se producen varias lluvias de estrellas que pueden observarse a simple vista (*ver* Apéndice), sobre todo si hay Luna nueva. Coinciden con la intercepción de la órbita de algún cometa por parte de la Tierra.

Lluvias de estrellas

Las estrellas fugaces son partículas de polvo que tienen apenas el tamaño de un grano de arena. Son restos de la cola de un cometa que se desprenden cuando éste pasa cerca del Sol.

Cuando la Tierra atraviesa la órbita de un cometa, estas partículas que están libres en el espacio chocan con la atmósfera y se vuelven incandescentes.

Normalmente, se desintegran totalmente a unos 50 km de la superficie terrestre, pero puede darse el caso de que una de estas partículas sea de mayor tamaño y tenga una menor velocidad, en cuyo caso llegaría a la Tierra en forma de meteorito.

Cada lluvia de estrellas se produce, prácticamente sin variación, en los mismos meses y días del año, puesto que el planeta Tierra tiene una órbita fija y, por consiguiente, atraviesa con regularidad la región en la que se encuentran estas partículas.

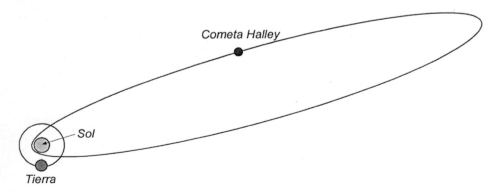

La Tierra atraviesa en dos puntos la órbita del cometa Halley; eso da lugar a dos lluvias de meteoros: las Oriónidas y las η Acuáridas.

En los años en los que el cometa se acerca al Sol, la densidad de las partículas es mucho más elevada; por esta razón, calculando el momento en el cual se produce ese acercamiento del cometa, se puede predecir el momento en que las estrellas fugaces serán más abundantes. En las Leónidas, por ejemplo, se observa una mayor actividad cada 33 años porque el cometa que las produce, llamado 55P/Tempel-Tuttle, cada 33,2 años se acerca al Sol.

En el estudio de las estrellas fugaces la aportación de los astrónomos aficionados es fundamental; debido a la rápida movilidad de estos cuerpos, su seguimiento con grandes telescopios es más engorroso que la observación a simple vista. De modo que muchos de los datos que hoy se tienen sobre estas lluvias se deben al trabajo de personas que no tienen estudios académicos sobre el tema (*ver* Lluvias de estrellas en Apéndice E).

Puestos de observación

«Y preparé un tubo, al principio de plomo, y puse en sus dos extremos dos lentes de vidrio, los dos planos de una parte, y de la otra, uno esféricamente convexo y el otro cóncavo. Moviendo el ojo a la parte cóncava, vi los objetos muy grandes, lo mismo que muy cercanos. En tres tantos aumentaban los cercanos, y los más grandes se dejaban ver con un aumento de nueve. Pero después construí otro aparato en el que, con mayor exactitud, los grandes objetos crecían hasta sesenta veces su tamaño natural. Y después, sin perdonar esfuerzo ni gasto, llegué a tener un medio muy excelente para que las cosas que yo veía se hicieran miles de veces más cercanas que a simple vista. Son muchos los beneficios que este aparato trae, tanto en la tierra como en el mar. Pero yo dejé todo lo de la tierra y me entregué a la observación de los cielos.»

GALILEO GALILEI

LA TIERRA

La Tierra tiene dos movimientos básicos:

- **Rotación.** Gira sobre un eje imaginario que va desde el polo norte hasta el polo sur y para ello emplea en dar una vuelta completa 12 horas, 56 minutos y 4,1 segundos. Gracias a este movimiento, cuando observamos el cielo, las estrellas parecen desplazarse muy lentamente en torno a un punto; un fenómeno similar al que ocurre cuando se viaja en tren y se tiene la apariencia de que los postes telegráficos «viajan» hacia atrás.

- **Traslación.** Completa una órbita elíptica alrededor del Sol en 365,26 días.

LA ESTRELLA POLAR

Si se prolonga por su extremo norte el eje de rotación terrestre a una distancia de 470 años luz, se llega a una estrella de la constelación de la Osa Menor: la Polar o Polaris, que es 2.300 veces más brillante que el Sol.

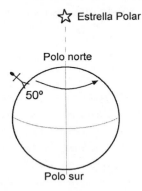

Gráfico que muestra la localización de la estrella Polar.

Al estar alineada con un punto del planeta Tierra que únicamente gira sobre sí mismo (el polo norte), para el observador, la Polar o Polaris permanece quieta en el cielo, en tanto que las demás parecen dar vueltas en torno a ella. Esta característica ha permitido que los navegantes la utilizaran como punto de orien-

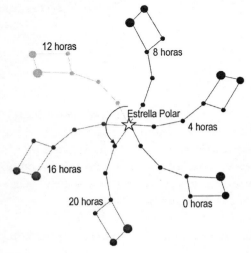

Movimiento aparente de la Osa Menor alrededor de la estrella Polar el día 1 de enero, mirando al horizonte norte.
La posición correspondiente a las 12 horas no será visible por la presencia del Sol.

tación. Sin embargo, la actual Polaris de la Osa Menor no siempre ha sido ni será la que coincida con la prolongación del eje terrestre; hace 3.000 años, en el antiguo Egipto, era Duban, de la constelación del Dragón, y dentro de 12.000 años, será Vega, de la constelación de Lira.

La razón de todo esto es que el eje de rotación no mantiene la vertical, sino que se inclina ligeramente de modo que sus extremos describen un círculo. Se trata de un bamboleo similar al que describe una peonza antes de detenerse.

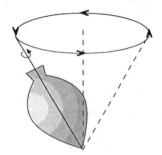

Movimiento de peonza.

En este bamboleo, como se observa en el dibujo, la prolongación describe un círculo que tarda en completarse, aproximadamente, 26.000 años, apuntando a las diferentes estrellas que encuentra en su camino.

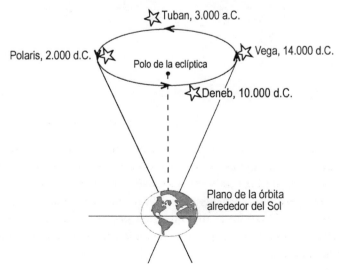

Desde el punto de vista del astrónomo aficionado que empieza a dar sus primeros pasos, la estrella Polar es importante ya que, al ser visible durante todo el año en el hemisferio norte, le podrá ayudar a localizar otros cuerpos celestes.

Los habitantes del hemisferio sur no cuentan con esta ventaja: la prolongación del eje que pasa por ese polo no señala ninguna estrella lo suficientemente brillante como para ser tomada de referencia. En este caso, lo que sí se suele utilizar como referencia es una constelación llamada la Cruz del Sur, cuyo extremo más largo apunta a lo que sería la prolongación del polo austral.

EL CIELO NOCTURNO

La porción de espacio visible desde los distantes lugares de la Tierra, se podría representar como una capa que rodea todo el planeta (*ver* Figura).

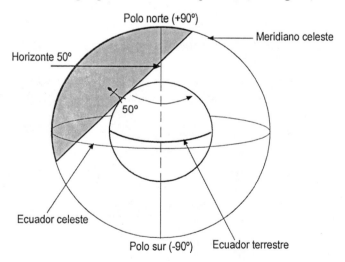

Para facilitar la localización de los objetos celestes, los astrónomos han tomado ese espacio como una esfera en cuyo centro está la Tierra. En ella, se trazan unas líneas imaginarias que son la extensión de las terrestres: el ecuador, los meridianos y los paralelos celestes y el polo norte y polo sur celestes.

En esa esfera, el horizonte es una tangente por eso, los habitantes del extremo sur de la Tierra, pueden ver un trozo de cielo que no pueden apreciar los del extremo norte y viceversa.

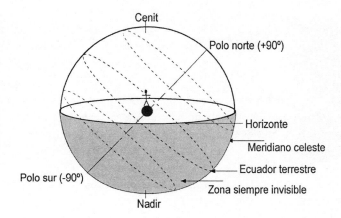

LAS ESTACIONES

La Tierra se desplaza alrededor del Sol en una trayectoria no perpendicular a su eje de rotación; ello da lugar a las estaciones y determina que el cielo nocturno que se ve desde cada lugar del planeta varíe a lo largo del año.

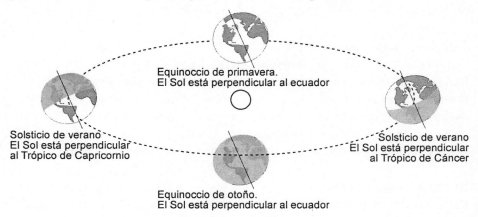

Entre los meridianos terrestres, hay dos que tienen una especial importancia: el Trópico de Cáncer y el Trópico de Capricornio; marcan las líneas de puntos máximos y mínimos sobre los cuales pueden incidir perpendicularmente los rayos del Sol. También hay que tener en cuenta que los cambios en la duración del día y la noche que se producen en las diferentes estaciones, son más acusados en los lugares próximos a los polos. De hecho, en las regiones ártica y antárti-

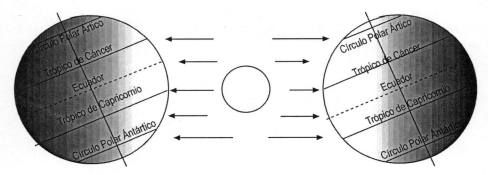

Desplazamiento de rotación.

ca, el Sol se oculta durante aproximadamente seis meses, dando lugar a la noche polar para permanecer en el cielo otros seis, en la primavera y verano.

SOLSTICIO DE INVIERNO

Hacia el 21 de diciembre el Sol está situado sobre el Trópico de Capricornio, en el hemisferio sur. Esto da comienzo al invierno y determina, para el hemisferio norte, el día más corto del año en tanto que para el sur es todo lo contrario.

EQUINOCCIO DE PRIMAVERA

Durante los tres meses siguientes al solsticio de invierno, el Sol, por así decirlo, «se aleja» del Trópico de Capricornio; sus rayos inciden perpendicularmente en puntos cada día más cercanos al ecuador. Esto hace que los días se vayan haciendo más cortos en el hemisferio sur y más largos en el norte. El 21 de marzo la radiación solar cae perpendicular al ecuador, momento que se conoce como equinoccio de primavera, que da comienzo al otoño en el hemisferio sur.

SOLSTICIO DE VERANO

Partiendo del ecuador, el sol sigue su aparente ascención hacia el Trópico de Cáncer. Alcanzará ese punto alrededor del 21 de junio, momento en que el hemisferio norte tendrá su día más largo y el sur el más corto.

EQUINOCCIO DE OTOÑO

A partir del solsticio de verano, el Sol hará su aparente descenso hacia el ecuador y lo alcanzará el 21 de septiembre, día que comienza el otoño en el hemisferio norte y la primavera en el sur.

Las constelaciones

Para todos los pueblos agricultores de la antigüedad, el conocimiento del cielo ha sido fundamental; su observación les permitió calcular los momentos precisos para realizar siembras y cosechas; para prepararse para el invierno o protegerse de los rigores del verano.

La aparición de ciertas estrellas en el cielo marcaban las futuras condiciones climáticas y gracias a ello establecían diferentes acontecimientos de la vida comunitaria.

El cielo era, para ellos, uno de los grandes misterios y pronto empezaron a ver en las agrupaciones de estrellas elementos sobrenaturales; personajes temidos o amados, benéficos o maléficos que podía interceder ante las divinidades. Posiblemente ese sea el origen de la construcción de muchas de ellas.

QUÉ SON Y CÓMO SE DIVIDEN LAS CONSTELACIONES

Desde el punto de vista astronómico, las estrellas que forman una constelación no están necesariamente asociadas; algunas pueden tener un mismo origen y estar más o menos próximas, pero otras, en cambio, aunque se vean juntas, es posible que estén a millones de años luz de distancia entre sí (es decir: una mucho más próxima que la otra a nuestro Sistema Solar).

Antiguamente, las constelaciones eran grupos de estrellas unidas esquemáticamente de manera que formaran un dibujo.

Hoy, partiendo de esas agrupaciones primitivas, la Unión Astronómica Internacional ha dividido la esfera celeste en 88 sectores y todas las estrellas que se encuentran en cada uno de ellos pertenece a esa zona o constelación. Normalmente, en el esquema se ponen sólo las más importantes y el dibujo puede variar al agregarse más o menos elementos, como se verá claramente en la explicación de la Osa Mayor.

Las constelaciones, según su localización en la bóveda celeste, se dividen en los siguientes grupos:

- **Constelaciones ecuatoriales.** Son las que se sitúan sobre la ínea del ecuador celeste: Canis Minor, Cetus, Delphinus, Equuleus, Monoceros, Ophiuchus, Orion, Scutum, Serpens y Sextans.
- **Constelaciones zodiacales.** Son las que están situadas sobre la eclíptica: Aries, Tauro, Gemini, Cancer, Leo, Virgo, Libra, Scorpius, Sagittarius, Capricornus, Aquarius y Pisces.
- **Constelaciones del hemisferio norte.** Andromeda, Auriga, Bootes, Canes Venatici, Coma Berenices, Corona Borealis, Cygnus, Hercules, Leo Minor, Lyra, Pegasus, Perseus, Sagitta, Triangulum y Vulpecula.
- **Constelaciones del hemisferio sur.** Antlia, Caelum, Canis Major, Centaurus, Columba, Corona Australis, Corvus, Eridanus, Fornax, Hydra, Lepus, Lupus, Microscopium, Piscis Austrinum,Puppis, Pyxis y Sculptor.
- **Constelaciones circumpolares del hemisferio norte.** Camelopardalis, Cassiopeia, Cepheus, Draco, Lacerta, Lynx, Ursa Major y Ursa Minor.

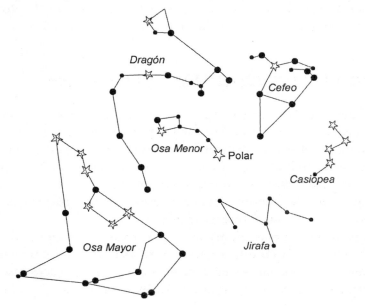

- **Constelaciones circumpolares del hemisferio sur.** Apus, Ara, Carina, Chamaeleon, Circinus, Crux, Dorado, Horologium, Hydrus, Indus, Mensa, Musca, Norma, Octans, Pavo, Phoenix, Pictor, Reticulum, Telescopium, Triangulum Australis, Tucana, Vela y Volans.

RECORRIDO PARA CONOCER EL CIELO

Cuando una persona que no tiene ningún conocimiento de Astronomía levanta la vista al cielo durante la noche, ve, además de la Luna, un montón de puntos luminosos que brillan con mayor o menor intensidad.

Reconocer las constelaciones, sin un punto de partida de referencia, resulta poco menos que imposible, de ahí que sea necesario establecer la búsqueda de cada una de ellas partiendo de, al menos, algún elemento conocido.

En la explicación de cada constelación, de todas maneras, se expone cuáles han de tomarse como referencia para su localización.

HEMISFERIO NORTE

Casi todos los habitantes que viven al norte del ecuador saben reconocer la Osa Mayor (Ursa Major); las siete estrellas que forman el asterismo del Carro o el Cazo, como se conoce en otros lugares, les son muy familiares. Además, tiene la ventaja de estar presente en el cielo todo el año. Por esta razón será la que se tome como referencia para ir buscando, poco a poco, las demás.

Partiendo de ésta, se podrán encontrar las circumpolares que, a su vez, servirán de guía para encontrar otras. En este sentido, constelaciones como Aquila, Cassiopeia y Orion son especialmente utilizadas.

HEMISFERIO SUR

Las constelaciones más conocidas por los habitantes de este hemisferio son, sin duda, la Cruz del Sur (Crux) y el asterismo que forma el cinturón de Orión conocido con el nombre de Las Tres Marías.

Las estrellas que componen estos dos conjuntos serán las que se tomen como referencia para localizar las demás, por lo tanto conviene que sean las primeras que se busquen e identifiquen.

ANDROMEDA (ANDRÓMEDA)

Nombre abreviado: And.

Coordenadas: Hemisferio norte. A.R.: 0,54 horas. Dec.: 38,54°.

Franja de observación: 90° N - 35° S.

Mejor visibilidad: 3 de octubre. Se puede observar esta constelación en otoño desde el hemisferio norte y en primavera desde el hemisferio sur.

Aproximación: La mejor manera de localizar Andrómeda es partir del cuadrilátero de Pegasus en el cual una de sus estrellas, δ pegasi, es considerada como α de Andrómeda.

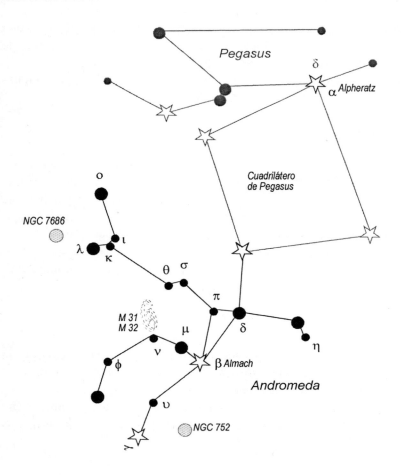

La constelación de Andrómeda es conocida desde la antigüedad. Hay autores que, incluso, la identifican en algunos grabados precolombinos hechos en piedra.

El nombre por el cual se la conoce actualmente tiene su origen en un mito griego: Andrómeda era la hija de dos reyes etíopes, Casiopea y Cefeo, que tuvieron la osadía de asegurar que la reina era más hermosa que las ninfas del mar. Éstas, al enterarse, enfurecieron y pidieron a Poseidón que castigara tal afrenta. Para complacerlas, el dios envió a la ballena Cetus a las costas del reino de Cefeo a fin de destruirlo. Ante los estragos del monstruo, Cefeo, desesperado, consultó el oráculo de Amón y éste le dijo que la única manera de aplacar a Poseidón y a las nereidas era ofrecer a Cetus a su hija Andrómeda. Así, la muchacha fue encadenada a un acantilado junto al mar para que el cetáceo la devorase.

Y así hubiera sido sin la intervención de Perseo, un héroe ya famoso por haber dado muerte a la gorgona Medusa. Al ver a la indefensa Andrómeda ofrecida en sacrificio, se enamoró perdidamente de ella y propuso a Cefeo salvarla a cambio de que le fuera concedida como esposa.

El rey aceptó y Perseo, portando la cabeza de Medusa, se presentó ante Cetus quien, al recibir la mirada de la gorgona, quedó inmediatamente convertido en piedra.

Perseo y Andrómeda, finalmente, se casaron y se fueron a vivir al cielo.

ESTRELLAS MÁS IMPORTANTES

α de Andromeda o Alpheratz. Su nombre proviene del árabe «Surrat al-Faraz», que significa «ombligo del caballo». Estrella doble, blanca azulada. Vista por telescopio sus componentes muestran los colores blanco y púrpura. Magnitud: 2,06. Distancia: 90 años luz. Brilla 100 veces más que el Sol. Día de mejor visibilidad: 25 de septiembre a medianoche.

β de Andromeda o Mirach o Mirak. Del árabe, «Al Mizar», «el manto del lomo». Gigante roja de tipo espectral M. Magnitud: 2,03. Distancia: 130 años luz. Brilla 75 veces más que el Sol. Resulta interesante observarla con prismáticos. Se estima que tiene cierta variabilidad. Mejor visibilidad: 10 de octubre.

γ de Andromeda o Almach o Almach. Del árabe, «Anak Al-Ard», «lince del desierto». Estrella doble cuya primaria es una gigante anaranjada. La acompaña una secundaria blanca. Magnitud: 2,12. Distancia: 260 años luz. Brillan 1.092 y 91 veces más que el Sol respectivamente. Mejor visibilidad: 22 de octubre.

δ de Andromeda. Gigante anaranjada, tipo K. Magnitud: 3,27. Distancia: 140 años luz. Brilla 37 veces más que el Sol. Mejor visibilidad: 2 de octubre.

ζ de Andromeda. Anaranjada del tipo K. Magnitud: 3,90. Distancia: 181 años luz. Brilla 57 veces más que el Sol.

o de Andromeda. Blanca, tipo B. Magnitud: 3,62. Distancia: 693 años luz. Brilla 692 veces más que el Sol. Mejor visibilidad: 7 de septiembre.

π de Andromeda. Estrella doble, anaranjada, tipo K, fácil de localizar. Magnitudes: 4,36 y 8,8. Distancia: 656 años luz. Brilla 585 veces más que el Sol.

OTROS OBJETOS DE INTERÉS

M31 (NGC 224) o Galaxia Espiral de Andrómeda. Es visible a simple vista en las noches oscuras, cuando se percibe como un resplandor impreciso que abarca, aproximadamente, 1°. Para apreciarla mejor se recomienda usar prismáticos, así su centro aparece con total claridad. Magnitud aparente: 4,8. Está situada a unos 6° al norte de Mirach (β And), muy próxima a ν And. Esta es la galaxia espiral mayor y más próxima a la Vía Láctea; se encuentra a 2.200 millones de años luz. Según las últimas estimaciones, contiene unos 300 millares de estrellas y brilla como 23 millares de soles.

M32 (NGC 221). Galaxia elíptica que está junto a M31 y que se puede observar con prismáticos. Tiene una magnitud visual de 8,1 y la forma más fácil de localizarla es mirando hacia la Galaxia de Andrómeda. Aparece como un punto brillante sobre ésta. Formando parte de ella, se han encontrado algunas nebulosas planetarias.

M110 (NGC 205). Esta galaxia descubierta por Messier, en un principio fue catalogada como Gran Nebulosa de Andrómeda. También es satélite de la M31. Tiene un cúmulo a su alrededor.

NGC 752. Cúmulo abierto que se encuentra a 4,5° de Almach (γ And), conocido ya en el siglo XVII. Está compuesto por unas 70-80 estrellas. Se encuentra a unos 1.200 años luz.

NGC 7686. Cúmulo abierto de magnitud 5,60.

ANTLIA (BOMBA NEUMÁTICA O MÁQUINA NEUMÁTICA)

Nombre abreviado: Ant.
Coordenadas: Hemisferio sur. A.R.: 10,16 horas. Dec.: -34,44°.
Franja de observación: 49° N - 90° S.
Mejor visibilidad: 23 de febrero. Salvo en los lugares cercanos al ecuador, en el hemisferio norte se encuentra siempre muy baja, de modo que en las latitudes más o menos altas nunca sale completa.
Aproximación: Se encuentra entre las constelaciones de Vela, Hydra y Pyxis pero no es fácil de localizar porque su brillo es muy tenue.

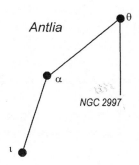

Estamos ante una de las más oscuras constelaciones del firmamento. Su nombre se debe al invento del físico inglés del siglo XVII, Robert Boyle, y además cabe decir que es una de las 14 constelaciones que en su día registró el astrónomo francés Nicolás de Lacaille, en su observatorio ubicado en Ciudad del Cabo.

En la descripción de la constelación Vela se muestra su ubicación en relación a ésta.

Estrellas más importantes

α de Antlia. Se trata de una gigante anaranjada, tipo K. Magnitud: 4,25. Distancia: 337 años luz. Brilla 195 veces más que el Sol. Mejor visibilidad: 28 de febrero.

ι de Antlia. Gigante anaranjada, tipo K. Magnitud: 4,60. Distancia: 207 años luz. Brilla 42 veces más que el Sol. Mejor visibilidad: 7 de marzo.

θ de Antlia. Sistema múltiple. El componente principal es una amarilla, tipo F. Magnitud: 4,79. Tiene, al menos, tres compañeras de una magnitud superior a 5,50. Distancia: 385 años luz. Brilla 83 veces más que el Sol. Mejor visibilidad: 17 de febrero.

Otros objetos de interés

NGC 2997. Galaxia en espiral, sólo visible con telescopio.

Apus (Ave del Paraíso)

Nombre abreviado: Aps.
Coordenadas: Circumpolar, hemisferio sur. A.R.: 16,16 horas. Dec.: -76,28°.
Franja de observación: 7° N - 90° S.
Mejor visibilidad: 23 de mayo. Esta constelación es circumpolar, de modo que es invisible para las latitudes más altas del hemisferio norte. En el sur es visible todo el año.
Aproximación: Se encuentra a media distancia entre el polo sur celeste y Triangulum Australis.

Esta constelación recibió en un principio el nombre de Avis Índica (Ave de la India).

Algunos expertos y estudiosos del tema opinan que la denominación de esta constelación proviene del término griego «apous», que significa «sin patas», término que hace referencia al mito en el cual algunas aves parecían carecer de ellas.

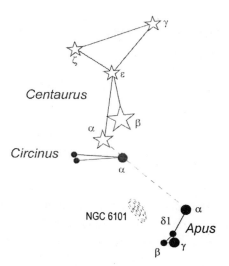

ESTRELLAS MÁS IMPORTANTES

α de Apus. Gigante anaranjada tipo K. Magnitud: 3.8. Distancia: 411 años luz. Brilla 50 veces más que el Sol. Mejor visibilidad: 5 de mayo.

β de Apus. Sistema múltiple. Estrella principal: gigante aranjada, tipo K. Magnitud: 4,2. Distancia: 160 años luz. Brilla 37 veces más que el Sol. Mejor visibilidad: 3 de junio. Magnitud de la estrella secundaria: 12 (invisible a simple vista y con prismáticos poco potentes).

γ de Apus. Estrella anaranjada, tipo K. Magnitud: 3,8. Distancia: 160 años luz. Brilla 64 veces más que el Sol. Mejor visibilidad: 1 de junio.

δ de Apus. Doble óptica. Estrella principal: gigante roja, tipo M. Magnitud: 4,7. Distancia: 622 años luz. Estrella secundaria: gigante roja, tipo M. Magnitud: 5,2. Distancia: 532 años luz. Brillan 582 y 254 veces más que el Sol respectivamente. Mejor visibilidad: 28 de mayo.

OTROS OBJETOS DE INTERÉS

NGC 6101. Cúmulo globular a 25.000 años luz. Sólo puede ser visto bajo excelentes condiciones climatológicas.

IC 4499. Cúmulo globular a unos 60.000 años luz. Sólo puede ser visto bajo excelentes condiciones climatológicas.

Aquarius (Acuario)

Nombre abreviado: Aqr.
Localización: Zodiacal. A.R.: 22,71 horas. Dec.: -10,19°.
Franja de observación: 65° N - 86° S.
Mejor visibilidad: 30 de agosto. En otoño, sobre todo en los meses de septiembre y octubre, esta constelación se puede localizar en el hemisferio norte hacia las 21 horas. Además hay que decir que, aunque se trata de una constelación que abarca una extensión relativamente grande, es poco luminosa.
Aproximación: Para encontrar Aquarius lo mejor es tomar como referencia Alpheratz y a Pegasi, ambas en el Cuadrilátero de Pegasus.

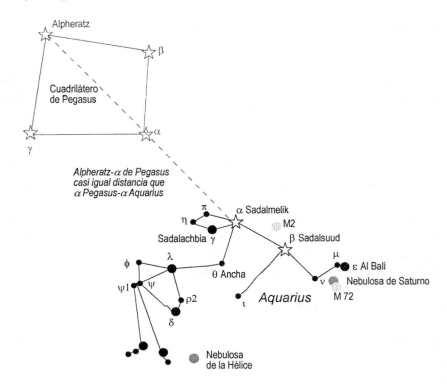

Hay diversas teorías que explican el nombre de esta constelación y dos de ellas se refieren a mitos griegos: uno está relacionado con Ganímedes, la divinidad que esparcía las aguas del cielo, y otro con Pan, hijo de Urano y Gea, personaje que fue instruido por el centauro Quirón en las artes adivinatorias y en la medicina.

El primero cuenta que cuando Zeus tuvo que reemplazar su copero, llegó a Frigia donde vivía un hermoso joven llamado Ganímedes. Al contemplarlo, Zeus se enamoró perdidamente de él y, para raptarlo y llevárselo al Olimpo, se transformó en águila.

Una vez cumplido su cometido, adjudicó a Ganímedes el cargo de copero de los dioses y posteriormente, como prueba de gratitud por sus servicios, lo colocó en el cielo.

Sin embargo, hay autores que relacionan su nombre con la época de las lluvias en el Mediterráneo y Mesopotamia, que hace 2.000 años coincidía con la aparición de Aquarius en el cielo.

Estrellas más importantes

α de Aquarius o Sadalmelik. Su nombre proviene del árabe «Sa'd al-Malik», que significa «talismán del rey». Supergigante amarilla, tipo G. Magnitud: 2,96. Distancia: 809 años luz. Brilla unas 3.000 veces más que el Sol. Mejor visibilidad: 24 de agosto.

β de Aquarius o Sadalsuud. Nombre que proviene del árabe «Sa'd al-Su'ud», «la suerte de las suertes». Supergigante amarilla, tipo G. Magnitud: 2,91. Distancia: 670 años luz. Brilla 5.800 veces más que el Sol. Mejor visibilidad: 16 de agosto. Tiene una estrella secundaria de magnitud 11, posible de observar con telescopio.

γ de Aquarius o Sadachbia. Del árabe «Sa'd al-Akhbiyah», «talismán de las tiendas». Blanca, tipo A. Magnitud: 3,84. Distancia: 160 años luz. Brilla 53 veces más que el Sol. Está en su meridiano el 25 de agosto a medianoche.

δ de Aquarius o Skat. Del árabe «As-Saq», «la pierna». Blanca, tipo A. Magnitud: 3,27. Distancia: 114 años luz. Brilla 93 veces más que el Sol. Mejor visibilidad: 6 de septiembre.

ε de Aquarius o Albali. Del árabe «Al-Bali», «el glotón». Blanca, tipo A. Magnitud: 3,77. Distancia: 230 años luz. Brilla 120 veces más que el Sol. Mejor visibilidad: 5 de agosto. Es una estrella joven.

θ de Aquarius o Ancha. Sistema doble. Magnitud: 3,61. Ambas componentes son blancas, tipo A. Distancia: 190 años luz. Brilla 43 veces más que el Sol.

ψ de Aquarius. Se trata de un grupo de tres estrellas que se encuentran entre Fomalhaut (Piscis Austrinus) y la de Pegasus. Están muy próximas entre sí y también a χ y φ de Aquarius. Se las ha confundido con un cúmulo abierto, pero no guardan relación entre sí.

OTROS OBJETOS DE INTERÉS

M2 (NGC 7089). Cúmulo globular difícil de ver a simple vista pero fácilmente localizable con prismáticos. Su magnitud es de 6,50. La manera de encontrarlo es barrer desde β con una línea las tres estrellas débiles que están próximas a él, teniendo en cuenta que forma un ángulo recto con α y β de Aquarius.

Está a unos 50.000 años luz y su diámetro real es de 150 años luz. Se estima que tiene 100.000 estrellas y su importancia radica en que es uno de los cúmulos globulares más brillantes que pueden observarse desde la zona mediterránea del hemisferio norte.

M73 (NGC 6994). Este objeto Messier es un asterismo formado por cuatro estrellas con magnitudes comprendidas entre 10,5 y 12. Charles Messier lo describió en su catálogo como «cúmulo de tres o cuatro estrellas que, en una primera mirada, da la impresión de ser una pequeñísima nebulosa».

Muchos autores opinan que estas estrellas están relacionadas entre sí y que constituyen un cúmulo. Debido a su escasa magnitud, para observarlas se necesita un telescopio.

M72 (NGC 6981). Cúmulo globular de magnitud visual 9,8. Se han descubierto en él 42 estrellas variables.

NGC 7009 o Nebulosa Saturno. Planetaria. Está a una distancia de 3.900 años luz.

NGC 7293 o Nebulosa de la Hélice. Planetaria. Situada a 450 años luz. Su curiosa forma refleja la doble hélice de ADN.

Acuáridas. Estrellas fugaces próximas a δ de Aquarius. Los meteoros son lentos, poco brillantes y de trayectoria larga. Pueden ser observados a finales de julio-principios de agosto (ver Apéndice D).

AQUILA (ÁGUILA)

Nombre abreviado: Aql.
Localización: Ecuatorial. A.R.: 19,67 horas. Dec.: -2,50º.
Franja de observación: 78º N - 81º S.
Mejor visibilidad: 18 de julio. Se puede apreciar la belleza de esta constelación en los meses de verano y en otoño en el hemisferio norte. En el sur, en invierno y primavera.
Aproximación: Partir de la estrella Polar y trazar una línea que pase por δ de Cygnus hasta llegar a una estrella muy luminosa, en la Vía Láctea: Altair o α del Águila.

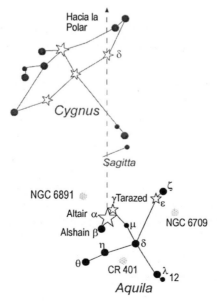

La descripción de esta constelación ya se había hecho en la antigua Babilonia, hacia el año 1000 a. C., pero el origen de su nombre no está claro.

Algunos opinan que es una representación de Zeus, que para raptar a Ganímedes se convirtió en águila. Otros, en cambio, piensan que se trata del ave que le traía néctar y ambrosía, a escondidas de Cronos, su padre. En esta leyenda se afirma que el águila introducía los preciados alimentos en la boca del dios valiéndose de su pico.

ESTRELLAS MÁS IMPORTANTES

α de Aquila o Altair. Su nombre proviene del árabe «At-Ta'ir», «el águila voladora». Blanca azulada, tipo A. Magnitud: 0,77. Distancia: 17 años luz. Brilla 19 veces más que el Sol. Es una de las componentes, junto con Deneb de Cygnus y Vega de Lyra, del triángulo estival. Está en su meridiano el 20 de julio a medianoche.

β de Aquila, Alshain o Alshan (en árabe, «halcón»). Estrella múltiple. Anaranjada, tipo K. Magnitud: 3,71. Distancia: 40 años luz. Brilla 4 veces más que el Sol. Mejor visibilidad: 22 de julio.

γ de Aquila, Reda o Tarazed. Su nombre es de origen persa y designa al «fiel de la balanza». Gigante anaranjada, tipo K. Magnitud: 2,72. Distancia: 284 años luz. Brilla como 750 soles.

Cuando se observa con unos prismáticos, su color anaranjado se hace más evidente. Está alineada con Alshain y Altair, y no hay temor de confundirla con Antares de Scorpius, que está muy próxima, puesto que ésta presenta un color rojo inconfundible. Brilla 1.280 veces más que el Sol. Mejor visibilidad: 20 de julio.

δ de Aquila o Deneb Okab. El nombre de esta constelación proviene del árabe y significa «la cola del águila». Blanca amarillenta, tipo F. Magnitud: 3,65. Distancia: 53 años luz. Brilla 8,4 veces más que el Sol. Mejor visibilidad: 14 de julio.

ε de Aquila. Anaranjada, tipo K. Magnitud: 4,02. Distancia: 154 años luz. Brilla 43 veces más que el Sol.

ζ **de Aquila.** Blanca, tipo A. Magnitud: 2,99. Distancia: 83 años luz. Tiene una compañera muy débil, de magnitud 12, invisible a simple vista. Brilla 33 veces más que el Sol. Mejor visibilidad: 9 de julio.

η **de Aquila.** Amarilla, tipo G. Magnitud: 3,50. Estrella variable del tipo cefeida. Su período es de 7,2 días; pasa de una magnitud de 3,4 a 4,7. Distancia: 1.219 años luz.

Según algunos autores, podría tener una luminosidad 5.000 veces superior a la del Sol. Mejor visibilidad: 21 de julio.

θ **de Aquila.** Gigante blanca, tipo B. Magnitud: 3,23. Distancia: 287 años luz. Brilla 165 veces más que el Sol. Mejor visibilidad: 26 de julio.

λ **de Aquila o Al Thalimain.** Del árabe, «las dos ostras»; la otra correspondería a ι de Aquila. Blanca, tipo B. Magnitud: 3,44. Distancia: 160 años luz. Brilla 52 veces más que el Sol. Doble imposible de distinguir a simple vista.

OTROS OBJETOS DE INTERÉS

En los últimos años han aparecido algunas novas en esta constelación, de modo que hay probabilidades de que aparezcan más.

NGC 6891. Nebulosa planetaria situada a 7° al noroeste de Altair. Se puede ver como un disco brillante, rodeado por un anillo tenue.

NGC 6709. Cúmulo compuesto por unas 40 estrellas, localizado a unos 5° de ζ de Águila, que se encuentra a una distancia aproximada de 2.500 años luz.

CR 401. Cúmulo abierto de magnitud 7.

ARA (ALTAR)

Nombre abreviado: Ara.
Localización: Circumpolar del hemisferio sur. A.R.: 17,39 horas. Dec.: -53,58°.
Franja de observación: 22° N - 90° S.

Mejor visibilidad: 11 de junio. Resulta invisible en gran parte del hemisferio norte. En el sur se puede ver todo el año.

Aproximación: Partiendo de la cola del Escorpión, se puede localizar fácilmente; su forma es la de un trapecio deformado y sus estrellas brillan poco, en parte debido a su proximidad con la Vía Láctea.

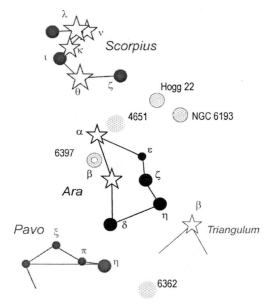

En su origen, este grupo de estrellas formaba un asterismo en la constelación del Centauro denominado «Altar del Centauro».

Con posterioridad, empezó a considerarse separadamente y en la actualidad forma parte de las 88 constelaciones que han sido definidas por la Unión Astronómica Internacional.

ESTRELLAS MÁS IMPORTANTES

α de Ara o Choo. Gigante blanca azulada, B. Magnitud: 2,95. Distancia: 192 años luz. Brilla 318 veces más que el Sol. Mejor visibilidad: 16 de junio.

β de Ara. Supergigante naranja, tipo K. Magnitud: 2,85. Distancia: 780 años luz. Brilla 1.966 veces más que el Sol. Mejor visibilidad: 14 de junio.

δ **de Ara.** Gigante azul, tipo B. Magnitud: 3,62. Distancia: 150 años luz. Brilla 94 veces más que el Sol. Mejor visibilidad: 15 de junio.

ε1 **de Ara.** Anaranjada, tipo K. Magnitud: 4,06. Distancia: 265 años luz. Brilla 164 veces más que el Sol.

ε2 **de Ara.** Blanca amarillenta, tipo F. Magnitud: 5,29. Distancia: 83 años luz. Brilla 3,6 veces más que el Sol.

ζ **de Ara.** Se trata de una gigante anaranjada, tipo K. Magnitud: 3,13. Distancia: 135 años luz. Brilla 1.378 veces más que el Sol. Mejor visibilidad: 7 de junio.

η **de Ara.** Naranja, tipo K. Magnitud: 3,76. Distancia: 195 años luz. Brilla 225 veces más que el Sol.

OTROS OBJETOS DE INTERÉS

En esta zona hay varios cúmulos que se pueden ver con prismáticos.

NGC 6397. Cúmulo globular de magnitud 4,6.

NGC 6362. Cúmulo globular de magnitud cercana a 7. Se puede encontrar fácilmente cerca del par β-γ. Está situado a 8.200 años luz, es el cúmulo más próximo.

NGC 6352. Cúmulo globular de magnitud 10,7.

NGC 6167. Cúmulo abierto de magnitud 6,5.

NGC 6193. Cúmulo abierto de magnitud 5.

Hogg 22. Cúmulo abierto de magnitud 6,70.

R de Ara. Es una binaria eclipsante, con un período de 4,4 días. Su brillo varía de magnitud 5,9 a magnitud 6,9.

ARIES (CARNERO)

Nombre abreviado: Ari.
Localización: Zodiacal. A.R.: 2,66 horas. Dec.: -20,09°.
Franja de observación: 90° N -58° S.
Mejor visibilidad: 31 de octubre. Es bien visible en otoño en el hemisferio norte y en primavera en el hemisferio sur.
Aproximación: Está situada al sur de Triangulum, fuera de la Vía Láctea y paralela a Andrómeda.

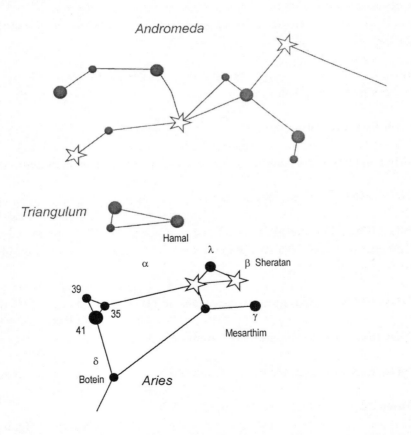

Hace 2.000 años, Aries estaba sobre la eclíptica cuando el Sol iba ascendiendo lentamente por el hemisferio norte después de los largos días de invier-

no. Es decir: cuando el astro entraba en la constelación del Carnero, los días empezaban a hacerse más largos y las noches más cortas. Por esta razón se consideraba que Aries era la primera casa ocupada por el Sol en su camino anual.

Esta constelación se relaciona con el mito del vellocino de oro. Frixo y Hele eran los hijos del rey Atamante. Su esposa Ino, que no quería a los niños, convenció al rey de que los hiciera sacrificar a Zeus. Cuando estaban a punto de morir, desde el Olimpo llegó Crisólido, un carnero con el pelo de oro. Frixo y Hele montaron en su lomo y huyeron. En su viaje, Hele perdió el equilibrio y cayó al mar, en un lugar llamado Helesponto. Frixo llegó sano y salvo a las orillas del mar Negro y allí, en honor a Zeus, sacrificó el carnero.

Su valiosa piel de oro fue colgada en un bosquecillo, guardada por un dragón hasta que, muchos años después, los argonautas conducidos por Jasón consiguieron robársela.

ESTRELLAS MÁS IMPORTANTES

α de Aries o Hamal. Palabra que proviene del árabe «Al-Hamal», que significa «el carnero». Gigante anaranjada, K. Magnitud: 2,00. Distancia: 75 años luz. Brilla 70 veces más que el Sol. Está en su meridiano el 25 de octubre a medianoche.

β de Aries o Sheratan. Del árabe «Ash-Sharatan», los «dos signos». Blanca, tipo A. Magnitud: 2,64. Distancia: 52 años luz. Brilla 17 veces más que el Sol. Mejor visibilidad: 21 de octubre.

γ de Aries o Mesarthim. Palabra que deriva del árabe y que significa «siervos». Se trata de un sistema doble que está compuesto por dos gigantes blancas azuladas, tipo A. Magnitud: 3,9. Distancia: 200 años luz la primaria y 205 años luz la secundaria. Sus respectivas luminosidades son 43 y 45 veces más que el Sol.

Las componentes de este sistema sólo pueden verse separadas a través de un telescopio. Mejor visibilidad: 21 de octubre.

δ de Aries o Botein. Del árabe «Al-Butain», «la campanita». Gigante anaranjada, tipo K. Magnitud: 4,35. Distancia: 169 años luz. Brilla 38 veces más que el Sol. Mejor visibilidad: 10 de noviembre.

λ de Aries. Es una estrella binaria, de amplia separación. Distancia: 135 años luz. Brilla 16 veces más que el Sol.

35 de Aries. Blanca, tipo B. Magnitud: 4,66.

39 de Aries. Anaranjada, tipo K. Magnitud: 4,51.

41 de Aries. Blanca azulada, tipo B. Magnitud: 3,63. Distancia: 141 años luz. Mejor visibilidad: 10 de noviembre.

OTROS OBJETOS DE INTERÉS

NGC 772. Galaxia difusa espiral, a un grado de Mesarthim.

AURIGA (COCHERO)

Nombre abreviado: Aur.
Localización: Hemisferio norte. A.R.: 6,00 horas. Dec.: 41,73°.
Franja de observación: 90° N - 34° S.
Mejor visibilidad: 23 de diciembre. En la mayoría de las latitudes del hemisferio norte, se la ve todo el año aunque ofrece su mejor vista en invierno y primavera. En el hemisferio sur, en verano y en latitudes no inferiores a -34°.
Aproximación: Está situada en la Vía Láctea. La mejor referencia para localizarla es la Osa Mayor. Se toma la distancia entre δ y α de esta constelación y se traslada esta medida algo más de cinco veces hasta llegar a β de Auriga (*ver* Figura). En el hemisferio norte es fácil de encontrar porque entre ésta y la Osa Mayor no hay ninguna otra constelación.

Auriga ha representado, al menos, dos mitos diferentes. Eratóstenes la relaciona con Erictonio, un rey ateniense hijo de Hefesto y Gea. Tuvo la idea de unir caballos a un carro, según algunos para solucionar todos aquellos problemas que le acarreaba su cojera. Como premio, fue enviado al cielo.

Los dibujos y pinturas más antiguos de esta constelación la muestran como un hombre que sujeta con la mano derecha las riendas mientras carga en su brazo izquierdo dos niños (ζ y ε) y una cabra (α o Capella). De hecho, el nombre de esta estrella significa «pequeña cabra» y algunos autores la relacionan con la cabra Amaltea, animal que amamantó a Zeus. En agradecimiento a sus servicios, tiene un cuerno en la frente del que manan manjares: el cuerno de la abundancia.

Los árabes llamaban a esta estrella «El Conductor», ya que era la primera que aparecía cuando el Sol caía, siendo después rodeada por las demás. También ha representado a Neptuno en su carro.

Antiguamente se consideraba a γ como perteneciente a Auriga, pero hoy es compartida por Tauro o, según algunos, pertenece a ésta; ello daría la idea de que el carro es tirado por un toro.

ESTRELLAS MÁS IMPORTANTES

α de Auriga o Capella. Palabra que significa «cabritilla». Gigante amarilla, tipo G. Magnitud: 0,08. Distancia: 44 años luz. Brilla 160 veces más que el Sol. Está en su meridiano el 10 de diciembre a medianoche.

β de Auriga o Menkalinam. Del árabe «Mankib Dhi-al-'Inan», «hombro del hombre que sujeta las riendas». Gigante blanca, tipo A. Magnitud: 1,99. Distancia: 79 años luz. Brilla 110 veces más que el Sol. Mejor visibilidad: 22 de diciembre.

γ de Auriga o Alnath. Del árabe «Al-Nath», «herido, inmolado». Blanca, tipo B. Magnitud: 1.653. Esta estrella es hoy considerada β de Tauro, aunque hay algunos astrónomos que opinan que está compartida por ambas constelaciones.

δ de Auriga o Prijipati. Del sánscrito, «el señor de la Creación». Anaranjada, tipo K. Magnitud: 3,72. Distancia: 155 años luz. Brilla 47 veces más que el Sol.

ε de Auriga, Alanz o Almaaz. Nombre que proviene del árabe «Al-Ma'z», «macho cabrío». Binaria variante eclipsante, con un período de 9.891 días. Blanca amarillenta, tipo F. Magnitud: 3,06-3,83 (algunos autores dan 2,90). Distancia: 466 años luz. Brilla 60.000 veces más que el Sol. Mejor visibilidad: 8 de diciembre.

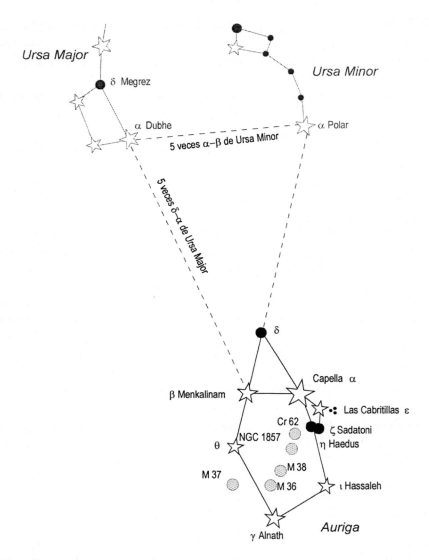

δ de Auriga. Anaranjada, tipo K. Magnitud: 3,75. Distancia: 1.200 años luz. Brilla 1.535 veces más que el Sol.

η de Auriga. Blanca, tipo B. Magnitud: 3,17. Distancia: 330 años luz. Brilla 580 veces más que el Sol.

θ de Auriga. Gigante blanca, tipo A. Magnitud: 2,60. Distancia: 148 años luz. Tiene dos compañeras de magnitud 7,2 y 10. Brilla 193 veces más que el Sol. Mejor visibilidad: 22 de diciembre.

ι de Auriga o Hassaleh. Gigante naranja, K. Magnitud: 2,68. Distancia: 390 años luz. Brilla 1.628 veces más que el Sol. Mejor visibilidad: 6 de diciembre.

OTROS OBJETOS DE INTERÉS

Hay varios cúmulos abiertos que se pueden observar con prismáticos. De ellos, los tres más importantes son los que destacanos a continuación.

M36 (NGC 1960). Cúmulo abierto de magnitud visual 6,1. Distancia: 3.700 años luz. Tiene unas 60 estrellas, la mayoría blanco azuladas. Algunas son sistemas dobles.

M37 (NGC 2099). Cúmulo abierto de magnitud visual 6,2. Está a una distancia de 4.300 años luz. De los tres cúmulos de Auriga, es el que más estrellas contiene. Cerca del centro hay una gigante anaranjada de magnitud 9,3.

M38 (NGC 1912). Cúmulo abierto de magnitud 6,8. Distancia: 4.100 años luz. Sus estrellas más brillantes forman un dibujo similar a la letra p griega (π).

Cr 62. Cúmulo abierto de magnitud 4,20.

NGC 1857. Cúmulo abierto de magnitud 7.

BOOTES (BOYERO)

Nombre abreviado: Boo.
Localización: Hemisferio norte. A.R.: 14,73 horas. Dec.: 30,72°.
Franja de observación: 90° N - 35° S.
Mejor visibilidad: 1 de mayo. Es visible todo el año, aunque el mejor momento para observarla desde el hemisferio norte es por la tarde. En el hemisferio sur ofrece una mejor visión en otoño e invierno.

Aproximación: Llevar cuatro veces la distancia entre α y δ de la Ursa Major para llegar a la estrella más luminosa de la constelación del cielo boreal: Arcturus o α de Bootes.

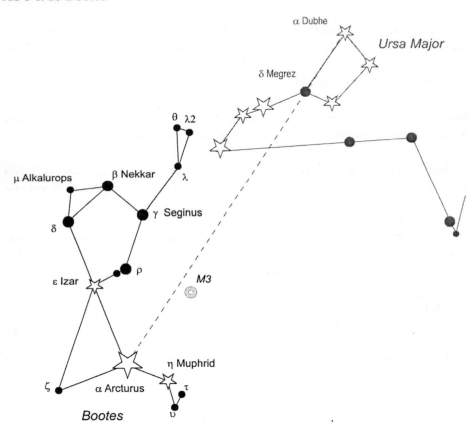

La constelación del Boyero alude a varios mitos. Uno de ellos es el de Filomeno, hijo de Démeter y Liasonte, primer agricultor según la mitología griega.

También representa a Arcade, hijo de Zeus y Calixto. Su abuelo, Licaón, invitó a Zeus a un banquete y le sirvió a su nieto como alimento, pero el dios recompuso el cuerpo de Arcade y lo convirtió en estrella. Hay otra versión que dice que se lo entregó a un cabrero y que incendió la casa de Licaón transformando a éste en la constelación del Lobo. Bootes recibió, asimismo, el nombre de Ícaro en honor al hijo de Dédalo que fue hecho prisionero junto con su padre por el rey Minos de Creta. Dédalo construyó unas alas con plumas y cera gracias a las cuales pudieron escapar. En su huida, Ícaro voló demasiado cerca del Sol y el calor de éste derritió la cera de las alas e hizo que el joven se precipitara al suelo muriendo al instante. Según algunas fuentes, los egipcios relacionaban esta constelación con Horus, hijo de Isis y Osiris.

ESTRELLAS MÁS IMPORTANTES

α de Bootes o Arcturus. Nombre de origen griego que significa «el guardián de los osos». Gigante de color rojo intenso, tipo K. Magnitud: -0,04. Distancia: 37 años luz. Tiene una compañera. Brilla 115 veces más que el Sol.

β de Bootes o Nekkar. Del árabe «Al-Baqqar», «el mayoral». Amarilla, tipo G. Magnitud: 3,50. Distancia: 140 años luz. Brilla 60 veces más que el Sol.

γ de Bootes o Seginus. En origen, este nombre significa también «boyero». Blanca amarillenta, tipo F. Magnitud: 3,07. Distancia: 120 años luz. Esta estrella brilla 50 veces más que el Sol.

δ de Bootes. Gigante amarilla, tipo K. Magnitud: 3,47. Distancia: 139 años luz. Brilla 22 veces más que el Sol. Tiene una compañera cuya magnitud es de 7,8.

ε de Bootes o Izar. Del árabe «Al-Izar», «el taparrabo». Gigante amarillo-anaranjada, tipo K. Magnitud: 2,70. Distancia: 167 años luz. Tiene una compañera azul verdosa cuya magnitud es 5,1. Ambas brillan 180 veces más que el Sol.

δ de Bootes. Blanca, tipo A. Magnitud: 4,55. Distancia: 280 años luz. Brilla 95 veces más que el Sol.

η de Bootes o Muphrid. Del árabe «Al-Mufrid», «el solitario». Amarilla, tipo G. Magnitud: 2,86. Distancia: 32 años luz. Brilla 6,4 veces más que el Sol.

θ de Bootes. Blanca amarillenta, tipo F. Magnitud: 4,05. Distancia: 48 años luz. Brilla 4,1 veces más que el Sol.

κ **de Bootes.** Blanca, tipo A. Magnitud: 4,50. Estrella doble, con uno de sus componentes azulados y otro blanco. Distancia: 130 años luz. Brilla 20 veces más que el Sol.

λ **de Bootes.** Blanca, tipo A. Magnitud: 4,18. Distancia: 72 años luz. Brilla 8 veces más que el Sol.

μ **de Bootes o Alkalurops.** Del árabe, «el cayado del pastor». Blanca amarillenta, de tipo F. Magnitud: 4,31. Es un sistema doble cuyos componentes pueden verse con prismáticos, ya que están muy separados (se estima que unas 3.000 veces la distancia entre la Tierra y el Sol). El sistema está a 95 años luz y brilla 7 veces más que el Sol.

τ **de Bootes.** Blanca amarillenta, tipo F. Magnitud: 4,50. Distancia: 53 años luz. Brilla 3 veces más que el Sol.

υ **de Bootes.** Anaranjada, tipo K. Magnitud: 4,07. Distancia: 240 años luz. Brilla 104 veces más que el Sol.

OTROS OBJETOS DE INTERÉS

NGC 5248. Galaxia en espiral, situada en la esquina suroeste de la constelación, a 10° al sur de Arcturus.

NGC 5466. Gran cúmulo globular localizado a 9° al noroeste de Arcturus, cerca de M3 de la constelación de Canes Venatici.

CAELUM (CINCEL, BURIL)

Nombre abreviado: Cae.
Localización: Hemisferio sur. A.R.: 4,72 horas. Dec.: -39,20°.
Franja de observación: 41° N - 90° S.
Mejor visibilidad: 3 de diciembre.
Aproximación: La línea que trazan α-β del Caelum, es paralela a ε-β de Columba. Localizada esta constelación, será fácil encontrar la del Caelum.

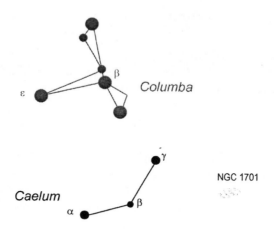

Esta constelación es una de las más pequeñas del hemisferio sur. Es una de las creadas por el astrónomo Abbe Louis de Lacaille. Recibió también el nombre de Scalptorium (Escalpelo).

ESTRELLAS MÁS IMPORTANTES

α de Caelum. Color: blanca amarillenta, tipo F. Magnitud: 4,45. Tiene una compañera muy débil, que no se puede ver sin óptica. Distancia: 5,7 años luz. Brilla 5 veces más que el Sol.

β de Caelum. Blanca amarillenta, tipo F. Magnitud: 5,1, aproximadamente. Distancia: 217 años luz. Brilla 3 veces más que el Sol.

γ de Caelum. Anaranjada, tipo K. Magnitud: 4,57. Distancia: 216 años luz. Tiene una compañera muy débil, imposible de ser localizada a simple vista. Brilla 90 veces más que el Sol.

OTROS OBJETOS DE INTERÉS

NGC 1679. Galaxia que sólo es visible con telescopio.

NGC 1701 o Galaxia Trekkie. Se encuentra próxima a υ de Eridanus.

CAMELOPARDALIS (JIRAFA)

Nombre abreviado: Cam.
Localización: Circumpolar. Hemisferio norte. A.R.: 5,76 horas. Dec.: 70,27°.
Franja de observación: 90° N - 3° S.
Mejor visibilidad: 22 de diciembre. Esta constelación es visible todo el año en el hemisferio norte. En el sur, sólo se puede ver desde las latitudes menores mayores de -3°.
Aproximación: Trazando una línea desde δ del Auriga hacia la Polar, se pasa necesariamente por la constelación de la Camelopardalis.

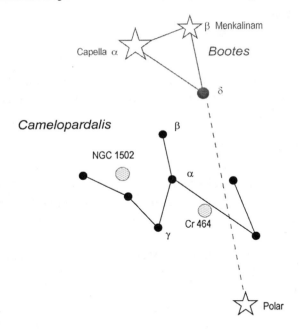

El camelopardalis (o camelopardus) es un animal con cabeza de camello y manchas de leopardo.

Se cree que este animal fue inventado por Petrus Plancius (1552-1622) y que posteriormente fue incluido por Jakob Bartsch en su tratado sobre las constelaciones.

Habitualmente se traduce su nombre latino por jirafa.

ESTRELLAS MÁS IMPORTANTES

α de Camelopardalis. Blanca, tipo B. Magnitud: 4,29. Distancia: 4.658 años luz. Brilla 25.000 veces más que el Sol.

β de Camelopardalis. Se trata de una estrella múltiple. Su componente principal es una supergigante amarilla, tipo G. Magnitud: 4,03. Distancia: 1.240 años luz. Tiene una compañera con una magnitud de 7,6. Brilla 5.000 veces más que el Sol.

γ de Camelopardalis. Blanca, tipo A. Magnitud: 4,63. Distancia: 280 años luz. Brilla 34 veces más que el Sol.

OTROS OBJETOS DE INTERÉS

NGC 1502. Cúmulo abierto que se encuentra entre α y β. Con prismáticos se observa como un parche difuso.

NGC 1501. Nebulosa planetaria que se encuentra ligeramente debajo de la anterior y que es, igualmente, débil.

Cascada de Kemble. Grupo de estrellas de magnitud 8, que se encuentran dispersas en el cúmulo.

Cr 464. Cúmulo abierto de magnitud 4,20.

CANCER (CANGREJO)

Nombre abreviado: Cnc.
Localización: Zodiacal. A.R.: 8,69 horas. Dec.: 20,15°.
Franja de observación: 90° N - 57° S.
Mejor visibilidad: 3 de febrero. En el hemisferio norte se puede localizar todo el año. En el hemisferio sur, en cambio, únicamente se puede ver en verano y otoño.
Aproximación: Está situada cerca de la cabeza de Leo y próxima a Géminis.

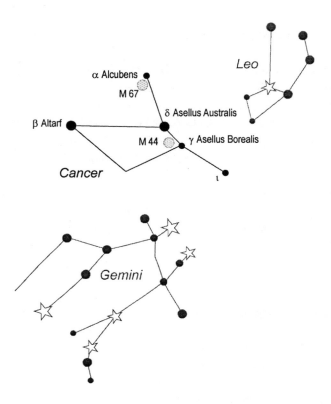

Se han dado diferentes explicaciones a la construcción de esta constelación. Por un lado, hay quienes opinan que se representa con un cangrejo porque cuando el Sol pasa por esta zona celeste, cambia aparentemente de dirección.

Casi todas las culturas la han asociado con este animal; para los egipcios era la representación del dios Anubis.

Sin embargo, generalmente se vincula al mito de Hércules. Cuando él estaba luchando con la Hidra, Hera, la esposa de Zeus, hizo aparecer en la escena un cangrejo para que mordiera a Hércules en el pie y pudiera, así, ser derrotado. Sin embargo, el héroe mató al cangrejo de un pisotón. Hera lo convirtió en una constelación.

Otras culturas la llamaron «La Puerta del Hombre», ya que creían que era a través de esta constelación por donde las almas descendían del cielo para habitar el cuerpo de los recién nacidos.

ESTRELLAS MÁS IMPORTANTES

α de Cancer o Acubens. Del árabe «Az-Zubana», «la garra» o «la pinza». Sistema doble. Componente principal: Blanca, tipo A. Magnitud: 4,25. Componente secundaria: de magnitud 11,87, invisible a simple vista. Brilla 27 veces más que el Sol. Mejor visibilidad: 4 de febrero.

β de Cancer o Altarf. Del árabe «At-Tarf», «la mirada» del león. Gigante anaranjada, tipo K. Magnitud: 3,52. Distancia: 226 años luz. Brilla 104 veces más que el Sol. Mejor visibilidad: 26 de enero.

γ de Cancer o Asellus Borealis. Su nombre proviene del latín, «burro boreal». Sistema doble. Componente principal: Blanca, A. Magnitud: 4,66. Componente secundaria: Magnitud 8,7. Brilla 26 veces más que el Sol. Mejor visibilidad: 2 de febrero.

δ de Cancer o Asellus Australis. Del latín, «burro austral». Sistema doble compuesto por una gigante amarilla, tipo K. Magnitud: 3,94. La otra componente tiene magnitud 11,9, de modo que es invisible a simple vista. Brilla 65 veces más que el Sol. Mejor visibilidad: 2 de febrero.

ι de Cancer. Sistema doble con una gigante amarilla, tipo G. Magnitud: 4,02. y una compañera, tipo A, de magnitud 6,67. Distancia: 235 años luz. Brilla 16 veces más que el Sol. Mejor visibilidad: 1 de febrero.

OTROS OBJETOS DE INTERÉS

M44 (NGC 2632), Praesepe o Colmena. Cúmulo abierto. Magnitud: 3.3. Distancia: 528 años luz. Tiene unas 200 estrellas. Es visible a simple vista en las noches oscuras. Con prismáticos, se pueden ver, aisladamente, unas 50 estrellas. Si bien fue descrito como una pequeña nube por el astrónomo persa Al-Sufi, fue Galileo Galilei quien, en el año 1609, descubrió en él unas 40 estrellas.

M67 (NGC 2682). Cúmulo abierto. Magnitud: 6,6. Distancia: 2.500 años luz. Mejor visibilidad: 3 de febrero. Contiene 11 gigantes tipo K y, al parecer, unas 200 enanas blancas. Es necesario observarlo con prismáticos.

CANES VENATICI (PERROS DE CAZA)

Nombre abreviado: Cvn.
Localización: Hemisferio norte. A.R.: 3,71 horas. Dec.: 41,77°.
Franja de observación: 90° N - 37° S.
Mejor visibilidad: 9 de abril. En el hemisferio norte, se puede observar en primavera y verano. En el hemisferio sur, se puede observar en otoño e invierno.
Aproximación: Se llega a esta pequeña constelación llevando dos veces la distancia α-γ de la Osa Mayor.

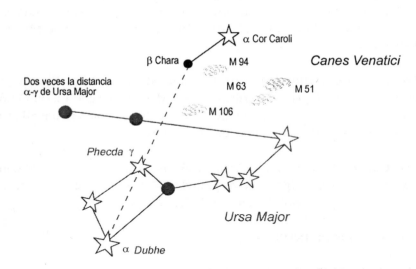

Se conoce también por constelación de los Lebreles. Según algunos autores, no tiene relación con ningún mito; según otros, representa a Chara y Asterion, los dos perros del Boyero que persiguen los osos (Osa Mayor y Osa Menor).

ESTRELLAS MÁS IMPORTANTES

α de Canes Venatici o Cor Caroli. Del latín «el corazón de Carlos». Recibe este nombre en honor al rey inglés Carlos II bajo cuyo reinado se fundó el observatorio de Greenwich. Estrella doble, blanca, tipo A. Magnitud: 2,80. Distancia: 120 años luz. Es 6 veces más brillante que el Sol. Está en su meridiano el 5 de abril a medianoche.

β de Canes Venatici o Asterion. Nombre de uno de los perros del Boyero. Amarilla, G. Mag.: 4,26. Dist.: 30 años luz. es 1,3 veces más brillante que el Sol.

OTROS OBJETOS DE INTERÉS

M3 (NGC 5272). Cluster globular de magnitud 6,40. Los astrónomos calculan que tiene, aproximadamente, medio millón de estrellas. Su población es muy variada y es especialmente rico en estrellas variables; en él se han encontrado más que en el resto de los cúmulos globulares de la Vía Láctea. Para localizarlo, lo mejor es prolongar la línea γ–β de Coma Berenices y mirar en esa dirección.

M51 (NGC 5194). Importante galaxia descubierta por Messier en 1773. Su diámetro es de unos 100.000 años luz y dista de la Tierra unos 35 millones de años luz.

M63 (NGC 5055). Galaxia espiral de magnitud visual 8,6. En aquellas fotografías en color que se han tomado, pueden observarse en sus brazos zonas de formación de estrellas.

M94 (NGC 4736). Galaxia espiral de magnitud visual 8,2. La región interior es brillante y está rodeada por un disco que presenta una gran actividad.

M106 (NGC 4258). Galaxia espiral de magnitud visual 8,4. Algunos astrónomos opinan que forma parte del cúmulo de Ursa Major en tanto que otros piensan que pertenece al de Coma Berenices. Tipo intermedio entre las espirales y las espirales barradas.

CANIS MAJOR (CAN MAYOR)

Nombre abreviado: CMa.

Localización: Hemisferio sur. A.R.: 6,86 horas. Dec.: -21,98°.

Franja de observación: 56° N - 90° S.

Mejor visibilidad: 3 de enero. En el hemisferio norte se puede observar Canis Major en invierno y primavera; en el hemisferio sur, en verano y en otoño.

Aproximación: En invierno está situada en el horizonte sur (mirando desde el hemisferio norte). Siguiendo la línea del escudo de Orión, se localiza fácilmente ya que Sirio, α del Can Mayor, es la estrella más brillante del firmamento.

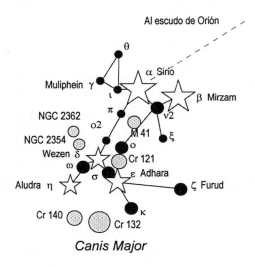

Canis Major

Para los antiguos egipcios Sirio, la estrella de mayor magnitud de Canis Major, era muy importante. Cuando después de haber permanecido invisible por la presencia del Sol empezaba a reaparecer por la mañana, indicaba el comienzo de la época en que se producían las inundaciones del Nilo.

Canis Major se ha relacionado con diferentes mitos y, al igual que Canis Minor, ha sido la mascota de diversos dioses o héroes: Diana, Europa, Ulises, etc. La leyenda más difundida adjudica estos animales celestes a Orión. Se decía que el Can Mayor era tan veloz que había logrado alcanzar a una zorra en plena carrera. Este hecho habría impresionado tanto a Zeus que, como premio, lo habría colocado en el cielo.

En Atenas, el año nuevo comenzaba con la aparición de Sirio.

Los árabes denominaban a esta constelación «Al-Kalb al Jabbar», «el perro del gigante».

Estrellas más importantes

α de Canis Major, Canícula o Sirio. Palabra que, según Gibson, significa «calcinado, chamuscado». Blanco azulada, tipo A. Magnitud: -1,46; es la más brillante del cielo. Distancia: 8,6 años luz. Brilla 21 veces más que el Sol. Tiene dos compañeras: Sirio B, una enana blanca que orbita a su alrededor y explica las irregularidades observadas en ésta. Sirio C, una enana roja. En la antigüedad, esta estrella se veía de color rojizo, tal y como lo consigna Ptolomeo; algunos explican el cambio como una rápida evolución en la cual Sirio pasó del estado de gigante roja al de enana blanca. Está en su meridiano el 1 de enero a media-noche.

Como esta estrella es invisible en verano, antiguamente se pensaba que se debía a que unía su calor al del Sol, idea que ha dado lugar a la expresión «días de perro» con que aún se denomina a los más tórridos días veraniegos.

β de Canis Major o Mirzan. Del árabe «Al-Murzim», «el que ruge»; según otros autores quiere decir «heraldo», refiriéndose al que anuncia la aparición de Sirio. Gigante azul pulsante, tipo B. Magnitud media: 1,98. Distancia: 750 años luz. Es 6.500 veces más brillante que el Sol.

γ de Canis Major o Muliphein. Expresión que proviene del árabe y significa «los dos que discuten y se insultan». Blanca, tipo B. Magnitud: 4,12. Distancia: 1.250 años luz. Es 1.800 veces más brillante que el Sol.

δ de Canis Major o Wezen. Del árabe «Al-Wazn», «la pesa». Supergigante amarilla, tipo F. Magnitud: 1,84. Distancia: 2.100 años luz. Es 125.000 veces más brillante que el Sol.

ε de Canis Major o Adhara. Del árabe «Al-Adhara», «la doncella». Doble. Gigante azul, tipo B. Magnitud: 1,50. Distancia: 680 años luz. Es 4.500 veces más brillante que el Sol.

ζ de Canis Major o Furud. Nombre que proviene del árabe «Al-Furud», «individual». Doble blanco azulada, tipo B. Magnitud: 3,02. Distancia: 390 años luz. La componente secundaria es rojiza, tipo M. Brilla 377 veces más que el Sol.

η de Canis Major o Aludra. Del árabe «Al-Udhrah», «virginidad». Gigante azul, tipo B. Magnitud: 2,45. Distancia: 390 años luz. Roja, tipo M. Brilla 50.000 veces más que el Sol.

θ de Canis Major. Gigante anaranjada, tipo K. Magnitud: 4,07. Distancia: 240 años luz. Brilla 104 veces más que el Sol.

ι de Canis Major. Blanca, tipo B. Magnitud: 4,37. Distancia: 1.300 años luz. Brilla 12.500 veces más que el Sol.

κ de Canis Major. Blanca, B. Mag.: 3,78. Brilla 787 veces más que el Sol.

μ de Canis Major. Binaria fija múltiple. Anaranjada, tipo K. Magnitud: 3,95. Brilla 1.900 veces más que el Sol.

ξ de Canis Major. Blanca, B. Mag.: 4,33. Brilla 28.000 veces más que el Sol.

ο1 de Canis Major. Anaranjada, tipo K. Magnitud: 3,78. Brilla 20.000 veces más que el Sol.

ο2 de Canis Major. Blanca, tipo B. Magnitud: 3,02. Brilla 40.000 veces más que el Sol.

π de Canis Major. Blanca amarillento, tipo F. Magnitud: 4,68. Brilla 45 veces más que el Sol.

σ de Canis Major. Anaranjada, tipo K. Magnitud: 3,43. Distancia: 2.200 años luz. Brilla 15.000 veces más que el Sol.

ω de Canis Major. Variable blanca, tipo B. Magnitud: oscila entre 3,6 y 4,2. Período: 1 día. Distancia: 550 años luz. Brilla 655 veces más que el Sol.

OTROS OBJETOS DE INTERÉS

M41 (NGC 2287). Cúmulo abierto, visible a simple vista. Está próximo a ν2 y forma con ésta y Sirio un triángulo. Distancia: 2.400 años luz. Tiene un diámetro de unos 20 años luz y unas 25 estrellas brillantes que se pueden observar con prismáticos. Con telescopio se pueden detectar alrededor de 80.

NGC 2362. Cúmulo abierto de magnitud 4,10, que aparece como una nube alrededor de τ. Está a 6.000 años luz.

NGC 2354. Cúmulo abierto de magnitud 6,50. Es vecino a la estrella ω. Es débil; con telescopio se pueden ver en él unas 20 estrellas.

Cr 132. Cúmulo abierto de magnitud 3,60. Se puede observar con unos prismáticos.

Cr 140. Cúmulo abierto de magnitud 3,50. Se puede observar con unos prismáticos.

CANIS MINOR (CAN MENOR)

Nombre abreviado: CMi.
Localización: Ecuatorial. A.R.: 7,66 horas. Dec.: 5,90°.
Franja de observación: 89° N - 77° S.
Mejor visibilidad: 15 de enero. Es visible desde diciembre hasta abril en el hemisferio norte y desde noviembre hasta abril en el sur.
Aproximación: Esta constelación se encuentra ubicada al sur de Géminis, en el límite de la Vía Láctea. Si se traza una línea entre Betelgeuse y Bellatrix de Orion, nos será posible conseguir una bastante buena aproximación a β de Canis Minor.

Según algunos autores, esta constelación fue inventada por los romanos y su origen es el mismo que el de Canis Major.

Sin embargo, también se sabe que los árabes la denominaban «Al-Kalb Al-Asghar», «el perro pequeño».

En el antiguo Egipto estaba asociada al dios Anubis, quien guiaba las almas de los muertos, y según cuenta una fábula árabe, Sirio y Proción eran dos hermanas. La mayor de ellas (Sirio) un buen día se fugó con su amante lo cual produjo un inmenso dolor en Proción.

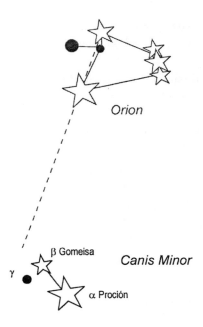

Orion

β Gomeisa

Canis Minor

γ

α Proción

ESTRELLAS MÁS IMPORTANTES

α de Canis Minor o Proción. Del griego, «antes del perro». Los antiguos habitantes de Mesopotamia la llamaban la estrella del perro que cruza el río, por su proximidad con la Vía Láctea.

Blanca amarillenta, tipo F. Magnitud: 0,38. Distancia: 11,4 años luz. Brilla 6 veces más que el Sol. Mejor visibilidad: 17 de enero.

Tiene como compañera una enana blanca de magnitud 10,3, sólo visible con telescopio. Es una de las estrellas más cercanas a la Tierra.

β de Canis Minor o Gomeisa. Su nombre proviene del árabe «Al ghumaisa», que significa «el que llora». Blanca azulada, tipo B. Magnitud: 2,80. Distancia: 210 años luz. Brilla 230 veces más que el Sol. Mejor visibilidad: 14 de enero.

γ de Canis Minor. Anaranjada, tipo K. Magnitud: 4,6. Distancia: 250 años luz. Brilla 115 veces más que el Sol. Mejor visibilidad: 14 de enero.

OTROS OBJETOS DE INTERÉS

En la constelación de Canis Minor no hay objetos del cielo profundo que puedan observarse a simple vista o con prismáticos.

CAPRICORNIUS (CAPRICORNIO)

Nombre abreviado: Cap.
Localización: Zodiacal. A.R.: 21,02 horas. Dec.: -20,23°.
Franja de observación: 62° N - 90° S.
Mejor visibilidad: 7 de agosto. Está situada en proximidad con el horizonte sur (para el hemisferio norte). Se puede observar también en el mes de septiembre.
Aproximación: Duplicando algo más de dos veces la distancia entre Vega y Altair hacia el sur, se llega a β de Capricornus.

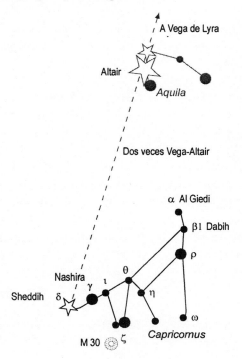

Esta constelación era conocida por sumerios y babilonios y representa un animal anfibio, con patas de cabra y cola de pez. De hecho, los sumerios le llamaban «la cabra-pez».

Sin embargo, los griegos la vincularon al dios Pan, el hijo de Cronos y de la cabra Amaltea que alimentara a Zeus. Según una de las leyendas, en su huida del gigante Tifón, Pan se lanzó al mar y al emerger, parte de su cuerpo estaba convertido en cabra y parte en pez.

Este personaje poseía una gran potencia sexual y perseguía tanto a mujeres como a varones. En su fogosidad era tan brutal que inspiraba miedo; de ahí que la palabra pánico se derive de su nombre.

ESTRELLAS MÁS IMPORTANTES

α **de Capricornus o Algiedi.** Del árabe, «Al-Jady», «la cabra». Son dos estrellas muy próximas pero que no forman un sistema doble. Prima giedi, la más brillante, es una estrella amarilla, tipo G, que tiene una magnitud 3,6. Secunda Giedi, la secundaria, es anaranjada, tipo G, de magnitud 4,24. Están a una distancia de 120 y 1.600 años luz respectivamente. El par de estrellas puede ser resuelto a simple vista, pero sin duda es con prismáticos cuando se pueden ver más claramente separadas.

β **de Capricornus o Dabih.** Del árabe «Sa'd adh-Dhabih», «el matarife afortunado». Amarilla oro, tipo G. Magnitud: 3,08. Tiene una compañera de magnitud 6. Distancia: 150 años luz. Brilla 500 veces más que el Sol.

γ **de Capricornus o Nashira.** Del árabe «Al-Sa'd al-Nashirah», «el más afortunado» o «el portador de buenas nuevas». Blanca amarillenta, tipo F. Magnitud: 3,68. Distancia: 100 años luz. Brilla 32 veces más que el Sol.

δ **de Capricornus o Deneb Algiedi.** Del árabe «Dhanab al-Jady», «la cola de la cabra». Blanca, tipo A. Magnitud: 2,21. Distancia: 50 años luz. Es la estrella más brillante de la constelación. Mejor visibilidad: 20 de agosto a medianoche.

η **de Capricornio.** Blanca, tipo A. Magnitud: 4,84. Distancia: 65 años luz. Brilla 3 veces más que el Sol.

OTROS OBJETOS DE INTERÉS

M30 (NGC 7099). Cúmulo globular al sudeste de ζ de Capricornio que se puede observar con prismáticos. Dista 26.000 años luz.

CARINA (QUILLA)

Nombre abreviado: Car.
Localización: Circumpolar, hemisferio sur. A.R.: 8,76 horas. Dec.: -59,89°.
Franja de observación: 14° N - 90° S.
Mejor visibilidad: 4 de febrero. En el hemisferio norte es difícil observar esta constelación ya que se encuentra muy próxima al polo sur; sólo es visible desde latitudes inferiores a los 14°. El momento más indicado para contemplarla es durante el mes de marzo. En el hemisferio sur, en cambio, está presente en el cielo todo el año.
Aproximación: Para encontrar esta constelación lo más conveniente es localizar primero su estrella más importante, α de Carina o Canopus, lo suficientemente brillante como para que no presente dudas, dibujando una línea desde Sirio. También se pueden utilizar como referencia Alnitak y Saiph de Orion. Antiguamente, esta constelación formaba parte, con Pyxis, Puppis y Vela, de una mucho más extensa: la Nave de Argos, que representaba la que usaron Jasón y los Argonautas en su búsqueda del vellocino de oro.

Según la leyenda, Jasón ordenó a Argos la construcción de una nave de 50 remos. Para construirla, éste utilizó madera del roble sagrado del oráculo de Dodona que le regalara Atenea. Por esta razón, la nave de Argos tenía el don de la palabra y el de la profecía.

Fue Nicolás Louis de Lacaille quien, en 1763, la dividió. A pesar de haber sido separada en sus componentes, sus estrellas guardan aquellos nombres que tenían antiguamente.

ESTRELLAS MÁS IMPORTANTES

α **de Carina o Canopus.** Este era el nombre del jefe de la flota de Menelao, que murió en Egipto tras la caída de Troya. Supergigante amarilla, tipo F. Magnitud: -0,72. Distancia: es difícil de calcular y los astrónomos no llegan a un acuerdo. Hiparco la fijó en 313 años luz. Brilla como 12.000 soles. Mejor visibilidad: 27 de diciembre. Forma una binaria óptica con una componente amarilla y otra anaranjada.

Su aparición anuncia el comienzo del verano en el hemisferio sur. Es la estrella más brillante del cielo, después de Sirio.

β de Carina o Miaplacidus. Su nombre significa «agua plácida». Binaria visual, tipo A, de color azulado y amarillo. Magnitud: 1,68. Distancia: 84,76 años luz.

ε de Carina. Anaranjada, tipo K. Magnitud: 1,86. Distancia: 545 años luz. Brilla como 545 soles.

ζ de Carina. Blanca, tipo B. Magnitud: 2,76. Distancia: 770 años luz. Brilla 10.400 veces más que el Sol.

η de Carina. En una curiosa estrella que, hacia 1948, se volvió la más brillante del cielo después de Sirio. Hoy tiene una magnitud 7, pero se puede ver muy coloreada con prismáticos. Es uno de los mayores emisores de energía del cielo, aunque su luz nos llega atenuada por las nubes que la rodean. Ofrece, con telescopio, una vista sorprendente; muchos opinan que se trata de dos estrellas que se encuentran en medio de dos globos de polvo y gas. Brilla 10.400 veces más que el Sol, aunque hay quienes opinan que su brillo supera en 5 millones al de éste.

θ de Carina. Blanca, tipo B. Magnitud: aproximadamente 2,76. Distancia: 770 años luz. Brilla 3.400 veces más que el Sol.

ι de Carina o Turais o Tureys. Nombre que, al parecer, hace alusión al palustre, adorno que antiguamente se ponía en los barcos. Ha recibido el nombre de Aspidiske. Amarilla clara, tipo F. Magnitud: 2,25. Distancia: 800 años luz. Brilla 6.000 veces más que el Sol.

ω de Carina. Blanca, tipo B. Magnitud: 3,32. Distancia: 240 años luz. Brilla 200 veces más que el Sol.

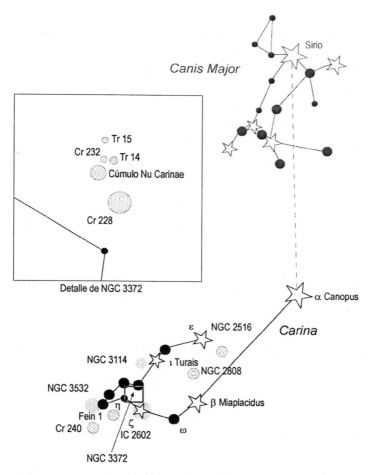

υ de Carina. Estrella doble blanca, con magnitudes 3,0 y 6,0. La primera está a una distancia de 1.300 años luz, y la segunda, a 1.300 años luz. Brillan 7.870 y 500 veces más que el Sol respectivamente.

OTROS OBJETOS DE INTERÉS

En esta constelación hay muchos cúmulos interesantes y una de las nebulosas difusas más grandes y llamativas. Es recomendable observar toda la región detenidamente, a ser posible en noches oscuras y despejadas y haciendo uso de prismáticos.

NGC 2516. Se trata de un cúmulo abierto, especialmente interesante. Tiene unas 100 estrellas, que se encuentra a unos 15 grados aproximadamente al sudeste de Canopus. Tiene una gigante roja en el centro y se estima que está a unos 1.200 años luz.

NGC 3372 o Nebulosa Eta Carinae. Es una nebulosa difusa de gran complejidad y belleza que contiene a la extraña estrella η Carinae. Está formada por un gas de gran brillo y esplendor y muestra áreas oscuras que rompen la nebulosa en islas individuales. La más llamativa de estas zonas es la llamada El Ojo de la Cerradura, debido a su forma.

Tr 16. Cúmulo abierto que se encuentra en la nebulosa de Eta Carinae. Forman parte de éste ν y ε.

Cr 228. Cúmulo abierto dentro de la nebulosa Eta Carinae. Tiene una magnitud de 4,40 lo cual lo convierte en el de mayor luminosidad de la nebulosa.

NGC 3532. Llamativo cúmulo abierto formado por más de 400 estrellas bastante brillantes, blancas del tipo A. El célebre astrónomo Herschel dijo de ella que era el mejor cúmulo que había visto jamás. Se encuentra a unos tres grados en dirección oeste-noroeste de η Carinae.

IC 2602. Grupo formado por una treintena de estrellas. Está a una distancia de 700 años luz y su miembro más brillante es θ Carinae.

Fein 1. Cúmulo abierto de magnitud 4,70. Está próximo a NGC 3532.

Cr 232. Cúmulo abierto de magnitud 3,90.

NGC 3293. Cúmulo abierto de magnitud 4,70. Tiene más de 50 estrellas y recibe su luz de una gigante roja de magnitud 6,5 que se encuentra entre las brillantes azules.

NGC 3324 o Nebulosa Gabriela Mistral. Recibe este nombre porque uno de sus bordes dibuja un perfil similar al de la poetisa chilena. Al parecer es una zona exterior de la nebulosa Eta Carinae.

CASSIOPEIA (CASIOPEA)

Nombre abreviado: Cas.
Localización: Circumpolar, hemisferio norte. A.R.: 1,01 horas. Dec.: 62,20°.
Franja de observación: 90° N - 12° S.
Mejor visibilidad: 7 de octubre. Visible todo el año en el hemisferio norte, pero más alta en octubre y noviembre. En el hemisferio sur, sólo se puede ver desde latitudes que excedan los -12°.
Aproximación: Tomar la distancia que media entre δ de la Osa Mayor (Megrez) y α de la Osa Menor (Polar) y prolongar con ella ese segmento. De este modo se llega a β de Casiopea (Caph).

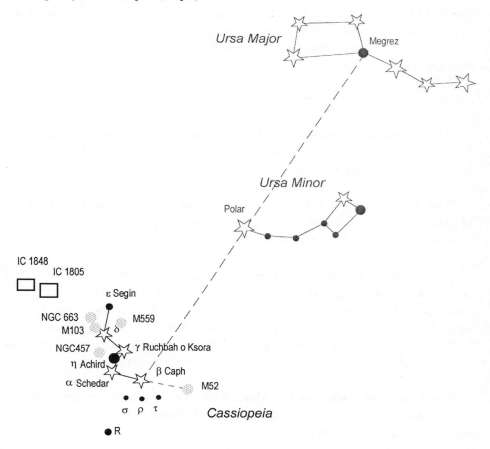

Esta constelación es muy fácil de localizar ya que está en un sector del cielo que, salvo la Vía Láctea, tiene muy pocas estrellas.

Hay varias leyendas mitológicas que se asocian a esta constelación. La más conocida cuenta que Casiopea era una antigua reina de Etiopía, mujer de Cefeo, cuya belleza era tan notoria como su vanidad. Solía alardear de que era mucho más hermosa que las nereidas que atendían a Poseidón, dios del mar, en su reino bajo las aguas. Cuando las nereidas se enteraron de ello, se pusieron furiosas y le pidieron a Poseidón que castigara a Casiopea. El dios, a quien también le habían molestado las afirmaciones de Casiopea, decidió complacer a las nereidas y puso a la reina etíope en el paraíso, pero no para que fuera honrada, sino para que fuera despreciada. A medianoche, Casiopea se balancea alrededor de la estrella Polar. Está sentada en un carruaje que está boca abajo, de modo que Casiopea queda colgando y debe aferrarse con ambas manos para no caer.

Los griegos entendieron que para alguien tan vanidoso y pretendidamente elegante, esa es una posición sumamente humillante.

Estrellas más importantes

α de Cassiopeia, Schedar o Schedir. Su nombre proviene del árabe «As Sadr», «el pecho». Amarillo intenso. Magnitud: 2,2. Distancia: 180 años luz. Es 230 veces más brillante que el Sol.

β de Cassiopeia o Caph. Del árabe, «Al-Kaff», «la palma de la mano». Magnitud: 2,2. Distancia: 45 años luz. Es 19 veces más brillante que el Sol. Está en su meridiano el 5 de octubre a medianoche.

γ de Cassiopeia, Cih o Tsih. Palabra de origen chino que significa «el látigo». Azul intenso. Magnitud: 2,4. Distancia: 100 años luz. Es 100 veces más brillante que el Sol. Es una variable inestable que cada tanto expulsa capas de materia. A principios de 1937 su magnitud subió hasta 1,6, llegando a ser más brillante que la Polar, pero luego, hacia 1940, bajó su brillo a magnitud 3 hasta que, finalmente, lo volvió a aumentar hasta el que tiene actualmente.

δ de Cassiopeia, Ksora o Ruchbah. Palabra de origen árabe que significa «la rodilla». Blanco azulado. Magnitud: 2,7. Distancia: 45 años luz. Es 12 veces más brillante que el Sol.

ε **de Cassiopeia o Segi.** Azul intenso. Magnitud: 3,4. Distancia: 520 años luz. Brilla Es 1.000 veces más brillante que el Sol.

η **de Cassiopeia o Achird.** Palabra de origen árabe que, según determinados autores, se traduce por «la faja». Estrella doble, amarillo oro y rojizo. Magnitudes: 3,5 y 7,2. Distancia: 18 años luz. Es tan brillante como el Sol.

ρ, σ **y** τ **de Cassiopeia.** Son tres estrellas próximas a β. La primera tiene la particularidad de ser una variable aunque nadie sabe de qué tipo. τ es del tipo K, de magnitud de 5,1 y la de σ es de 4,9. Comparándolas con éstas se percibe claramente la variabilidad de ρ que presenta un espectro del tipo F; es decir, es de un blanco cremoso. Se cree que su luminosidad oscila entre 50.000 y 130.000 veces la del Sol.

R de Cassiopeia. Variable roja del tipo Mira, con un periodo de 431 días y cuya variación es de 5,5 a 13. No es fácil de identificar ya que se encuentra en una zona muy rica en estrellas.

OTROS OBJETOS DE INTERÉS

M52 (NGC 7654). Cúmulo abierto que está en línea con Shedir y β. Las estrellas principales son blancas, de modo que es un cúmulo joven. Con prismáticos, aparece como una nebulosa.

NGC 663. Cúmulo abierto que se sitúa entre δ y ε. Es visible con prismáticos y para encontrarlo se recomienda separarse poco a poco de las estrellas mencionadas.

M103 (NGC 581). Es un cúmulo abierto y disperso; ofrece el aspecto de una agrupación casual de estrellas. Una de las estrellas que lo componen, es una gigante roja.

NGC 559. Cúmulo abierto que forma un triángulo con δ y ε.

NGC 457. Cúmulo abierto que contiene varios miles de estrellas. Se encuentra a 9.000 años luz y tiene un diámetro no menor a los 30 años luz. Al borde sudeste de este cúmulo se encuentra ψ de Casiopea, de la que no se sabe si pertenece o no al cúmulo. Si lo fuera, debería tener una luminosidad mayor que 200.000 soles con lo que sería más potente que Rigel.

IC 1805 o Nebulosa Corazón. Está a 6.500 años luz, muy próxima a la nebulosa Alma pero separada de ella por un cúmulo.

IC 1848 o Nebulosa Alma. También situada a 6.500 años luz, sobre el brazo de Perseus.

CENTAURUS (CENTAURO)

Abreviado: Cen.
Localización: Hemisferio sur. A.R.: 13,13 horas. Dec.: -45,96º.
Franja de observación: 25º N - 90º S.
Mejor visibilidad: 7 de abril. Desde el hemisferio sur, todo el año. Desde el hemisferio norte, sólo en las latitudes más bajas.
Aproximación: Esta constelación está junto a la Cruz del Sur (Crux) que aunque es mucho más pequeña, es también más conocida.

Es una constelación increíblemente rica en estrellas y vale la pena mirarla con prismáticos.

Representa al centauro Quirón, de la mitología griega. Cuenta la leyenda que Filira, una de las ninfas hija de Océano y Tetis, era insistentemente acosada por Cronos. Para salvarse de tal persecución pidió a Zeus que la convirtiera en yegua. Cuando Cronos comprendió la estratagema, se convirtió en caballo y, finalmente, le dio alcance.

De esta unión nació un hombre con una mitad netamente humana y la otra, equina: el centauro Quirón.

A diferencia de los otros centauros, Quirón no era violento ni destructivo; se asocia con la medicina y las artes adivinatorias. Él era el médico que curaba a dioses y a hombres y fue tomado como modelo de prudencia y sabiduría.

Cierto día Hércules entró en la cueva del centauro después de haber matado a la hidra y, accidentalmente, hirió a Quirón en la pata con la punta de la lanza que aún estaba empapada con el veneno del monstruo. Como el centauro era inmortal, quedó condenado a sufrir los dolores por toda la eternidad. Al darse cuenta de la torpeza cometida, y apiadándose de la bondadosa criatura, Hércules pidió a Zeus que concediera a Quirón la mortalidad de Prometeo. Así lo hizo y el centauro pasó a ocupar un lugar en el cielo.

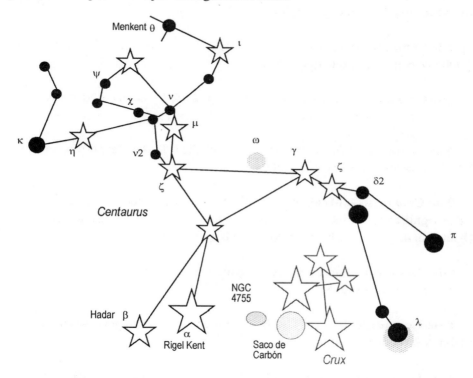

Estrellas más importantes

α de Centaurus, Rigel Kent o Toliman. Del árabe «Ar-Rijl», «el pie». Sistema triple. De ellas, Próxima Centauri es anaranjada, tipo K. Magnitud: 1,33. Distancia: 4,31 años luz. Es la más cercana al Sol de cuantas hay en el cielo. Es, en cuanto a brillo, la tercera estrella del firmamento.

β de Centaurus o Hadar o Agena. Gigante azul, tipo B. Magnitud: 0,61. Distancia: 450 años luz. Es 8.630 veces más brillante que el Sol. Tiene una compañera secundaria que es difícil de observar debido al brillo de la primaria.

γ de Centauru. Doble visual de dos estrellas casi idénticas. Blanca, tipo A. Magnitud: 2,17. Distancia: 120 años luz. Es 137 veces más brillante que el Sol.

δ de Centaurus. Blanca, tipo B. Magnitud: 2,51. Distancia: 340 años luz. Es 787 veces más brillante que el Sol.

ε de Centauru. Blanca, tipo B. Magnitud: 2,30. Distancia: 470 años luz. Es 2.000 veces más brillante que el Sol.

ζ de Centaurus. Blanca, tipo B. Magnitud: 2,55. Distancia: 420 años luz. Es 1.250 veces más brillante que el Sol.

η de Centaurus. Blanca, tipo B. Magnitud: 2,31. Distancia: 360 años luz. Es 1.140 veces más brillante que el Sol.

θ de Centaurus o Menkent. Se trata de un nombre que proviene del árabe y que significa «el hombro» del Centauro. Anaranjada, tipo K. Magnitud: 2,06. Distancia: 49 años luz. Brilla 26 veces más que el Sol.

ι de Centaurus. Blanca, tipo A. Magnitud: 2,75. Distancia: 64 años luz. Brilla 24 veces más que el Sol.

κ de Centaurus. Blanca, tipo B. Magnitud: 3,13. Distancia: 440 años luz. Brilla 787 veces más que el Sol.

λ de Centaurus. Blanca, tipo B. Magnitud: 3,13. Distancia: 200 años luz. Brilla 164 veces más que el Sol.

μ de Centaurus. Blanca, tipo B. Magnitud: 2,92. Distancia: 290 años luz. Es 377 veces más brillante que el Sol.

ν de Centaurus. Blanca, tipo B. Magnitud: 3,41. Distancia: 500 años luz. Brilla 7,2 veces más que el Sol.

π de Centaurus. Blanca, tipo B. Magnitud: 3,89. Distancia: 330 años luz. Brilla 217 veces más que el Sol.

σ de Centaurus. Blanca, tipo B. Magnitud: 3,91. Distancia: 440 años luz. Es 0,3 veces menos brillante que el Sol.

φ de Centaurus. Blanca, tipo B. Magnitud: 3,83. Distancia: 600 años luz. Brilla 800 veces más que el Sol.

ψ de Centaurus. Blanca, tipo A. Magnitud: 4,05.

ψ2 de Centaurus. Blanca amarillento, tipo F. Magnitud: 4,34.

2 de Centaurus. Color: rojizo, tipo M. Magnitud: 4,16.

OTROS OBJETOS DE INTERÉS

NGC 5139 υ ω de Centaurus. Es el cúmulo globular más brillante que hay en el cielo. Es fácilmente visible a simple vista y con prismáticos resulta espectacular. Se localiza siguiendo la línea de β a ε. Se encuentra a unos 17.000 años luz y se calcula que tiene más de un millón de estrellas.

Stock 14. Cúmulo abierto de magnitud 6,30.

NGC 5662. Cúmulo abierto de magnitud 5,5.

NGC 5128 o Centaurus A. Galaxia lenticular. Su centro es brillante. Las observaciones realizadas muestran que hace alrededor de quinientos millones de años, esta galaxia engulló una espiral; los efectos de esa colisión es lo que provoca hoy la fuerte emisión de ondas de radio. Su magnitud es 5.90.

NGC 5316. Cúmulo abierto de magnitud 6,00.

NGC 5281. Cúmulo abierto próximo al anterior, de magnitud 5,90.

IC 2944. Cúmulo abierto de magnitud 4,50.

NGC 3776. Cúmulo abierto próximo a λ. Se trata de un cúmulo con forma levemente elíptica.

NGC 5617. Cúmulo abierto de magnitud 6,3.

NGC 5460. Cúmulo abierto de magnitud 5,6.

Lynga 2. Cúmulo abierto de magnitud 6,40.

Cepheus (Cefeo)

Nombre abreviado: Cef.
Localización: A.R.: 22,52 horas. Dec.: 71,59°.
Franja de observación: 90° N - 1° S.
Mejor visibilidad: 26 de agosto. Esta constelación está situada muy cerca del polo norte celeste, razón por la cual no puede ser observada en la mayor parte del hemisferio sur.
Aproximación: La mejor manera de localizarla es prolongar la recta que une a-β de Cassiopeia.

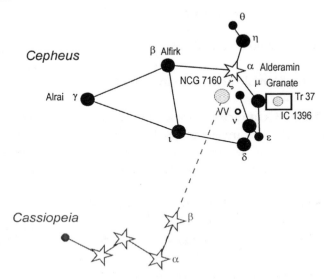

En la mitología griega, Cefeo era un rey de Etiopía, marido de Casiopea y padre de Andrómeda, la joven que, entregada al sacrificio al monstruo Cetus, fue salvada por Perseo (*ver* constelación de Andrómeda).

ESTRELLAS MÁS IMPORTANTES

α de Cepheus o Alderamin. Del árabe «Adh-Dhira' al-Yamin», «la pierna anterior derecha». Blanca, tipo A. Magnitud: 2,44. Distancia: 51 años luz. Brilla 20 veces más que el Sol.

β de Cepheus o Alfirk. Del árabe «Al-Firq», «la bandada». Variable pulsante blanca, tipo B. Magnitud: 3,20. Distancia: 760 años luz. Brilla 2.200 veces más que el Sol.

γ de Cepheus o Alrai. Del árabe «Ar-Ra'i», «pastor». Anaranjada, tipo K. Magnitud: 3,21. Distancia: 50 años luz. Brilla 10 veces más que el Sol.

δ de Cepheus. Variable amarilla, tipo G, con un período de 5,4 días. Magnitud: 3,50. Distancia: 1.500 años luz. Brilla 5.500 veces más que el Sol. Se trata de una estrella de especial interés ya que da nombre a un tipo de variable de período corto: las cefeidas.

Esta estrella ha sido muy utilizada por los astrónomos para calcular la distancia a la que se encuentran las galaxias.

ε de Cepheus. Blanca amarillenta, tipo F. Magnitud: 4,19. Distancia: 80 años luz. Brilla 16 veces más que el Sol.

ζ de Cepheus. Anaranjada, tipo K. Magnitud: 3,35. Distancia: 1.200 años luz. Brilla 4.500 veces más que el Sol.

η de Cepheus. Anaranjada, tipo K. Magnitud: 3,43. Distancia: 45 años luz. Brilla 6 veces más que el Sol.

θ de Cepheus. Blanca, tipo A. Magnitud: 4,22. Distancia: 86 años luz. Brilla 11 veces más que el Sol.

μ de Cepheus o Estrella Granate. Variable supergigante roja, tipo M. Magnitud: 3,40. Distancia: 5.400 años luz. Brilla 50.000 veces más que el Sol. El intenso color de esta estrella se puede observar a simple vista; es la más roja de todo el firmamento.

ν **de Cepheus.** Blanca, tipo A. Magnitud: 4,29. Distancia: 7.400 años luz. Brilla 80.000 veces más que el Sol.

Otros objetos de interés

VV de Cepheus. Variable eclipsante. Su período es muy largo: 7.430 días y el último eclipse ha sido en 1996. Su componente principal es una gigante roja, tipo M y está considerada como una de las estrellas más grandes que se conocen. Si se usan unos prismáticos para contemplarla, se puede apreciar su color naranja.

NGC 7160. Cúmulo abierto de magnitud 6,10.

IC 1396. Nebulosa brillante de magnitud 3,50. Contiene el cúmulo abierto Tr 37, de magnitud 5,10.

Cetus (Ballena)

Nombre abreviado: Cet.
Localización: A.R.: 1,42 horas. Dec.: -11,35°.
Franja de observación: 65° N - 79° S.
Mejor visibilidad: 17 de octubre. Desde el hemisferio norte, a finales del otoño e invierno. Desde el hemisferio sur: en primavera y verano.
Aproximación: Esta constelación se puede localizar encontrando primero una de sus estrellas: Diphda, que está próxima al cuadrilátero de Pegasus que es más conocido y fácil de identificar.

Esta es otra de las constelaciones que se relaciona con el mito de Andrómeda. Cetus es la ballena que envió Poseidón para asolar las costas de Etiopía (*ver* Andrómeda).

Estrellas más importantes

α **de Cetus o Menkhar.** Del árabe, «Al-Minkhar», «el orificio nasal». Roja, M. Magnitud: 2.53. Distancia: 130 años luz. Brilla 125 veces más que el Sol.

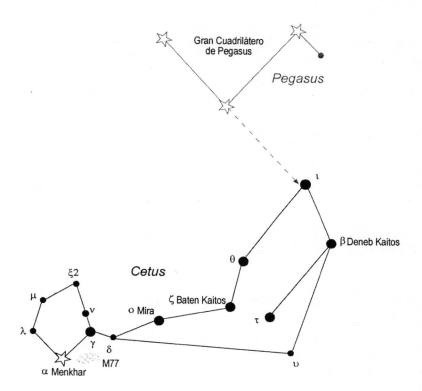

β de Cetus o Deneb Kaitos. Del árabe «Dhanab Qaytus», «cola de ballena». Anaranjada, K. Mag.: 2,04. Dist.: 59 años luz. Brilla 41 veces más que el Sol.

γ de Cetus. Blanca, tipo A. Magnitud: 3,47. Distancia: 71 años luz. Brilla 14 veces más que el Sol.

δ de Cetus. Blanca, tipo B. Magnitud: 4,07. Distancia: 850 años luz. Brilla 1.250 veces más que el Sol.

ε de Cetus. Blanca, tipo A. Magnitud: 5,58. Distancia: 47 años luz. Brilla 6 veces más que el Sol.

ζ de Cetus o Baten Kaitos. Del árabe «Batn Qaytus», «el abdomen de la ballena». Anaranjada, tipo K. Magnitud: 3,73. Distancia: 110 años luz. Brilla 86 veces más que el Sol.

θ de Cetus. Anaranjada, tipo K. Magnitud: 3.60. Distancia: 80 años luz. Brilla 65 veces más que el Sol.

ι de Cetus. Anaranjada, tipo K. Magnitud: 3.56. Distancia: 180 años luz. Brilla 86 veces más que el Sol.

λ de Cetus. Blanca, tipo B. Magnitud: 4.70. Distancia: 780 años luz. Brilla 600 veces más que el Sol.

μ de Cetus. Blanca amarillenta, tipo F. Magnitud: 4.27. Distancia: 71. Brilla 16 veces más que el Sol.

ξ de Cetus. Blanca, tipo A. Magnitud: 4.28. Distancia: 110 años luz. Brilla 165 veces más que el Sol.

o de Cetus o Mir. Roja, tipo M. Magnitud: 3.04. Distancia: 170 años luz. Brilla 125 veces más que el Sol.

τ de Cetus. Anaranjada, tipo K. Magnitud: 3.50. Distancia: 11,77 años luz. Brilla 0,4 veces menos que el Sol.

υ de Cetus. Amarilla, tipo G. Magnitud: 4.00. Distancia: 260 años luz. Brilla 125 veces más que el Sol.

Otros objetos de interés

M77 (NGC 1068). Galaxia espiral muy brillante que puede verse con telescopios pequeños. Es una de las mayores de los 110 objetos catalogados por Messier. Se encuentra a unos 60 millones de años luz de distancia. Su núcleo es una potente fuente de emisión de radio que fue descubierto en 1952 por Berbard Yarnton Mills, quien le dio el nombre de Cetus A. No se puede observar con prismáticos aunque sí con telescopios de aficionados.

NGC 615. Galaxia espiral que se encuentra 5° al noreste de ζ de Cetus.

NGC 247. Galaxia espiral grande con núcleo compacto.

CHAMAELEON (CAMALEÓN)

Nombre abreviado: Cha.
Localización: Hemisferio sur. A.R.: 10,58 horas. Dec.: -59,75°.
Franja de observación: 7° N - 90° S.
Mejor visibilidad: 1 de marzo. Próxima a Octante, sólo es visible en el hemisferio norte para las latitudes por debajo de los 7°. En el hemisferio sur, en cambio, tiene su momento de mejor visibilidad en los meses de marzo y abril.
Aproximación: Uniendo con una línea imaginaria β e ι de Carina y casi duplicando esa longitud, se llega a η de Chamaeleon.

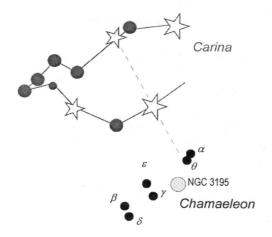

Esta pequeña constelación, cercana al polo sur, fue una de las designadas por Bayer en su obra *Uranometría,* publicada en 1602.

ESTRELLAS IMPORTANTES

β **de Chamaeleon.** Se trata de una blanca amarillenta, F. Magnitud: 4,1. Distancia: 65 a 72 años luz. Es 8 veces más brillante que el Sol. Mejor visibilidad: 27 de enero.

β **de Chamaeleon.** Blanca azulada, tipo B. Magnitud: 4,26. Distancia: 360 años luz. Es 180 veces más brillante que el Sol. Mejor visibilidad: 29 de marzo.

γ de Chamaeleon. Color: rojizo, tipo M. Magnitud: 4,41. Distancia: 250 años luz. Es 115 veces más brillante que el Sol. Es la estrella que está más al norte. Mejor visibilidad: 2 de marzo.

δ de Chamaeleon. Blanca, tipo B. Magnitud: 4,45. Es una estrella doble, una de cuyas componentes, gigante naranja, se encuentra a 550 años luz y es 375 veces más brillante que el Sol, y la otra, que brilla 65 veces más que el Sol, a 365 años luz. Mejor visibilidad: 3 de marzo.

ε de Chamaeleon. Blanca, tipo B. Magnitud: 4,91. Es también una estrella doble, pero esta característica no puede ser observada a simple vista. Distancia: 365 años luz. Brilla como 65 soles. Mejor visibilidad: 22 de marzo.

ρ de Chamaeleon. Anaranjada, tipo K. Magnitud: 4,35.

Otros objetos de interés

NGC 3195. Cúmulo globular, de escaso brillo, próxima a δ Cam. Tiene una magnitud 9, de modo que sólo se puede observar con una óptica mediana. A su alrededor, hay varias estrellas dispersas.

Circinus (Compás)

Nombre abreviado: Cir.
Localización: Circumpolar, hemisferio sur. A.R.: 15,08 horas. Dec.: -59,02°.
Franja de observación: 30° N - 90° S.
Mejor visibilidad: 9 de mayo. Difícil de observar desde el hemisferio norte; desde las latitudes inferiores a los 30°. En el hemisferio sur, se puede ver en el mes de marzo.
Aproximación: Esta constelación está muy próxima a α de Centaurus, de modo que esta estrella es la mejor referencia que nosotros podemos tomar para localizarla.

Es una de las constelaciones creadas por Lacaille, desde su observatorio astronómico de Ciudad del Cabo.

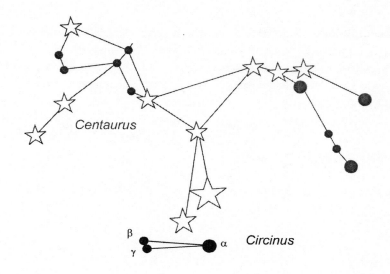

ESTRELLAS MÁS IMPORTANTES

α **de Circinus.** Blanca amarillenta, tipo F. Magnitud: 3,19. Distancia: 56 años luz. Brilla 12 veces más que el Sol.

β **de Circinus.** Blanca, tipo A. Magnitud: 4,07. Distancia: 80 años luz. Brilla 11 veces más que el Sol.

γ **de Circinus.** Blanca, tipo B. Magnitud: 4,51. Distancia: 410 años luz. Brilla 200 veces más que el Sol.

OTROS OBJETOS DE INTERÉS

En esta constelación no hay más detalles interesantes.

COLUMBA (PALOMA)

Nombre abreviado: Col.
Localización: Hemisferio sur. A.R.: 5,76 horas. Dec.: -35,29°.
Franja de observación: 46° N - 90° S.

Mejor visibilidad: 19 de diciembre. Puede ser observada desde las latitudes más bajas del hemisferio norte y todo el año en el hemisferio sur.

Aproximación: Desde el hemisferio austral, esta constelación se puede localizar uniendo Canopus y Rigel; esta línea atraviesa las constelaciones de la Paloma y la Liebre.

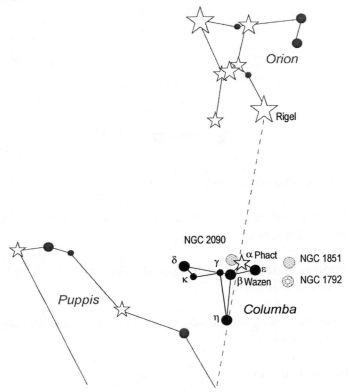

Sobre el origen de esta constelación, hay diferentes opiniones. Al parecer, su creador fue Petrus Plancius.

Alude a un relato bíblico: representaría a la paloma que soltó Noé desde el arca a fin de encontrar tierra firme. Está situada al norte de la constelación de la Nave Argos, en la división que hoy correspondería a Popa.

En el siglo XI, el astrónomo árabe Al-Biruni se refiere a ella como Sula, «la Viga de la Crucifixión», aunque muchos autores opinan que, más bien, se refería a La Cruz del Sur.

Estrellas más importantes

α de Columba o Phact. Su nombre proviene del árabe «Al-Fakhitah», «la paloma». Blanca, tipo B. Magnitud: 2.64. Distancia: 120 años luz. Brilla 95 veces más que el Sol.

β de Columba o Wazen. Del árabe «Al-Wazn», «el peso». Anaranjada, tipo K. Magnitud: 3.12. Distancia: 140 años luz. Brilla 86 veces más que el Sol.

γ de Columba. Blanca, tipo B. Magnitud: 4.36. Distancia: 700 años luz. Brilla 655 veces más que el Sol.

δ de Columba. Amarilla, tipo G. Magnitud: 3.85. Distancia: 150 años luz. Brilla 50 veces más que el Sol.

ε de Columba. Anaranjada, tipo K. Magnitud: 3.87. Distancia: 180. Brilla 65 veces más que el Sol.

η de Columba. Anaranjada, tipo K. Magnitud: 3.96. Distancia: 180. Brilla 65 veces más que el Sol.

Otros objetos de interés

NGC 2090. Galaxia espiral localizada 1° al este de α de Columba.

NGC 1792 o Galaxia de Columba. Galaxia Redonda. Se encuentra en los límites de Columba y Caelum, 3° al sureste de γ Cae.

NGC 1851. Cúmulo globular a 8° al suroeste de α de Columba.

COMA BERENICES (CABELLERA DE BERENICE)

Nombre abreviado: Com.
Localización: Hemisferio norte. A.R.: 12,76 horas. Dec.: 21,83°.
Franja de observación: 7° N - 90° S.

Mejor visibilidad: 5 de abril. Fácil de observar en primavera y verano desde el hemisferio norte, y en otoño e invierno desde el hemisferio sur.

Aproximación: Está junto a Canes Venatici y a Bootes, fáciles de localizar.

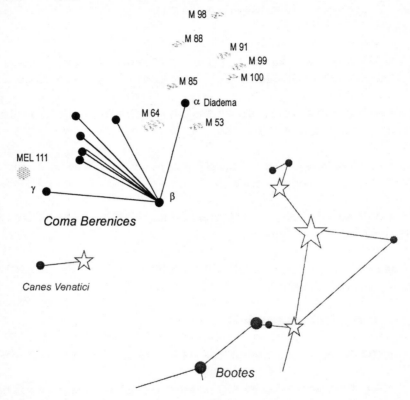

La leyenda cuenta que en el antiguo Egipto, hacia el año 200 a. C., vivía una reina llamada Berenice. Habiendo estallado la guerra con Siria, su marido tuvo que marchar al frente y ella, preocupada, ofreció a los dioses su hermosa cabellera en caso de que éste volviera sano y salvo. Su petición fue concedida de modo que Berenice cortó sus largas trenzas y Venus las subió al cielo.

ESTRELLAS MÁS IMPORTANTES

α de Coma Berenices o Diadem. Binaria que no puede verse sin telescopio. Magnitud: 4,2. Distancia: 65 años luz.

β de Coma Berenices. Amarilla, tipo G. Magnitud: 4,26.Distancia: 27 años luz. Brilla como el Sol.

γ de Coma Berenices. Anaranjada, tipo K. Magnitud: 4,36. Distancia: 260 años luz. Brilla 95 veces más que el Sol.

OTROS OBJETOS DE INTERÉS

M53 (NGC 5024). Cúmulo globular de magnitud 9,47 y 210 años luz de diámetro. Se encuentra a 58.000 años luz del Sistema Solar. En telescopios no profesionales, aparece como un objeto nebuloso y oval con un centro brillante. Está situado a 1° al nordeste de la estrella 42 de Coma Berenices de magnitud 4.

NGC 5053. Está situado exactamente 1° al sudeste del cúmulo globular M53, de modo que parecen estar a la misma distancia. Tiene una magnitud de 9,5 y una extensión de 160 años luz.

Mel 111. Cúmulo que fue catalogado ya por Ptolomeo, pero que no ha sido incluido en el catálogo de Messier.

M64 (NGC 4826). Galaxia espiral que en inglés se conoce con el nombre de Galaxia del Ojo Negro debido a la mancha oscura que aparece en su interior. Ésta es, al parecer, una densa nube de polvo que puede ser observada con telescopios pequeños. La galaxia entera puede verse también con prismáticos más o menos potentes, pero es con las grandes ópticas o mediante fotografías cuando se pueden apreciar los detalles de la curiosa mancha en toda su magnitud.

M85 (NGC 4382). Galaxia lenticular luminosa de magnitud visual 9,1. Está considerada el miembro más septentrional del cúmulo de Virgo.

M88 (NGC 4501). Galaxia espiral perteneciente al cúmulo de Virgo, que tiene la peculiaridad de estar alejándose del sistema solar a la velocidad de 2.000 km por segundo.

M91 (NGC 4548). Galaxia espiral barrada de magnitud visual 10,2. Pertenece también al Cúmulo de Virgo.

M98 (NGC 4192). Galaxia espiral de magnitud 10,1. Es particularmente difícil de observar.

M99 (NGC 4254). Galaxia espiral de magnitud visual 9,9. En el último cuarto de siglo se han registrado en esta galaxia tres supernovas: en 1967, 1972 y 1986.

M100 (NGC 4321). Galaxia espiral de magnitud visual 9,3. Tiene dos brazos prominentes y otros más débiles.

Corona Australis (Corona Austral)

Nombre abreviado: CrA.
Localización: A.R.: 18,64 horas. Dec.: -41,49°.
Franja de observación: 44° N - 90° S.
Mejor visibilidad: No se observa bien desde el hemisferio norte ya que se encuentra muy baja en el cielo, pero desde el sur ofrece una vista excelente.
Aproximación: Está situada junto a la Vía Láctea. Es pequeña y no tiene estrellas brillantes. Esta constelación se puede localizar a partir de Sagitario, al norte de Telescopium.

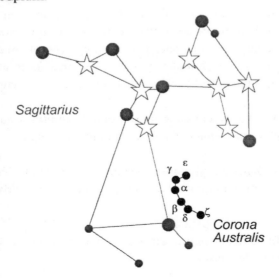

A pesar de estar situada muy al sur, hay autores que afirman que la Corona Austral, también llamada Corona del Sur, ya era conocida por los antiguos griegos. Según las leyendas, es la corona que ciñe la cabeza de Sagitario, el centauro que se encuentra a su lado.

Estrellas más importantes

α de Corona Australis. Blanca, tipo A. Magnitud: 4,11. Distancia: 91 años luz. Brilla 14 veces más que el Sol.

β de Corona Australis. Amarilla, tipo G. Magnitud: 4,11. Distancia: 190 años luz. Brilla 60 veces más que el Sol.

γ de Corona Australis. Blanca amarillenta, tipo F. Magnitud: 4,93. Distancia: 56 años luz. Brilla 3 veces más que el Sol.

δ de Corona Australis. Anaranjada, tipo K. Magnitud: 4,59. Distancia: 250 años luz. Brilla 65 veces más que el Sol.

ε de Corona Australis. Blanca amarillenta, tipo F. Magnitud: 4,74. Distancia: 100 años luz. Brilla 7 veces más que el Sol.

ζ de Corona Australis. Blanca, tipo A. Magnitud: 4,75. Distancia: 100 años luz. Brilla 45 veces más que el Sol.

Otros objetos de interés

El 25 de septiembre de 1997, utilizando el telescopio «Hubble», los astrónomos pudieron fotografiar por primera vez una estrella de neutrones aislada al sur de esta constelación. A pesar de sus escasos 28 kilómetros de ancho, se ha hecho visible. Esto ha permitido calcular sus dimensiones y afinar las teorías relacionadas con la gravitación, composición y estructura de este extraño tipo de estrellas. Hasta el momento, no se habían podido tomar fotografías de esta clase de objetos, ya que solían orbitar en torno a otras estrellas, de ahí que la posibilidad de fotografiarla aisladamente haya significado un gran paso adelante para la Astronomía.

NGC 654. Cúmulo globular a unos 15.000 años luz. Se encuentra a medio camino entre ζ de Corona Austral y ζ de Escorpio.

Corona Borealis (Corona del Norte)

Nombre abreviado: CrB.
Localización: Hemisferio norte. A.R.: 15,89 horas. Dec.: 32,19°.
Franja de observación: 90° N - 50° S.
Mejor visibilidad: 21 de mayo. En primavera, verano y otoño aparece en el cielo del hemisferio norte. En el hemisferio sur, en otoño e invierno.
Aproximación: Está situada inmediatamente al lado de Bootes. Se puede localizar siguiendo la línea que une ε-ν de la Osa Mayor, unos 30° hacia el este. Sus estrellas forman una corona fácil de distinguir.

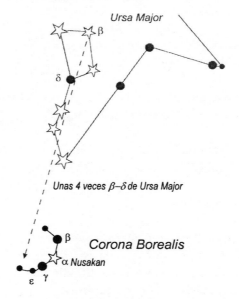

Esta constelación se relaciona con el mito griego de Teseo. El Minotauro, monstruoso animal con cuerpo de hombre y cabeza de buey. Nacido de los amores adúlteros de Pasifae, la esposa del rey Minos de Creta, fue encerrado por éste en un laberinto construido por Dédalo para evitar que causara destrozos. Anualmente, Minos hacía enviar al laberinto un grupo de siete mujeres y hombres jóvenes para calmar los arrebatos de ira del monstruo, pero éstos no eran cretenses, sino ciudadanos atenienses que habían sido derrotados en la guerra. Después de nueve años de seguir esta costumbre, llegó a la isla de Creta un joven dispuesto a dar muerte al Minotauro. Era Teseo. Para comprobar que era hijo de Poseidón, como afirmaba, Minos lo desafió a lanzarse al mar para recuperar un anillo de oro. Allí, ayudado por los delfines y las nereidas, el héroe recibió el anillo y una corona de oro. Al regresar a la isla con estos elementos, se ganó el amor de Ariadna, la hija del rey Minos. Ésta le prometió ayuda con la condición de que tras la muerte de la bestia se casara con ella. Teseo consiguió su propósito pero olvidó la promesa que había hecho a la muchacha: la abandonó en la isla de Naxos, dejándole la corona. Cuando ella murió, fue Dionisio quien puso la corona en el cielo.

ESTRELLAS MÁS IMPORTANTES

α **de Corona Borealis o Gemma.** Blanca, tipo A. Magnitud: 3,80. Distancia: 72 años luz. Binaria espectroscópica. Brilla 45 veces más que el Sol. Está en su meridiano el 17 de mayo a medianoche.

β **de Corona Borealis o Nusakan.** Del árabe «An-Nasaqan», «las dos series». Amarilla, tipo G. Magnitud: 3,08. Distancia: 100 años luz. Binaria espectroscópica. Brilla 26 veces más que el Sol.

γ **de Corona Boreali.** Blanca, tipo A. Magnitud: 3,80. Distancia: 99 años luz. Binaria espectroscópica. Brilla 104 veces más que el Sol.

δ **de Corona Borealis.** Amarilla, tipo G. Magnitud: 4,62. Distancia: 120 años luz. Brilla 15 veces más que el Sol.

ε **de Corona Borealis o Gemma.** Anaranjada, tipo K. Magnitud: 4,15. Distancia: 240 años luz. Brilla 45 veces más que el Sol.

OTROS OBJETOS DE INTERÉS

Observando con prismáticos el cuenco que forma la corona, se pueden encontrar por lo menos 15 estrellas. Entre éstas se encuentra R de Corona Borealis, llamada Estrella Llameante. Normalmente se mantiene en una magnitud 10, pero en 1866 y 1946 adquirió repentinamente brillo hasta el extremo de ser visible a simple vista.

Es probable que se trate de una nova recurrente y no se sabe cuándo brillará otra vez. Para encontrarla, buscar el punto que, desde dentro del cuenco, forme un triángulo con ε y δ.

CORVUS (CUERVO)

Nombre abreviado: Crv.
Localización: Hemisferio sur. A.R.: 12,46 horas. Dec.: -13,33°.
Franja de observación: 65° N - 90° S.
Mejor visibilidad: 30 de marzo. Desde el hemisferio norte, se puede observar desde enero hasta mayo en las latitudes más bajas, aunque no es fácil de detectar porque está muy próxima al horizonte sur.
Aproximación: Está entre Virgo e Hydra. Se reconoce fácilmente porque sus cuatro estrellas principales forman un cuadrilátero.

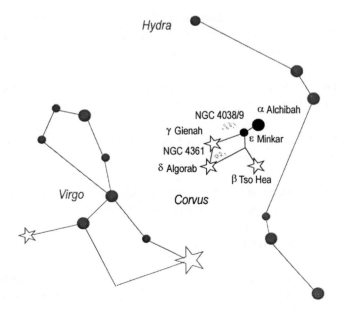

Diversas culturas de la antigüedad vieron en este grupo de estrellas diferentes figuras: los hindúes decían que representaba la palma de la mano, siendo α el meñique. Los chinos veían un carro, los aztecas la cola de un escorpión y ciertos pueblos de Brasil, una garza.

La representación del cuervo nace de un mito griego. Esta ave, que tenía un bello plumaje blanco y una voz melodiosa, era la mascota de Apolo. Cierto día recibió de su amo el encargo de traer agua en la Copa (Crater) de modo que salió volando de inmediato dispuesto a cumplir con su cometido, pero en el camino tropezó con una higuera repleta de sabrosos frutos. Como estaban verdes, decidió esperar a que madurasen tras lo cual, se dio un atracón. Al recordar que su amo le estaba esperando, cogió inmediatamente el agua y, al dársela a Apolo, le contó que la Serpiente de Agua (Hydra) no le había permitido cogerla, y que ese era el motivo de su demora. Apolo no le creyó y, para castigarlo, ennegreció por completo su bello plumaje blanco y transformó su dulce canto en un molesto graznido.

Otra versión de esta historia cuenta que, dentro de la copa, estaba la Hidra y ese descuido provocó la indignación de Apolo.

ESTRELLAS MÁS IMPORTANTES

α de Corvus o Alchibah. Del árabe, «Al-Khiba», «la tienda». Blanca amarillenta, tipo F. Magnitud: 4,02. Distancia: 49 años luz. Brilla 4,5 veces más que el Sol.

β de Corvus o Tso Hea. Amarilla, tipo G. Magnitud: 2,66. Distancia: 96 años luz. Brilla 550 veces más que el Sol.

γ de Corvus o Gienah. Del árabe «Al-Janah», «el ala». Blanca, tipo B. Magnitud: 2,59. Distancia: 120 años luz. Brilla 240 veces más que el Sol.

δ de Corvus o Algorab. Del árabe «Al- Ghurab», «el cuervo». Blanca, tipo A. Magnitud: 2,95. Distancia: 120 años luz. Brilla 65 veces más que el Sol. Tiene como compañera una enana anaranjada, de magnitud 8,4.

ε de Corvus o Minkar. Del árabe «Al-Minkhar», «el pico». Anaranjada, tipo K. Magnitud: 3,00. Distancia: 140 años luz. Brilla 86 veces más que el Sol.

OBJETOS DE INTERÉS

NGC 4038 y NGC 4039. 4° al sudeste de γ de Corvus hay dos llamativas galaxias conocidas por el nombre de La Antena. Ambas están en colisión y se ven deformadas por la interacción gravitacional. Una de ellas es espiral y la otra, una peculiar eruptiva. Se observan en ambas una cola de estrellas. La opinión generalizada es que son dos galaxias en colisión.

CRATER (COPA)

Nombre abreviado: Crt.
Localización: Hemisferio sur. A.R.: 11,43 horas. Dec.: -12,00°.
Franja de observación: 65° N - 90° S.
Mejor visibilidad: 14 de marzo.
Aproximación: El mejor punto de referencia que se puede tomar para localizar esta constelación Denébola, de Leo. Mirando hacia el sur, se encuentra el grupo de estrellas débiles que forman la Copa.

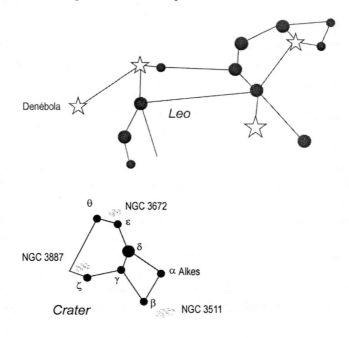

Es una de las constelaciones antiguas y responde a varios mitos. Para los griegos, representa el cáliz de Apolo que el Cuervo tenía que llenar con el agua de vida, pero también ha sido compartida por otros dioses y héroes entre los que se pueden citar Dionisio, Hércules y Aquiles. Para los egipcios, su aparición en el horizonte significaba que la inundación de las llanuras por el Nilo había llegado a su punto máximo, pero que pronto empezaría a retroceder.

ESTRELLAS MÁS IMPORTANTES

α de Crater o Alkes. Del árabe «Al-Kas», «la copa». Gigante amarilla, tipo K. Magnitud: 4,1. Distancia: 110 años luz. Brilla 65 veces más que el Sol. Mejor visibilidad: 9 de marzo.

β de Crater. Blanca azulada, tipo A. Magnitud: 4,52. Distancia: 64 años luz. Brilla 5 veces más que el Sol. Mejor visibilidad: 12 de marzo.

γ de Crater. Estrella múltiple. Principal: Blanca, tipo A. Magnitud: 4,14. Distancia: 81 años luz. Brilla 11 veces más que el Sol. Secundaria: Blanca, tipo A. Distancia: 75-150 años luz. Mejor visibilidad: 13 de marzo.

δ de Crater. Gigante naranja, tipo K. Magnitud: 3,6. Distancia: 73 años luz. Brilla 15 veces más que el Sol.

ε de Crater. Anaranjada, tipo K. Magnitud: 4,83. Distancia: 350 años luz. Brilla 86 veces más que el Sol.

ζ de Crater. Amarilla, tipo G. Magnitud: 4,73. Distancia: 110 años luz. Brilla 60 veces más que el Sol.

θ de Crater. Blanca, tipo B. Magnitud: 4,70. Distancia: 260 años luz. Brilla 65 veces más que el Sol.

OTROS OBJETOS DE INTERÉS

NGC 3511. Galaxia en espiral de magnitud 12. Dentro de ésta hay tres estrellas de las cuales la más brillante tiene una magnitud 12,5.

NGC 3672. Se trata de una galaxia espiral con muchos brazos, de brillo tan débil como el de la galaxia anteriormente mencionada, pero de menores dimensiones.

CRUX (CRUZ DEL SUR)

Nombre abreviado: Cru.
Localización: Circumpolar, hemisferio sur. A.R.: 12,45 horas. Dec.: -59,97°.
Franja de observación: 25° N - 90° S.
Mejor visibilidad: 30 de marzo. Para el hemisferio norte, sólo es visible para las latitudes que estén por debajo del los 25°; en el hemisferio sur, es visible todo el año.
Aproximación: Es, junto con Las Tres Marías que forman el cinturión de Orión, la constelación más conocida por los habitantes del hemisferio sur, de modo que se toma como referencia para ubicar otras. Se encuentra entre las patas del Centauro; de hecho, hasta 1679 sus estrellas pertenecían a esa constelación.

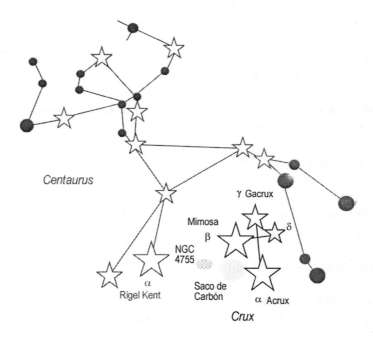

La Cruz del Sur es la constelación más pequeña de las 88 que estableció la Asociación Astronómica Internacional. Su eje mayor apunta casi con exactitud al polo sur celeste. Para los antiguos griegos, formaba parte de Centaurus, pero el astrónomo árabe del siglo XI Al Biruni utilizó para referirse a estas estrellas el nombre de Sula, «La Viga de la Crucifixión», aclarando que se podía ver desde la India, a una latitud de 30°.

Según autores como H. R. Allen, en la *Divina Comedia* que Dante Alighieri escribiera en el siglo XIV, el autor la menciona ya que el personaje entra en el Purgatorio por una entrada en el hemisferio sur:

... dispuesto a espiar
este extraño polo, recuerdo cuatro estrellas
las mismas que vieran los primeros hombres
y que desde entonces ningún vivo ha vuelto a ver.

La Cruz del Sur, habría sido vista en Palestina por los primeros cristianos, pero por efecto de la traslación de los equinoccios, hoy no es posible observarla desde esas latitudes. En el viaje que efectuó en el año 1505, Hernando de Magallanes la denominó «Cruz do Sul».

Para los indios chiriguanos y chahuancas del Nuevo Continente, esta constelación formaba, junto con otras estrellas de Centaurus, «La Cabeza del Surí» (palabra quichua que quiere decir «el avestruz»). Para los indios patagones que habitaban el sur de Argentina, formaba parte de un cuadro de cacería: la Cruz del Sur propiamente dicha representaba a los cazadores; el Saco de Carbón, al ave; las dos nubes magallánicas eran las plumas de los animales abatidos y las dos estrellas más brillantes de Centaurus, α y β, eran las boleadoras: un arma arrojadiza compuesta por dos o tres piedras forradas de cuero y unidas por una cuerda con las que los indios enlazaban a distancia las patas del avestruz.

ESTRELLAS MÁS IMPORTANTES

α de Crux o Acrux («la cruz»). Doble blanca, tipo B. Magnitud: 1,33. Distancia: 410 años luz. Sus estrellas brillan 2.850 y 1.800 veces más que el Sol.

β de Crux o Mimosa. Distancia: 580 años luz. Brilla 8.000 veces más que el Sol.

γ **de la Cruz del Sur o Gacrux («gama de la Cruz»).** Gigante roja doble, tipo M. Magnitudes: 1,63 y 6.42. Distancia: 87 y 250 años luz. Brilla 125 y 12 veces más que el Sol.

δ **de Crux.** Blanca, tipo B. Magnitud: 2,78. Distancia: 470 años luz. Brilla 1.250 veces más que el Sol.

R de Crux. Variable cefeida que se encuentra entre Acrux y ε.

OTROS OBJETOS DE INTERÉS

NGC 4755 o El Joyero. Hermoso cúmulo que se encuentra en el borde de la nebulosa del Saco de Carbón. Está a una distancia de 7.700 años luz y su zona central tiene unos 25 años luz de diámetro.

Saco de Carbón. Nebulosa oscura visible a simple vista. Está a 600 años luz. de distancia.

CYGNUS (CISNE)

Nombre abreviado: Cyg.
Localización: Hemisferio norte. A.R.: 20,62 horas. Dec.: 42,03°.
Franja de observación: 90° N - 28° S.
Mejor visibilidad: 1 de agosto. Esta constelación ofrece una magnífica vista a principios de septiembre, cuando alcanza su punto más alto en el cielo vespertino.
Aproximación: La mejor manera de localizar esta constelación es tomar como referencia la Vía Láctea. En un punto de su extensión, la galaxia se divide en dos y lo hace exactamente a la altura de Cygnus. Otra manera de encontrar esta constelación es localizar Lyra y luego mirar a su izquierda.

Cygnus también ha sido conocida como La Cruz del Norte. Es atravesada por la Vía Láctea y se encuentra en una de las regiones más ricas del cielo. Su nombre tiene su origen en la mitología romana: alude al momento en que Júpiter se metamorfoseó en cisne para obtener los favores de Leda.

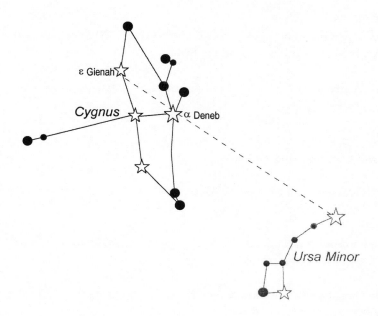

ESTRELLAS MÁS IMPORTANTES

α de Cygnus o Deneb. Del árabe «Dhanab», «la cola». Gigante blanca azulada, tipo A. Magnitud: 1,20. Distancia: 3.200 años luz. Brilla 60.000 veces más que el Sol. Es, a simple vista, una estrella excepcionalmente luminosa.

β de Cygnus o Albireo. De «Ireus», flor olorosa. Binaria gigante oro y azul. Magnitudes: 3,08 y 5,2. Distancia: 385 y 375 años luz. Brillan 500 y 95 veces más que el Sol.

γ de Cygnus o Sadir. Del árabe «As-Sadr», «el pecho». Blanca amarillenta, tipo F. Magnitud: 2,20. Distancia: 1.500 años luz. Brilla 22.050 veces más que el Sol.

δ de Cygnus. Blanca, tipo A. Magnitud: 2,87. Distancia: 170 años luz. Brilla 150 veces más que el Sol.

ε de Cygnus o Gienah. Del árabe «Al-Janah», «el ala». Anaranjada, tipo K. Magnitud: 4,46. Distancia: 72 años luz. Brilla 39 veces más que el Sol.

ζ **de Cygnus.** Anaranjada, tipo K. Magnitud: 320 años luz. Distancia: 61 años luz. Brilla 4,4 veces más que el Sol.

ι **de Cygnus.** Blanca, tipo A. Magnitud: 3,79. Distancia: 122 años luz. Brilla 35 veces más que el Sol.

κ **de Cygnus.** Anaranjada, tipo K. Magnitud: 3,77. Distancia: 123 años luz. Brilla 34 veces más que el Sol.

ν **de Cygnus.** Blanca, tipo A. Magnitud: 3,94. Distancia: 355 años luz. Brilla 220 veces más que el Sol.

ξ **de Cygnus.** Anaranjada, tipo K. Magnitud: 3,72, Distancia: 1.280 años luz. Brilla 3.400 veces más que el Sol.

σ **de Cygnus.** Blanca, tipo A. Magnitud: 4,23. Distancia: 4.500 años luz. Brilla 30.000 veces más que el Sol.

τ **de Cygnus.** Blanco amarillento, tipo F. Magnitud: 3,60. Distancia: 68 años luz. Brilla 10 veces más que el Sol.

π1 **de Cygnus o Azelfafage.** Del árabe «la tortuga», originalmente referido a Lyra. Magnitud: 4,69. Distancia: 1.680 años luz. Brilla 2.800 veces más que el Sol. Tiene una compañera de magnitud 4,23, a 1.250 años luz de distancia.

OTROS OBJETOS DE INTERÉS

NCG 7000. Nebulosa Norteamérica. Recibe este nombre porque cuando se fotografía con un equipo adecuado, su forma es muy similar al contorno de América del Norte. No se puede percibir a simple vista; sí con prismáticos. Su diámetro es de casi 50 años luz y se cree que su luminosidad la recibe de Deneb.

Nebulosa del velo. Conjunto formado por las nebulosas NGC 6960, 6992, 6995 y 6979. Es invisible a simple vista.

Cr 419. Cúmulo abierto de magnitud 5,40.

Saco de Carbón del Norte. Está rodeado por α, γ y ε. Es un parche opaco que oscurece la Vía Láctea en esa zona. Cerca de Deneb hay un grupo formado por o1 y o2 y, muy próxima, υ de Cygnus; una variable Mira que tiene un color rojo intenso y que es posible ver con prismáticos cuando está en su momento de máxima intensidad.

NGC 6811. Cúmulo abierto. Tiene una magnitud aproximada de 6,80.

ρ de Cygnus. Variable Mira que puede alcanzar una magnitud de 6,5.

W de Cygnus. Variable regular que tiene una variación que va de 5,0 a 7,6.

M29 (NGC 6913). Cúmulo abierto de magnitud 7,1 que está a una distancia de 4.000 años luz. Puede ser observado con prismáticos y para localizarlo, lo mejor es partir de γ Cygni. Sus estrellas más brillantes forman un cuadrilátero y las otras tres, un triángulo localizado al norte de éste.

M 39 (NGC 7092). Cúmulo abierto muy disperso pero que se puede detectar a simple vista en las noches oscuras y despejadas, ya que tiene, en conjunto, una magnitud visual de 4,6. Lo mejor es dirigir la vista ligeramente hacia el norte de Deneb.
Es recomendable observarlo con ópticas de poca potencia ya que se extiende sobre una superficie bastante amplia. Se encuentra a unos 800 años luz y contiene unas 30 estrellas.

NGC 6871. Cúmulo abierto. Tiene una magnitud de 5,20.

Cygnus A. Galaxia visible en esta constelación que, al parecer, se ha formado por la colisión de otras dos.

Biur 2. Cúmulo abierto de magnitud 6,30.

Cygnus X. Es un posible agujero negro que se detecta como una de las fuentes más importantes de rayos X que acompañe a una supergigante azul.

NGC 7063. Cúmulo abierto de magnitud 7,0.

DELPHINUS (DELFÍN)

Nombre abreviado: Del.
Localización: Ecuatorial. A.R.: 20,70 horas. Dec.: 13,81°.
Franja de observación: 90° N - 69° S.
Mejor visibilidad: 2 de agosto. El período de visibilidad es verano y otoño en el hemisferio norte, invierno y primavera, en el sur.
Aproximación: Se traza una línea que parta de la polar y pase por α y ε de Cygnus y se prolonga hasta llegar, exactamente, a α Delphini.

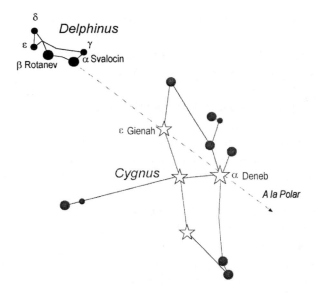

Esta constelación es una de las más pequeñas del firmamento y no siempre es fácil de identificar ya que está inmersa en la Vía Láctea.

Sus cuatro estrellas principales forman, sin embargo, un rombo muy luminoso que, una vez encontrado, ya no se pierde.

Delphinus se basa en el mito de Poseidón, que tenía en su corte a 50 ninfas, hijas de Nereo: las nereidas. Cuando decidió casarse, buscó entre ellas y la elección recayó en Tetis, pero una profecía le dijo que el hijo nacido de ambos sería más poderoso que él, y la desechó. La siguiente elegida fue Anfitrite, pero ésta huyó hacia los montes Atlas. El dios mandó innumerables mensajeros para que la convencieran de volver y casarse con él y quien lo logró fue el delfín. Para premiarlo por tal hazaña, Poseidón lo puso en el cielo.

ESTRELLAS MÁS IMPORTANTES

α de Delphinus o Salocin. Este nombre surge de «Nicolás», invertido, en honor a Nicolás Venator, el astrónomo que bautizó estas estrellas. Gigante azulada, tipo B. Magnitud: 3,77. Distancia: 65 años luz. Brilla 65 veces más que el Sol.

β de Delphinus o Rotanev. Su nombre significa «Venator» al revés. Blanca amarillenta, tipo F. Magnitud: 3,63. Distancia: 130 años luz. Brilla 41 veces más que el Sol.

γ de Delphinus. Amarilla, tipo G. Magnitud: 4,27. Distancia: 53 años luz. Brilla 4 veces más que el Sol. Tiene una compañera, de magnitud 5,22, que está a 130 años luz. Brilla 10 veces más que el Sol.

δ de Delphinus. Blanca, tipo A. Magnitud: 4,40. Distancia: 200 años luz. Brilla 50 veces más que el Sol.

δ de Delphinus. Blanca, tipo B. Magnitud: 4,03. Distancia: 500 años luz. Brilla 450 veces más que el Sol.

OTROS OBJETOS DE INTERÉS

U y EU de Delphinus. Variables rojas fáciles de encontrar. U es de tipo espectral M; su magnitud varía entre 5,6 y 7,5. EU, también de tipo M, a la que se clasifica como semirregular, con un período de 60 días.

DORADO (PEZ DORADO, PEZ ESPADA)

Nombre abreviado: Dor.
Localización: Circumpolar, hemisferio sur. A.R.: 5,23 horas. Dec.: -63,30°.
Franja de observación: 20° N - 90° S.

Mejor visibilidad: 11 de diciembre. Con escasa visibilidad en el hemisferio norte, es posible verla todo el año en las latitudes más cercanas al polo sur.

Aproximación: Aunque sus estrellas más brillantes son de 3° de magnitud, se puede encontrar trazando una línea entre Canopus y Archenar. Se encuentra entre Reticulum y Pictor.

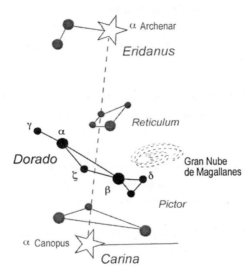

Esta constelación ha sido introducida por Bayer en el siglo XVII. Según algunos autores, representa una carpa dorada pero según otros, un pez espada.

En antiguos tratados aparece con el nombre de Xiphias (pez espada) y en Oceanía, donde es bien visible por estar en el hemisferio sur, recibe el nombre de mahi-mahi, un pez local.

Estrellas más importantes

α de Dorado. Blanca, tipo A. Magnitud: 3,27. Distancia: 200 años luz. Brilla 240 veces más que el Sol.

β de Dorado. Blanca amarillenta, tipo F. Magnitud: 3,46. Distancia: 7.500 años luz. Brilla 140.000 veces más que el Sol.

γ de Dorado. Blanca amarillenta, tipo F. Magnitud: 4,25. Distancia: 55 años luz. Brilla 5 veces más que el Sol.

δ de Dorado. Blanca, tipo A. Magnitud: 4,35. Distancia: 80 años luz. Brilla 9 veces más que el Sol.

ζ de Dorado. Blanca amarillenta, tipo F. Magnitud: 4,27. Distancia: 290 años luz. Brilla 72 veces más que el Sol.

OTROS OBJETOS DE INTERÉS

Gran Nube de Magallanes. Es la galaxia más cercana a la nuestra. Se trata de una espiral barrada de unos 30.000 años luz de diámetro. Se encuentra a 160.000 años luz. Es la mayor de las cuatro galaxias visibles a simple vista y alcanza una magnitud de 0,1. Es bien visible en el hemisferio sur, pero si se quiere contemplar desde el norte, habrá que emplazarse a una latitud no superior a los 21°. En esta galaxia hay multitud de cúmulos y nebulosas incrustados.

30 Doradus o Nebulosa de la Tarántula. Nebulosa gaseosa gigante que constituye la parte más brillante de la Gran Nube de Magallanes. Es la nebulosa difusa más grande que se conoce y puede ser identificada a simple vista. Por su belleza, por la multitud de detalles que ofrece, es recomendable observarla con prismáticos. Si esta nebulosa se encontrara tan cerca de la tierra como lo está M42 de Orión, su luminosidad será tan intensa que produciría sombras al iluminar los objetos.

DRACO (DRAGÓN)

Nombre abreviado: Dra.
Localización: Circumpolar, hemisferio norte. A.R.: 17,75 horas. Dec.: 62,51°.
Franja de observación: 90° N - 4° S.
Mejor visibilidad: 19 de junio. Debido a su proximidad al Polo Norte, es invisible para el hemisferio sur, salvo para los lugares más próximos al ecuador.
Aproximación: La cola del Dragón pasa entre la Osa Mayor y la Osa Menor, en tanto que su cabeza apunta hacia Hércules.

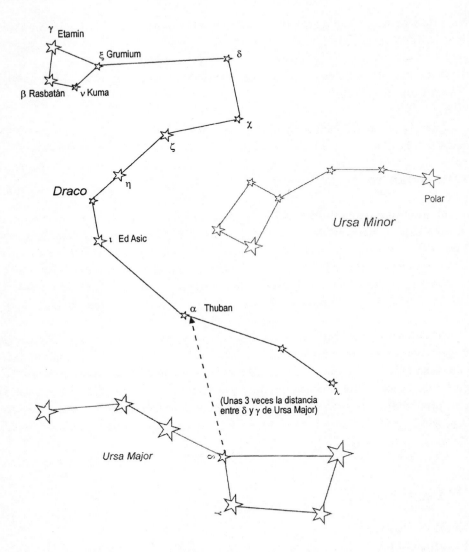

La mayoría de los dragones que aparecen en las diferentes leyendas tienen una aguda visión; de ahí que su función principal sea la de guardianes. Son ellos quienes custodian los tesoros de los templos.

Esta constelación alude al Dragón a quien Hera encargó de proteger las manzanas de oro del Jardín de las Hespérides que había regalado a Zeus en el día de su boda. Mientras cumplía con su encargo, el Dragón fue muerto por Hércules quien le robó las manzanas; a partir de ese momento, éstas se convirtieron en símbolo de la inmortalidad. A pesar de haber fracasado en su misión, la diosa Hera premió al Dragón por su fidelidad enviándolo al cielo.

ESTRELLAS MÁS IMPORTANTES

α de Draco o Thuban. Del árabe «Ath-Thu'ban», «la serpiente». Blanca, tipo A. Magnitud: 3,65. Distancia: 230 años luz. Brilla 137 veces más que el Sol.

β de Draco o Rastaban. Del árabe «R'as ath-Thu'ban», «la cabeza de la serpiente». Amarilla intensa, tipo G. Magnitud: 2,79. Distancia: 310 años luz. Brilla 545 veces más que el Sol.

γ de Draco o Eltanin. Del árabe «At-Tinnin», «la gran serpiente». Anaranjada, tipo K. Magnitud: 2,23. Distancia: 110 años luz. Brilla 104 veces más que el Sol.

δ de Draco o Altais. Del árabe «al-Tinnin», «la gran serpiente». Anaranjada, K. Magnitud: 3,07. Distancia: 100 años luz. Brilla 65 veces más que el Sol.

ε de Draco. Anaranjada, tipo K. Magnitud: 3,83. Distancia: 170 años luz. Brilla 60 veces más que el Sol.

ζ de Draco. Blanca, tipo B. Magnitud: 3,17 años luz. Brilla 340 años luz. Brilla 453 veces más que el Sol.

η de Draco. Amarilla, tipo G. Magnitud: 2,74. Distancia: 71 años luz. Brilla 31 veces más que el Sol.

ι de Draco o Edasich. Del árabe «Adh-Dhikh», «la hiena». Anaranjada, tipo K. Magnitud: 3,29. Distancia: 81 años luz. Brilla 86 veces más que el Sol.

κ de Draco. Blanca, tipo B. Magnitud: 3,80. Distancia: 250 años luz. Brilla 132 veces más que el Sol.

λ de Draco o Gianzar. Mítico nombre persa utilizado para desingar los nodos de la órbita lunar. Color: rojizo, tipo M. Magnitud: 3,84. Distancia: 230 años luz. Brilla 114 veces más que el Sol.

ν1 de Draco. Doble blanca, tipo A. Magnitud: 4,88 y 4,87. Distancia: 93 años luz. Brilla 7,2 veces más que el Sol. Quienes tengan buena vista, podrán resolverlas a simple vista y con prismáticos, cualquiera puede ver claramente el par. Forman un sistema asociado, su separación es de 300.000 millones de kilómetros.

ξ de Draco o Grumium. Esta estrella fue designada por Ptolomeo como Genam, y en las figuras representaba la mandíbula inferior del dragón. Sin embargo, en la antigua astronomía árabe, Grumium representa junto con β, γ y ν cuatro hembras de camellos que protegen a sus crías del ataque de las dos hienas, η y ζ. Anaranjada, tipo K. Magnitud: 3,75. Distancia: 93 años luz. Brilla 86 veces más que el Sol.

φ de Draco. Blanca, tipo A. Magnitud: 4,72. Distancia: 270 años luz. Brilla 112 veces más que el Sol.

χ de Draco. Blanca amarillenta, tipo F. Magnitud: 3,57. Distancia: 25 años luz. Brilla 1,8 veces más que el Sol.

OTROS OBJETOS DE INTERÉS

σ de Draco o Arrakis. Anaranjada, tipo K. Magnitud: 4,48. Está entre δ y ε y resulta interesante porque es una de las estrellas más cercanas a nuestro planeta; está a una distancia de 18.5 años luz. Tiene una tercera parte del brillo del Sol.

EQUULEUS (CABALLITO)

Nombre abreviado: Equ.
Localización: Ecuatorial. A.R.: 21,21 horas. Dec.: 07,00°.
Franja de observación: 90° N - 77° S.

Mejor visibilidad: 10 de agosto y en verano del hemisferio norte, invierno del hemisferio sur.

Aproximación: Si se traza una línea entre α y δ de Delphinus, se llega a un punto muy próximo a α Equulei.

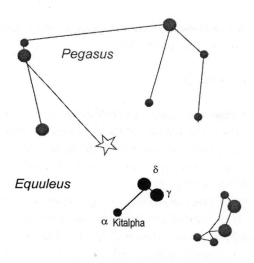

Es una de las constelaciones más pequeñas del cielo y se conoce desde la antigüedad.

Puede haber sido creada por Ptolomeo en el siglo II, pero lo más probable es que éste tomara la información acerca de su existencia de Hiparco (146-127 a. C.). Este astrónomo compuso el primer catálogo estelar donde consignó la existencia de unas 850 estrellas.

No se conoce a ciencia cierta a qué se debe su nombre; algunas fuentes aseguran que representa a Celeris, el hermanastro de Pegaso.

Su nombre árabe original, al parecer, era «Al Faras al Awwal».

ESTRELLAS MÁS IMPORTANTES

α de Equuleus o Kitalpha. Del árabe, «Qit'at al-Faras», «una parte del caballo». Blanca amarillenta, tipo F. Magnitud: 3,92. Distancia: 150 años luz. Brilla 45 veces más que el Sol.

β de Equuleus. Blanca, tipo A. Magnitud: 5,16. Distancia: 100 años luz. Brilla 9 veces más que el Sol.

γ de Equuleus. Blanca amarillenta, tipo F. Magnitud: 4,60. Distancia: 120 años luz. Brilla 13 veces más que el Sol.

ζ de Equuleus. Doble blanca amarillenta, tipo F. Magnitud: 4,53. Distancia: 59 años luz. Brilla 2 veces más que el Sol.

Otros objetos de interés

M102. Sobre este objeto del catálogo de Messier hay cierta confusión; al parecer, fue descubierto por Mechain en 1781, sin embargo éste no registró su posición exacta y a los dos años de su descubrimiento aclaró que se había equivocado, que lo que creía una nueva galaxia era parte de la M101 en la constelación de la Osa Mayor (*ver* Ursa Major).

Sin embargo, las descripciones generales que hizo de la M102 no coinciden con las de la M101. Hay fuentes que asignan a esta galaxia la brillante lenticular NGC 5866, también en Draco. Son muchos los astrónomos que se muestran de acuerdo con ello. Se trata de una galaxia que está a unos 50 millones de años luz, visible a simple vista. Se localiza a unos 4° al sur de ι Draconis. Esta constelación es muy oscura y no hay otros objetos de interés que se puedan observar sin óptica o con prismáticos.

Eridanus (Eridano)

Nombre abreviado: Eri.
Localización: Hemisferio sur. A.R.: 3,92 horas. Dec.: -15,82°.
Franja de observación: 32° N - 89° S.
Mejor visibilidad: 22 de noviembre. Desde el hemisferio norte, sólo puede verse una parte de esta constelación en primavera, invierno y verano; pero en el hemisferio sur es visible todo el año, al menos una parte de ella.
Aproximación: Se extiende desde la proximidad de Rigel, en la constelación de Orión, hasta las proximidades del polo sur, de manera que la mejor forma de localizarla es encontrando primero esa estrella.

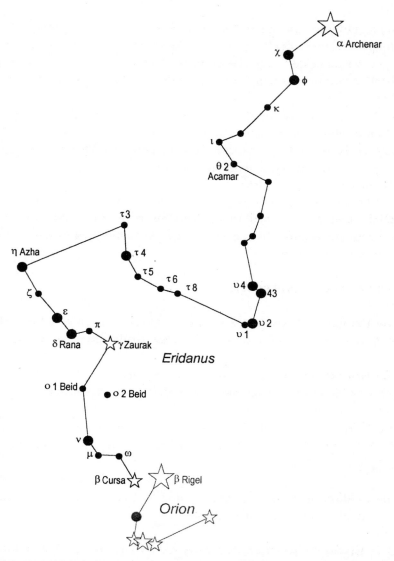

Es difícil discernir qué río representa la constelación. Algunos autores la relacionan con el Nilo en tanto que otros, con el Éufrates, el Tigris e, incluso, con otros ríos como el Ganges o el Po.

El nombre de Eridano surge de la mitología griega y se vincula a la historia de Faetón, hijo de Apolo.

Cuando el joven e inexperto Faetón importunó a su padre para que le permitiera conducir el carro del Sol por un día, la primera reacción de éste fue negarse ya que no lo consideró capaz de asumir esa responsabilidad. Sin embargo, debido a los ruegos del joven así como a los de su madre y hermanas, finalmente accedió.

Faetón montó al carro tirado por los briosos caballos blancos y salió a recorrer los cielos. Los animales, bajo las inexpertas manos del joven, se lanzaron al galope y ascendieron de tal manera al cielo que la Tierra estuvo a punto de helarse, y posteriormente descendieron tanto, que provocaron enormes incendios en los campos.

Zeus, enfadado por lo que estaba sucediendo, envió un rayo a Faetón, quien se precipitó a tierra cayendo al río Eridano. Sus hermanas, por haberlo alentado a tan desastrosa aventura, fueron convertidas en álamos y obligadas a permanecer de pie a las orillas del río.

ESTRELLAS MÁS IMPORTANTES

α de Eridano o Archenar. Su nombre significa «el final del río». Blanca, tipo B. Magnitud: 0,46. Distancia: 84 años luz. Brilla 344 veces más que el Sol.

β de Eridano o Cursa. Del árabe, «Al-Kursi», «la silla». Blanca, tipo A. Magnitud: 2,79. Distancia: 65 años luz. Brilla 80 veces más que el Sol.

γ de Eridano o Zaurak. Del árabe «Az-Zawrak», «el bote». Anaranjada, tipo K. Magnitud: 2,90. Distancia: 330 años luz. Brilla 520 veces más que el Sol.

δ de Eridano o Rana. Anaranjada, tipo K. Magnitud: 3,54. Distancia: 29 años luz. Brilla 2 veces más que el Sol.

θ2 de Eridano o Acamar. Del árabe «Akhir an-Nahr», «final del río». Doble blanca, tipo A. Magnitud: 3,24. Distancia: 93 años luz. Brilla 16 veces más que el Sol. Tiene una compañera de magnitud 4,42.

ε de Eridano. Anaranjada, tipo K. Magnitud: 3,73. Distancia: 10,79 años luz. Brilla la tercera parte que el Sol. Es una de las estrellas más próximas y se ha especulado que no es muy diferente del Sol, así como que es muy posible que tenga planetas a su alrededor.

ζ **de Eridano.** Blanca, tipo A. Magnitud: 4,80. Distancia: 130 años luz. Brilla 15 veces más que el Sol.

η **de Eridano o Azha.** Del árabe «Al-Udhi», «el lugar de incubación». Anaranjada, K. Mag.: 3,89. Dist.: 99 años luz. Brilla 20 veces más que el Sol.

ι **de Eridano.** Anaranjada, tipo K. Magnitud: 4,11. Distancia: 86 años luz. Brilla 65 veces más que el Sol.

κ **de Eridano.** Blanca, tipo B. Magnitud: 4,25. Distancia: 640 años luz. Brilla 600 veces más que el Sol.

μ **de Eridano.** Blanca, tipo B. Magnitud: 4,02. Distancia: 430 años luz. Brilla 345 veces más que el Sol.

ξ **de Eridano.** Amarilla, tipo G. Magnitud: 3,70. Distancia: 200 años luz. Brilla 26 veces más que el Sol.

o1 de Eridano o Beid. Su monbre proviene del árabe «Al-Baid», «los huevos». Blanca amarillenta, tipo F. Magnitud: 4,04. Distancia: 99 años luz. Brilla 150 veces más que el Sol.

π **de Eridano.** Color: rojizo, tipo M. Magnitud: 4,40. Distancia: 400 años luz. Brilla 200 veces más que el Sol.

τ**3 de Eridano.** Blanca, tipo A. Magnitud: 4,09. Distancia: 69 años luz. Brilla 9 veces más que el Sol.

τ**4 de Eridano.** Color: rojizo, tipo M. Magnitud: 3,60. Distancia: 230 años luz. Brilla 125 veces más que el Sol.

τ**5 de Eridano.** Blanca, tipo B. Magnitud: 4,27. Distancia: 260 años luz. Brilla 95 veces más que el Sol.

τ6 de Eridano. Blanca amarillenta, tipo F. Magnitud: 4,23. Distancia: 54 años luz. Brilla 4,5 veces más que el Sol.

τ8 de Eridano. Blanca, tipo B. Magnitud: 4,65. Distancia: 460 años luz. Brilla 215 veces más que el Sol.

υ1 de Eridano. Blanca, tipo B. Magnitud: 3,93. Distancia: 1.000 años luz. Brilla 2.150 veces más que el Sol.

φ de Eridano. Blanca, tipo B. Magnitud: 3,56. Distancia: 180 años luz. Brilla 65 veces más que el Sol.

ω de Eridano. Blanca amarillenta, tipo F. Magnitud: 4,39. Distancia: 120 años luz. Brilla 18 veces más que el Sol.

OTROS OBJETOS DE INTERÉS

Pese a la gran extensión que abarca esta constelación, hay en ella muy pocos objetos interesantes.

Entre éstos puede citarse el sistema triple o de Eridano, una de cuyas componentes es una enana blanca. No se puede observar sin telescopio, pero con unos prismáticos pueden resolverse perfectamente las otras dos.

FORNAX (HORNO)

Nombre abreviado: For.
Localización: Hemisferio sur. A.R.: 2,78 horas. Dec.: -31,63°.
Franja de observación: 50° N - 90° S.
Mejor visibilidad: 3 de noviembre. En las latitudes del hemisferio norte, sobre todo en Europa, siempre es visible desde el hemisferio sur.
Aproximación: Esta constelación se encuentra en la curva que forma Eridano desde τ3 hasta τ6.

Lacaille recibió en un principio el nombre de Fornax Chemica, el «Horno Químico», aunque fue Bode quien la popularizó con su actual nombre.

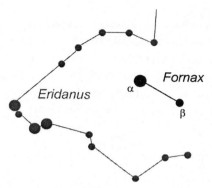

ESTRELLAS MÁS IMPORTANTES

α **de Fornax.** Blanca amarillenta, tipo F. Magnitud: 3,87. Magnitud: 3,87. Distancia: 44,1 años luz. Brilla 4 veces más que el Sol.

β **de Fornax.** Anaranjada, tipo K. Magnitud: 4,46.

OTROS OBJETOS DE INTERÉS

Cúmulo Galáctico de Fornax. Constituido por 18 galaxias, no se ve sin óptica adecuada. La más brillante del grupo es la galaxia espiral NGC 1316. Otro de los miembros de este cúmulo es la espiral barrada NGC 1365.

GEMINI (GEMELOS)

Nombre abreviado: Gem.
Localización: Zodiacal. A.R.: 7,19 horas. Dec.: 22,69°.
Franja de observación: 90° N - 55° S.
Mejor visibilidad: 8 de enero.
Aproximación: Parte de esta constelación se encuentra en la Vía Láctea. Se puede localizar tomando como referencia Cáncer o la Osa Mayor.

El origen de esta constelación se encuentra en Mesopotamia ya que aparece en las tablas de Mul-Apin como «Mas-tab-ba-gal-gal», en sumerio «los grandes gemelos»; sin embargo, es Eratóstenes quien identifica a los gemelos como

Cástor y Pólux. La leyenda cuenta que Zeus se enamoró de Leda, hija del rey de Etolia, y que para vencer las resistencias de la joven se transformó en cisne logrando así su propósito. Luego, Leda puso dos huevos; de uno nacieron Helena y Pólux, hijos de Zeus y por lo tanto inmortales; del otro, nacieron Cástor y Clitemnestra, producto de la relación de Leda con su marido y por ello, mortales. Hay versiones que indican que ambos son hijos de Zeus.

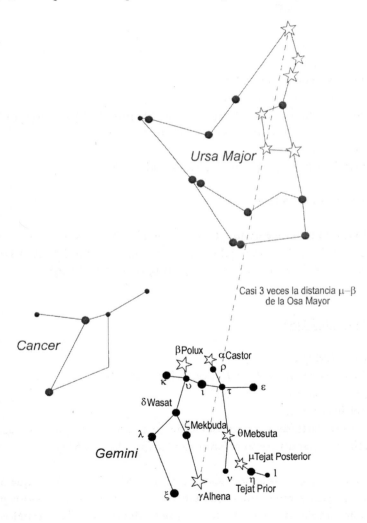

ESTRELLAS MÁS IMPORTANTES

α de Gemini o Castor. Es un sistema múltiple de seis estrellas. Magnitud: 1,58. Distancia del conjunto: 48 años luz. Brilla 28 veces más que el Sol. Está en su meridiano el 12 de enero a medianoche.

β de Gemini o Polux. Gigante anaranjada, doble. Magnitud: 1,14. Distancia: 35 años luz. Brilla 32 veces más que el Sol. Está en su meridiano el 15 de enero a medianoche.

γ de Gemini o Alhena. Del árabe «Al-Han'ah», «la marca». Blanca azulada, tipo A. Magnitud: 1,93. Distancia: 88 años luz. Brilla 80 veces más que el Sol.

δ de Gemini o Wasat. Del árabe «Wasat as-Sama», «la mitad del cielo». Blanca amarillenta, tipo F. Magnitud: 3,53. Distancia: 53 años luz. Brilla 8 veces más que el Sol.

ε de Gemini o Mebsuta. Del árabe «Al-Mabsutah», «la garra extendida». Amarilla, tipo G. Magnitud: 2,98. Distancia: 1.000 años luz. Brilla 5.000 veces más que el Sol.

η de Gemini o Tejat Prior. Gigante rojiza, tipo M. Magnitud: 3,10. Distancia: 190 años luz. Brilla 125 veces más que el Sol.

ζ de Gemini o Mekbuda. Del árabe «Al-Maqbudah», «la garra retraída». Variable gigante cefeida, tipo G. Magnitud: de 3,7 a 4,1 en un período de 10 días. Distancia: 1.500 años luz. Brilla 5.000 veces más que el Sol.

θ de Gemini. Blanca, tipo A. Magnitud: 3,60. Distancia: 170 años luz. Brilla 79 veces más que el Sol.

ι de Gemini. Anaranjada, tipo K. Magnitud: 3,79. Distancia: 100 años luz. Brilla 65 veces más que el Sol.

κ de Gemini. Amarilla, tipo G. Magnitud: 3,57. Distancia: 150 años luz. Brilla 60 veces más que el Sol.

λ de Gemini. Blanca, tipo A. Magnitud: 3,58. Distancia: 69 años luz. Brilla 16 veces más que el Sol.

μ de Gemini o Tejat Posterior. Color: rojizo, tipo M. Magnitud: 2,80. Distancia: 160 años luz. Brilla 125 veces más que el Sol.

ν de Gemini. Blanca, tipo B. Magnitud: 4,15. Distancia: 350 años luz. Brilla 200 veces más que el Sol.

χ de Gemini. Blanca amarillenta, tipo F. Magnitud: 3,36. Distancia: 59 años luz. Brilla 11 veces más que el Sol.

υ de Gemini. Blanca amarillenta, tipo F. Magnitud: 4,06. Distancia: 250 años luz. Brilla 114 veces más que el Sol.

OTROS OBJETOS DE INTERÉS

NGC 2392 o El Clown. Nebulosa planetaria situada cerca de δ de Gemini.

M35 o NGC 2168. Se trata de un cúmulo abierto situado entre η y μ de Gemini. Contiene más de 300.000 estrellas y está a una distancia de unos 2.200 años luz. Es visible sin instrumentos ópticos y es, entre los cúmulos abiertos, uno de los más brillantes; tiene una magnitud visual de 5,3. En él, se pueden localizar sin óptica tres estrellas. Se supone que ya era conocido desde la antigüedad.

Cr 89. Cúmulo abierto de magnitud 5,70.

NGC 2129. Cúmulo abierto de magnitud 6,70.

GRUS (GRULLA)

Nombre abreviado: Gru.
Localización: Circumpolar, hemisferio sur. A.R.: 22,61 horas. Dec.: -44,52°.
Franja de observación: 33° N - 90° S.

Mejor visibilidad: 28 de agosto. La mayoría de las latitudes del hemisferio norte no pueden ver esta constelación; desde el hemisferio sur, es posible observarla en las noches invernales.

Aproximación: Como está situada al sur de Piscis Austrinus, en la que se encuentra la brillante Fomahault, teniendo la posición de esta estrella resulta fácil localizar Grus.

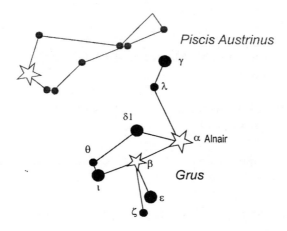

Introducida por Bayer, ya era conocida desde la edad media con el nombre de Phoenicopterus, «el flamenco». Para Ptolomeo formaba parte de Piscis Austrinus (El Pez Austral).

Estrellas más próximas

α de Grus o Alnair. Nombre que proviene del árabe «An-Nayyir», «la Brillante». Blanca, tipo B. Magnitud: 1,74. Distancia: 78 años luz. Brilla 95 veces más que el Sol.

β de Grus. Roja, tipo M. Magnitud: 2,10. Distancia: 260 años luz. Brilla 718 veces más que el Sol.

γ de Grus. Blanca, tipo B. Magnitud: 3,01. Distancia: 230 años luz. Brilla 240 veces más que el Sol.

δ1 de Grus. Amarilla, tipo G. Magnitud: 3,97. Distancia: 180 años luz. Brilla 60 veces más que el Sol.

δ2 de Grus. Roja, tipo M. Magnitud: 3,99. 650 años luz. Brilla 715 veces más que el Sol.

ε de Grus. Blanca, tipo A. Magnitud: 3,49. Distancia: 84 años luz. Brilla 60 veces más que el Sol.

ζ de Grus. Amarilla, tipo G. Magnitud: 4,12. Distancia: 84 años luz. Brilla 60 veces más que el Sol.

θ de Grus. Blanca amarillenta, tipo F. Magnitud: 4,28. Distancia: 85 años luz. Brilla 10 veces más que el Sol.

ι de Grus. Anaranjada, tipo K. Magnitud: 3,90. Distancia: 110 años luz. Brilla 65 veces más que el Sol.

λ de Grus. Anaranjada, tipo K. Magnitud: 4,46. Distancia: 31 años luz. Brilla 115 veces más que el Sol.

OTROS OBJETOS DE INTERÉS

En las proximidades de esta constelación no hay cúmulos ni nebulosas; sin embargo, sí hay numerosas galaxias, pero como tienen una magnitud superior a 12, es imposible observarlas con prismáticos. Sólo pueden verse con telescopios.

HERCULES (HÉRCULES)

Nombre abreviado: Her.
Localización: Hemisferio norte. A.R.: 17,33 horas. Dec.: 29,90°.
Franja de observación: 90° N - 38° S.
Mejor visibilidad: 12 de junio. La mejor estación para observarla es el verano.
Aproximación: La mejor manera de localizar esta constelación es partir de la línea que une α de Cygnus con α de Lyra.

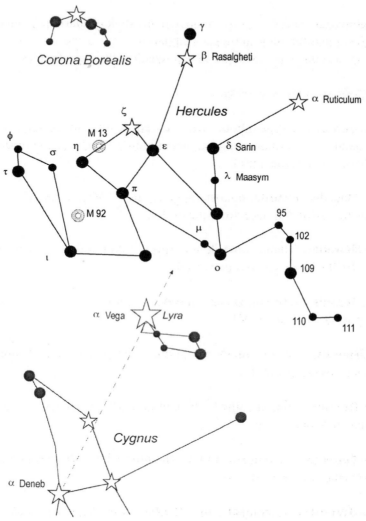

Corona Borealis

γ

β Rasalgheti

α Ruticulum

Hercules

ζ

M 13

φ

η

σ

ε

δ Sarin

τ

λ Maasym

π

M 92

95

μ

102

ι

o

109

α Vega *Lyra*

110

111

Cygnus

α Deneb

Antiguamente, esta constelación se llamaba «El Arrodillado» y al parecer, se la vinculó con diferentes héroes griegos: Prometeo, Orfeo, Tamiris, Ceteo o Ixión. Finalmente recibió el nombre de Hércules (Heracles en griego). El mito de este héroe aparece ya en la obra de Homero y Hesíodo, aunque probablemente fuera bastante anterior. Es un guerrero que emplea para lograr sus hazañas la fuerza bruta, de ahí que bastantes autores opinen que es el prototipo de héroe espartano. Es hijo de Zeus y de Alcmena y para engendrarlo, el dios tomó la forma del marido de ésta. Lo más conocido de este legendario personaje son sus 12 trabajos que diferentes autores consignaron en sus obras.

Otra de las constelaciones que se han relacionado con Hércules es Ofiuco.

ESTRELLAS MÁS IMPORTANTES

α de Hercules o Rasalgheti. «Ra's Al-Jathi», «la cabeza del arrodillado». Supergigante roja, variable, tipo M. Magnitud: 2,70. Distancia: 100 años luz. Brilla 60 veces más que el Sol.

β de Hercules o Ruticulus. Anaranjada, tipo K. Magnitud: 2,77. Distancia: 100 años luz. Brilla 60 veces más que el Sol.

γ de Hercules. Blanca amarillenta, tipo F. Magnitud: 3,75. Distancia: 140 años luz. Brilla 45 veces más que el Sol.

δ de Hercules o Sarin. Blanca, tipo A. Magnitud: 3,14. Dist.: 74 años luz. Brilla 34 veces más que el Sol.

ε de Hercules. Blanca, tipo A. Magnitud: 3,92. Distancia: 150 años luz. Brilla 45 veces más que el Sol.

ζ de Hercules. Amarilla, tipo G. Magnitud: 2,81. Distancia: 31 años luz. Brilla 5 veces más que el Sol.

η de Hercules. Anaranjada, tipo K. Magnitud: 3,53. Distancia: 96 años luz. Brilla 15 veces más que el Sol.

θ de Hercules. Anaranjada, tipo K. Magnitud: 3,86. Distancia: 530 años luz. Brilla 600 veces más que el Sol.

ι de Hercules. Blanca, tipo B. Magnitud: 3,80. Distancia: 410 años luz. Brilla 380 veces más que el Sol.

λ de Hercules o Maasym . Del árabe «Al-Mi'sam», «la muñeca». Distancia: 290 años luz. Brilla 104 veces más que el Sol.

μ de Hercules. Amarilla, G. Magnitud: 3,42. Distancia: 26 años luz. Brilla 2,2 veces más que el Sol.

ν de Hercules. Blanca amarillenta, tipo F. Magnitud: 4,40. Distancia: 620 años luz. Brilla 500 veces más que el Sol.

o de Hercules. Blanca, A. Magnitud: 3,83. Distancia: 170 años luz. Brilla 65 veces más que el Sol.

π de Hercules. Anaranjada, tipo K. Magnitud: 3,16. Distancia: 400 años luz. Brilla 655 veces más que el Sol.

τ de Hercules. Blanca, tipo B. Magnitud: 3,89. Distancia: 110 años luz. Brilla 344 veces más que el Sol.

φ de Hercules. Blanca, tipo B. Magnitud: 4,26. Distancia: 160 años luz. Brilla 39 veces más que el Sol.

OTROS OBJETOS DE INTERÉS

M13 (NGC 6205). Cúmulo globular que se encuentra a unos 22.000 años luz. Se estima que tiene un diámetro de 160 años luz. A simple vista, se puede ver débilmente, entre ζ y η, pero se observa muy bien con prismáticos de cualquier potencia.

M92 (NGC 6341). Es un cúmulo globular descubierto en 1777 que pueden distinguir a simple vista quienes tienen buena vista. Está a una distancia de 35.000 años luz y tiene un diámetro de unos 90 años luz. Su magnitud visual es de 6,4. Hasta el momento, se han descubierto en él unas 16 variables. Su observación es muy recomendable, ya sea con prismáticos, telescopio o sin ellos.

HOROLOGIUM (RELOJ)

Nombre abreviado: Hor.
Localización: Circumpolar, hemisferio sur. A.R.: 3,11 horas. Dec.: -52,80°.

Franja de observación: 23° N - 90° S.

Mejor visibilidad: 9 de noviembre. En el hemisferio norte, sólo se puede ver desde latitudes inferiores a los 23°; es decir, que permanece invisible en la mayoría de las ciudades europeas.

Aproximación: Esta es una constelación muy difusa. La mejor manera de encontrarla es buscar primero Archenar, de la constelación de Eridano.

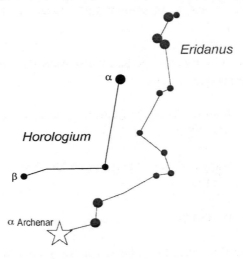

Su nombre original fue Horologium Oscillatorum, el «Reloj de Péndulo». También se denominó Horoscopium, «El Horóscopo».

ESTRELLAS MÁS IMPORTANTES

α de Horologium. Anaranjada, tipo K. Magnitud: 3,86.

β de Horologium. Blanca, tipo A. Magnitud: 4,99.

μ de Horologium. Blanca amarillenta, tipo F. Magnitud: 5,11.

OTROS OBJETOS DE INTERÉS

R de Horologium. Variable rojiza de período largo, M, que puede alcanzar en su máximo la magnitud 4,7 y en su mínimo, 14. Su período es de 403 días.

Hydra (Hidra, La Gran Serpiente o Serpiente de Mar)

Nombre abreviado: Hya.
Localización: Hemisferio sur. A.R.: 10,12 horas. Dec.: -19,36°.
Franja de observación: 54° N - 83° S.
Mejor visibilidad: 25 de febrero. Se puede ver durante el verano, en el hemisferio norte, y en invierno en el hemisferio sur.
Aproximación: Esta constelación ocupa más de 100°. La cabeza está debajo de Cáncer y su trayectoria se puede seguir a través de Leo, Virgo y Libra. No es fácil de ver debido al escaso brillo de sus estrellas así como a lo dispersas que se encuentran.

El origen de esta constelación también se encuentra en la mitología griega y está asociada al mito de Hércules.

La Hidra de Lerna era una serpiente multicéfala cuyas cabezas exhalaban un vaho mortífero y se reproducían al ser cortadas. El segundo de los trabajos que Hércules tenía que realizar era matarla, de modo que, conteniendo la respiración, comenzó a luchar con el monstruo aplastando cada una de sus cabezas. Hera envió un enorme cangrejo (Cáncer) para que distrajese al héroe mordiéndole el pie a fin de ayudar a la Hidra, pero Hércules pudo matarlo de un pisotón antes de que el animal lo atacase.

Finalmente pudo abatir a la Hidra y, una vez hecho esto, mojó sus flechas en la hiel del monstruo para que las heridas que produjeran fueran letales.

La Hidra también está relacionada con las constelaciones Crater y Corvus (puede verse en esta constelación la explicación de la leyenda).

Estrellas más importantes

α de Hydra o Alphard. Del árabe «Al-Fard», «la solitaria». Anaranjada, tipo K. Magnitud: 1,98. Distancia: 89 años luz. Brilla 95 veces más que el Sol.

β de Hydra. Blanca, tipo B. Magnitud: 4,28. Distancia: 270 años luz. Brilla 95 veces más que el Sol.

γ de Hydra. Amarilla, tipo G. Magnitud: 3,00. Distancia: 110 años luz. Brilla 60 veces más que el Sol.

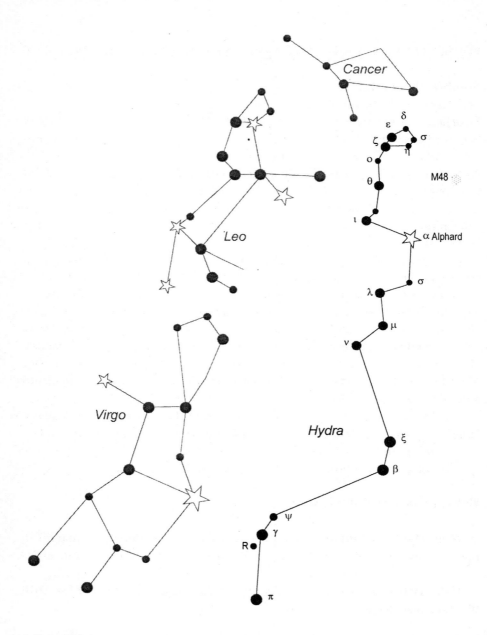

δ de Hydra. Blanca, tipo A. Magnitud: 4,16. Distancia: 99 años luz. Brilla 45 veces más que el Sol.

ε de Hydra. Estamos ante una blanca amarillenta, tipo F, cuya magnitud es de 3,38 y que está a una distancia de 120 años luz. Brilla 45 veces más que el Sol.

η de Hydra. Blanca, tipo B. Magnitud: 4,28. Distancia: 520 años luz. Brilla 380 veces más que el Sol.

θ de Hydra. Blanca, A. Magnitud: 3,88. Distancia: 150 años luz. Brilla 45 veces más que el Sol.

ι de Hydra. Anaranjada, tipo K. Magnitud: 3,91. Distancia: 220 años luz. Brilla 95 veces más que el Sol.

λ de Hydra. Anaranjada, tipo K. Magnitud: 3,61. Distancia: 160 años luz. Brilla 65 veces más que el Sol.

μ de Hydra. Anaranjada, tipo K. Magnitud: 3,81. Distancia: 220 años luz. Brilla 104 veces más que el Sol.

ν de Hydra. Anaranjada, tipo K. Magnitud: 3,11. Distancia: 140 años luz. Brilla 86 veces más que el Sol.

ξ de Hydra. Amarilla, tipo G. Magnitud: 3,54. Distancia: 150 años luz. Brilla 12 veces más que el Sol.

o de Hydra. Anaranjada, tipo K. Magnitud: 4,97. Distancia: 180 años luz. Brilla 31 veces más que el Sol.

π de Hydra. Anaranjada, tipo K. Magnitud: 3,27. Distancia: 86 años luz. Brilla 26 veces más que el Sol.

ρ1 de Hydra. Blanca, tipo A. Magnitud: 4,36. Distancia: 180 años luz. Brilla 45 veces más que el Sol.

σ de Hydra. Anaranjada, tipo K. Magnitud: 4,44. Distancia: 93 años luz. Brilla 86 veces más que el Sol.

υ1 de Hydra. Anaranjada, tipo K. Magnitud: 4,12. Distancia: 190 años luz. Brilla 60 veces más que el Sol.

τ2 de Hydra. Blanca, tipo A. Magnitud: 4,57. Distancia: 270 años luz. Brilla 79 veces más que el Sol.

ψ de Hydra. Anaranjada, tipo K. Magnitud: 4,95. Distancia: 290 años luz. Brilla 65 veces más que el Sol.

OTROS OBJETOS DE INTERÉS

R de Hydra. Es una variable tipo Mira, que se encuentra próxima a γ. Su magnitud está entre 4 y 12, con prismáticos, puede percibirse su intenso color rojo.

M48 (NGC 2548). Cúmulo galáctico brillante. Puede ser detectado a simple vista porque se encuentra por encima de la magnitud 6, aunque no resulta fácil ya que está muy aislado.

M68 (NGC 4590). Cúmulo globular de magnitud 7,8. Es difícil para ser observado desde el hemisferio norte debido a su latitud. Se puede localizar siguiendo la línea δ-β Corvi.

M83 (NGC 5236). Galaxia espiral de magnitud 7,6. Está a una distancia de 15 millones de años luz. En ella, entre los años 1923 y 1983 se han descubierto cinco o seis supernovas. El núcleo de esta galaxia está compuesto por una gran cantidad de viejas estrellas amarillas. Desde el hemisferio sur, se puede localizar fácilmente partiendo de Centaurus.

HYDRUS (PEQUEÑA SERPIENTE, SERPIENTE MACHO O DE RÍO)

Nombre abreviado: Hyi.
Localización: Circumpolar, hemisferio sur. A.R.: 2,46 horas. Dec.: -72,28°.
Franja de observación: 8° N - 90° S.
Mejor visibilidad: 29 de octubre.

Aproximación: Es posible localizarla guiándose por Archenar, de la constelación de Eridanus. En condiciones de niebla o con una luz lunar intensa, la región del polo sur aparece vacía y la única estrella cercana al polo que suele ser visible sin instrumentos es β Hydri.

Hydrus se encuentra entre las Nubes de Magallanes. Ha sido creada por Johann Bayer en su atlas en 1603.

ESTRELLAS MÁS IMPORTANTES

α de Hydrus. Blanca amarillento, tipo F. Magnitud: 2,86. Distancia: 47,2 años luz. Brilla 11 veces más que el Sol.

β de Hydrus. Amarilla, tipo G. Magnitud: 2,80. Distancia: 20,5 años luz. Brilla 2 veces más que el Sol.

γ de Hydrus. Roja, tipo M. Magnitud: 3,24. Distancia: 240 años luz. Brilla 215 veces más que el Sol.

δ de Hydrus. Blanca, tipo A. Magnitud: 4,09. Distancia: 93 años luz. Brilla 15 veces más que el Sol.

ε de Hydrus. Blanca, B. Magnitud: 4,11. Distancia: 315 años luz. Brilla 165 veces más que el Sol.

η2 de Hydrus. Anaranjada, tipo K. Magnitud: 4,69. Distancia: 235 años luz. Brilla 55 veces más que el Sol. Tiene una compañera de magnitud 6,7 que se encuentra a 650 años luz. Brilla 65 veces más que el Sol.

OTROS OBJETOS DE INTERÉS

A excepción de una parte de la Pequeña Nube de Magallanes, que se encuentra próxima a β Hydri, no hay en esta constelación otros objetos de interés que se puedan observar a simple vista o con prismáticos.

INDUS (INDIO)

Nombre abreviado: Ind.
Localización: Hemisferio sur. A.R.: 21,59 horas. Dec.: -63,17°.
Franja de observación: 15° N - 90° S.
Mejor visibilidad: 10 de agosto.
Aproximación: La estrella más brillante de esta constelación, α de Indio, forma un triángulo con α de Grus y α del Pavo.

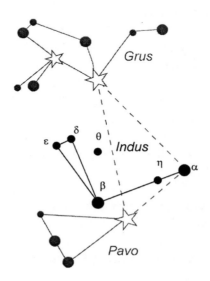

El Indio es una moderna constelación creada por Johann Bayer en honor a los nativos americanos.

ESTRELLAS MÁS IMPORTANTES

α de Indus. Binaria separada, anaranjada, tipo K. Magnitud: 3,11. Distancia: 81 años luz. Brilla 30 veces más que el Sol.

β de Indus. Anaranjada, tipo K. Magnitud: 3,56. Distancia: 160 años luz. Brilla 65 veces más que el Sol.

δ de Indus. Binaria blanca amarillenta, tipo F, con componentes muy próximos. Magnitud: 4,40. Distancia: 115 años luz. Brilla 16 veces más que el Sol.

ε de Indus. Anaranjada, tipo K. Magnitud: 4,69. Distancia: 11,20 años luz. Brilla 0,12 veces más que el Sol.

η de Indus. Blanca amarillenta, tipo F. Magnitud: 4,51. Distancia: 67 años luz. Brilla 8,6 veces más que el Sol.

OTROS OBJETOS DE INTERÉS

θ de Indus. Binaria blanca, tipo A. Magnitud: 4,37. Distancia: 76 años luz. Brilla 11 veces más que el Sol. Es fácilmente observable.

LACERTA (LAGARTO)

Nombre abreviado: Lac.
Localización: Circumpolar, hemisferio norte. A.R.: 22,46 horas. Dec.: 44,82°.
Franja de observación: 90° N - 33° S.
Mejor visibilidad: 29 de agosto.
Aproximación: La mejor forma es localizar primero α de Lacerta tomando como referencia ζ y ε de Cepheus y posteriormente, en relación a ésta, buscar las demás estrellas.

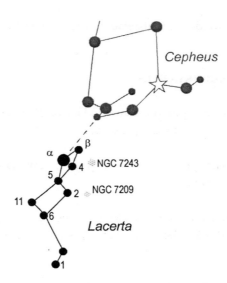

Hevelius ofreció el nombre alternativo de Stellio, un tipo de tritón con manchas que parecen estrellas.

Otros nombres posteriores fueron Sceptrum (el Cetro) o la Mano de la Justicia, inventado por el astrónomo Augustine Royer en 1679 en honor del rey Luis XIV.

La imagen del Lagarto surge de un mito griego. Cuando Perséfone fue raptada por Hades, su madre, la diosa Démeter emprendió la búsqueda desesperada de su hija. Al pasar por la región de Ática, exhausta y sedienta, pidió a una mujer llamada Misme que le alcanzara un vaso de agua. Al ver que la diosa bebía con tanta avidez, Ascxabalo, el hijo de Misme, no pudo contener la risa. Démeter, enfadada ante tal falta de respeto, arrojó lo que quedaba del agua sobre el niño y éste se convirtió en Lagarto.

Estrellas más importantes

α de Lacerta. Blanca, tipo A. Magnitud: 7,77. Distancia: 81 años luz. Brilla 22 veces más que el Sol.

β de Lacerta. Anaranjada, tipo K. Magnitud: 4,43. Distancia: 230 años luz. Brilla 65 veces más que el Sol.

Otros objetos de interés

NGC 7243. Cúmulo abierto situado al oeste de α Lac. Observado con grandes telescopios pueden detectarse en él unas 50 estrellas.

NGC 7209. Cúmulo situado a unos 4° al sureste del anterior, más pequeño y débil.

Leo (León)

Nombre abreviado: Leo.
Localización: Zodiacal. A.R.: 10,66 horas. Dec.: 16,45°.
Franja de observación: 82° N - 57° S.
Mejor visibilidad: 3 de marzo.
Aproximación: Debajo de la Osa Mayor, hay una estrella muy brillante que parece más grande que las demás; es α de Leo, Regulus.

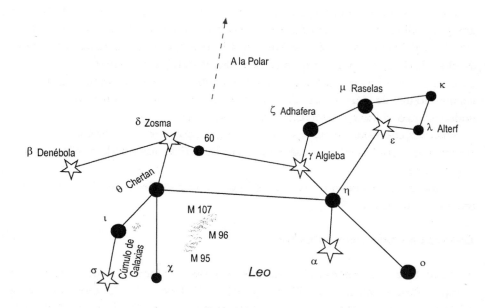

Las estrellas que hoy forman la constelación del León, fueron tomadas en conjunto por culturas tan distantes como la china y la incaica. Los chinos veían en ellas la figura de un caballo, en tanto que los incas construyeron la constelación refiriéndola al puma, ya que la posición de estas estrellas les sugería a uno de esos animales en posición de acecho.

En lo que sería la cabeza del animal, los sumerios veían una hoz.

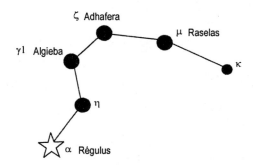

El nombre de la constelación tal y como hoy se conoce, está asociado al mito griego de Hércules. El León de Nemea era hijo de Tifón y Equidna. Como asolaba la región matando y devorando no sólo al ganado sino también a la gente, de él se decía que era invulnerable; Hércules decidió darle muerte.

Como vivía en una cueva que tenía dos entradas, al enfrentarse a él Hércules taponó una de ellas y entró por la otra para sorprenderle. Con sus brazos desnudos abrazó al animal haciéndole morir asfixiado.

Una vez cumplido su trabajo, despellejó al León con sus propias garras y se apropió de la piel usando su cabeza como casco. Este atuendo le confirió invulnerabilidad.

Como el León era inmortal, Zeus lo colocó en el cielo para honrar de este modo a Hércules.

ESTRELLAS MÁS IMPORTANTES

α de Leo o Regulus, Cor Leonis o Kalb. «Príncipe», «el corazón del León». Blanca azulada, tipo B. Magnitud: 1,35. Distancia: 72 años luz. Brilla 137 veces más que el Sol. Está en su meridiano el 22 de febrero a medianoche.

β de Leo o Denébola. Del árabe «Dhanab al-Asad», es decir, «la cola del león». Blanca, tipo A. Magnitud: 2,14. Distancia: 43 años luz. Brilla 19 veces más que el Sol. Junto con Arturo y Spica, forma un asterismo conocido como El Diamante de Virgo.

γ de Leo o Algieba. Del árabe «Al-Jabhah», esto es, «la frente» del León. Gigante doble anaranjada, tipo K. Magnitud: 3,47 y 2,28. Distancia: 85 años luz. Brilla 65 y 22 veces más que el Sol. No se puede resolver sin el uso de un telescopio.

δ de Leo o Zosma. Blanca, A. Magnitud: 2,56. Distancia: 55 años luz. Brilla 22 veces más que el Sol.

ε de Leo. Gigante amarilla, tipo G. Magnitud: 2,98. Distancia: 320 años luz. Brilla 500 veces más que el Sol.

ζ de Leo o Adhafera. Del árabe «Ad-Dafirah», «el rizo». Blanca amarillenta, tipo F. Magnitud: 3,44. Distancia: 120 años luz. Brilla 45 veces más que el Sol.

η de Leo. Blanca, tipo A. Magnitud: 3,52. Distancia: 1.800 años luz. Brilla 9.500 veces más que el Sol.

θ de Leo o Chertan. Palabra que proviene del árabe y significa «dos pequeñas costillas». Blanca, tipo A. Magnitud: 3,34. Distancia: 80 años luz. Brilla 22 veces más que el Sol.

ι de Leo. Doble blanco amarillenta, tipo F, con un período de 192 años. Magnitud: 3,94. Distancia: 78 años luz. Brilla 11 veces más que el Sol.

κ de Leo. Anaranjada, tipo K. Magnitud: 4,46. Distancia: 270 años luz. Brilla 86 veces más que el Sol.

λ de Leo o Alterf. Del árabe «Al-Tarf», «la mirada» del León. Anaranjada, tipo K. Magnitud: 4,31. Distancia: 270 años luz. Brilla 104 veces más que el Sol.

μ de Leo o Raselas. Del árabe «Ra's al-Asad», «la cabeza del león». Anaranjada, tipo K. Magnitud: 3,08. Distancia: 200 años luz. Brilla 86 veces más que el Sol.

ξ de Leo. Blanca amarillenta, tipo F. Magnitud: 4,36. Distancia: 290 años luz. Brilla 65 veces más que el Sol.

σ de Leo. Blanca, tipo A. Magnitud: 4,05. Distancia: 190 años luz. Brilla 65 veces más que el Sol.

ξ de Leo. Blanca amarillenta, tipo F. Magnitud: 4,63. Distancia: 150 años luz. Brilla 24 veces más que el Sol.

OTROS OBJETOS DE INTERÉS

M65 (NGC 3623). Galaxia espiral. Junto con la M66 y la NGC 2628 el llamado Grupo M66 o Triplete de Leo. Tiene una magnitud de 9,3.

M66 (NGC 3627). Galaxia espiral de magnitud 8,9. Es considerablemente más grande que la anterior.
Sus brazos muestran deformaciones, probablemente a causa de la proximidad con las galaxias vecinas.
En ella se pueden ver nubes de polvo y signos que denotan la formación de nuevas estrellas.

M95 (NGC 3351). Galaxia espiral barrada, de magnitud 9,7. En el «Hubble Atlas of Galaxy» se describe como «típica galaxia en anillo».

M96 (NGC 3368). Galaxia espiral regular, de magnitud 9,2. Su distancia supera los 40 millones de años luz.

M105 (NGC 3379). Galaxia elíptica pequeña, de magnitud 9,3. Estas tres galaxias aparecen en el mismo campo, a una distancia de 9° de Régulo.

Cúmulo de Galaxias de Leo. M65 y M66. Galaxias espirales brillantes, localizadas a medio camino entre θ y ι de Leo.

NGC 3628 y NGC 3593. Galaxias espirales más tenues que las anteriores.

LEO MINOR (LEÓN MENOR)

Nombre abreviado: LMi.
Localización: Hemisferio norte. A.R.: 10,30 horas. Dec.: 35,16°.
Franja de observación: 90° N - 48° S.
Mejor visibilidad: 28 de febrero.
Aproximación: Discurre paralela al lomo del león.

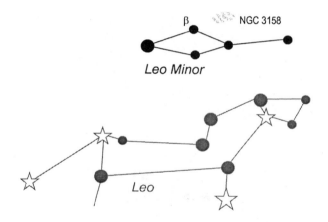

Esta es una de las constelaciones modernas, creadas por Johannes Hevelius, que resulta muy poco interesante.

ESTRELLA MÁS IMPORTANTE

β **de Leo Minor.** Anaranjada, tipo K. Magnitud: 4,21. Distancia: 150 años luz. Brilla 34 veces más que el Sol.

OTROS OBJETOS DE INTERÉS

NGC 3158. Galaxia visible con un telescopio mediano.

LEPUS (LIEBRE)

Nombre abreviado: Lep.
Localización: Hemisferio sur. A.R.: 5,58 horas. Dec.: -19,32°.
Franja de observación: 62° N - 90° S.
Mejor visibilidad: 15 de diciembre.
Aproximación: Es fácil de localizar porque se encuentra exactamente a los pies de Orión, cuyo brillante cinturón forma el asterismo de «Las Tres Marías», uno de los más conocidos en el hemisferio sur.

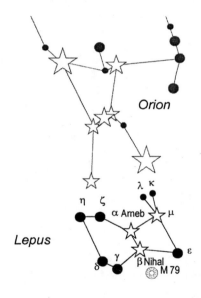

Se trata de una constelación que es bien conocida desde la antigüedad y está asociada al mito de Orión, el cazador, quien prefería la liebre a cualquier otra presa.

Observando esta constelación en el cielo, se puede constatar que se encuentra a los pies de Orión y tambien que tiene muy cerca a su principal depredador: el Águila.

Desde la cordillera de los Andes, y debido al movimiento aparente de la bóveda celeste, la Liebre se esconde por el poniente cuando el Águila se alza en el cielo.

ESTRELLAS MÁS IMPORTANTES

α **de Lepus o Arneb.** Nombre que proviene del árabe «Al-Arnab», «la liebre». Blanca amarillenta, tipo F. Magnitud: 2,58. Distancia: 930 años luz. Brilla 6.000 veces más que el Sol.

β **de Lepus o Nihal.** Del árabe «An-Nihal», «los camellos apagando su sed». Doble binaria cercana, amarilla tipo G. Magnitud: 2, 84. Distancia: 320 años luz. Brilla 450 veces más que el Sol.

γ **de Lepus.** Blanca amarillenta, tipo F. Magnitud: 3,60. Distancia: 26,5 años luz. Brilla 2 veces más que el Sol. Ésta tiene una compañera con una magnitud 6,15.

δ **de Lepu.** Anaranjada, tipo K. Magnitud: 3,81. Distancia: 125 años luz. Brilla 35 veces más que el Sol.

ζ **de Lepus.** Blanca, tipo A. Magnitud: 3,55. Distancia: 72 años luz. Brilla 15 veces más que el Sol.

η **de Lepus.** Blanca amarillenta, tipo F. Magnitud: 3,71. Distancia: 49,4 años luz. Brilla 6 veces más que el Sol.

κ **de Lepus.** Doble visual blanca, tipo B. Magnitud: 4,36. Distancia: 96 años luz. Brilla 240 veces más que el Sol.

λ **de Lepus.** Blanca, tipo B. Magnitud: 4,29. Distancia: 1.600 años luz. Brilla 3.800 veces más que el Sol.

μ **de Lepus.** Blanca, tipo A. Magnitud: 2,97. Distancia: 180 años luz. Brilla 115 veces más que el Sol.

OTROS OBJETOS DE INTERÉS

M79 o NGC 1904. Cúmulo globular que se puede observar en invierno. Su magnitud es 8 y se encuentra a 50.000 años luz.

Libra (Balanza)

Nombre abreviado: Lib.
Localización: Zodiacal. A.R.: 15,21 horas. Dec.: -15,59°.
Franja de observación: 60° N - 90° S.
Mejor visibilidad: 11 de mayo.
Aproximación: Esta constelación está entre Virgo y Scorpius; partiendo de éstas es bastante fácil localizarla.

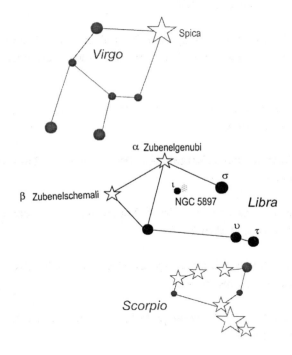

Esta constelación formó parte, antiguamente, de la constelación de Escorpio; de hecho se conocía con el nombre de «Chelae Scorpionis», «las pinzas del escorpión». Muchos autores opinan que se relaciona con la balanza porque tiene dos estrellas de igual brillo que representarían sus platos.

Las diferentes culturas relacionaron esta constelación con la divinidad encargada de juzgar a los muertos. Según Francisca Martín-Cano Abreu, en épocas anteriores a Ptolomeo, Libra estaba relacionada con las Diosas Fatales Legisladoras, que tenían como atributo la balanza. Los juicios bajo su protección eran celebrados cuando la constelación de Libra ascendía sobre el horizonte, el día 14 de febrero (que por cambios en el calendario hoy caería en 1 de mayo) o cuando descendía en el ocaso vespertino el 24 de junio (hoy 10 de septiembre).

Otro mito vincula esta constelación con la diosa de la justicia Astrea, que se volvió al cielo horrorizada por los crímenes de los hombres, convirtiéndose en la constelación de Libra.

ESTRELLAS MÁS IMPORTANTES

α de Libra o Zubenelgenubi. Su nombre proviene del árabe «Az-Zuban al-Janubi», que significa «la garra del sur». Binaria. Blanca, tipo B. Magnitud: 2,71. El otro componente tiene magnitud 5,16. Distancia: 57 años luz. Brillan 20 y 2,2 veces más que el Sol respectivamente. Se pueden ver separadas con el uso de prismáticos.

β de Libra o Zubenelschemali. Del árabe «Az-Zuban ash-Shamali», «la garra del norte». Blanca, tipo B. Magnitud: 2,61. Distancia: 120 años luz. Brilla Brilla como 95 veces más que el Sol. De esta estrella se dice que es la única que, a simple vista, presenta un color verdoso.

γ de Libra. Anaranjada, tipo K. Magnitud: 3,91. Distancia: 80 años luz. Brilla 15 veces más que el Sol.

σ de Libra. Rojiza. Magnitud: 3,20. Distancia: 110 años luz. Brilla 125 veces más que el Sol.

τ de Libra. Blanca, B. Magnitud: 3,66. Dist.: 340 años luz. Brilla 22 veces más que el Sol.

υ de Libra. Anaranjada, tipo K. Magnitud: 3,66. Distancia: 74 años luz. Brilla 104 veces más que el Sol.

OTROS OBJETOS DE INTERÉS

δ de Libra. Binaria eclipsante que pasa de 4,8 a 6,1.

NGC 5897. Cúmulo globular, se encuentra a 50,000 años luz. Está a 2° de ι de Libra.

Lupus (Lobo)

Nombre abreviado: Lup.
Localización: Hemisferio sur. A.R.: 15,40 horas. Dec.: -42,96°.
Franja de observación: 34° N - 90° S.
Mejor visibilidad: 11 de mayo.
Aproximación: Se encuentra entre Scorpius y Centaurus.

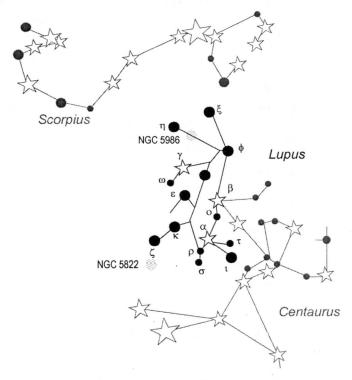

En la mitología árabe, el lobo es conocido como «Al-Asadah», «la leona» pero en el valle del Éufrates, veían en estas estrellas a Zibu, La Bestia. Para los griegos ha estado vinculada con diferentes mitos y recibió varios nombres; entre otros, El Odre de Quirón; pero normalmente ha sido relacionada con alguna bestia. A partir de la traducción del Almagesto de Ptolomeo al latín, su nombre ha sido Lobo.

Uno de los mitos sugiere que el Lobo es el animal que el Centauro sacrificó a los dioses; pero la leyenda más conocida que se asocia a este grupo de estrellas es la de Licaón, un legendario rey de Arcadia, una zona del Peloponeso.

Este rey tenía 50 hijos que, en la comarca, eran famosos por su crueldad. También tenía una hija llamada Calisto.

En una ocasión, Licaón y sus hijos sacrificaron un niño en el altar de Zeus y ofrecieron al dios, que estaba sentado a la mesa disfrazado de labriego, los intestinos del pequeño. Hay dos relatos que cuentan lo que pasó a continuación: en uno se sostiene que Zeus mató a Licaón y a todos sus hijos excepto a uno: Nyctimus. El resultado del despliegue de rayos y tormentas, armas favoritas de Zeus, fue la inundación de Deucalión.

La otra versión dice que Licaón fue transformado en lobo por haber sacrificado al niño.

ESTRELLAS MÁS IMPORTANTES

α **de Lupus.** Blanca, tipo B. Magnitud: 2,30. Distancia: 710 años luz. Brilla 4.500 veces más que el Sol.

β **de Lupus.** Blanca, tipo B. Magnitud: 2,68. Distancia: 350 años luz. Brilla 790 veces más que el Sol.

γ **de Lupus.** Binaria blanca, tipo B. Magnitud: 2,78. Distancia: 260 años luz. Brilla 380 veces más que el Sol.

δ **de Lupus.** Blanca, B. Magnitud: 3,22. Distancia: 570 años luz. Brilla 1.250 veces más que el Sol.

ε **de Lupus.** Binaria blanca, tipo B. Magnitud: 3,37. Distancia: 440 años luz. Brilla 1.250 veces más que el Sol.

ζ **de Lupus.** Anaranjada, tipo K. Magnitud: 3,41. Distancia: 76 años luz. Brilla 655 veces más que el Sol.

η de Lupus. Binaria blanca, tipo B. Magnitud: 3,41. Distancia: 500 años luz. Brilla 790 veces más que el Sol.

ι de Lupus. Blanca, B. Magnitud: 3,55. Distancia: 370 años luz. Brilla 380 veces más que el Sol.

κ1 de Lupus. Binaria fija, blanca, tipo B. Magnitud: 3,87. Distancia: 180 años luz. Brilla 65 veces más que el Sol.

κ de Lupus. Blanca, B. Magnitud: 4,05. Distancia: 610 años luz. Brilla 655 veces más que el Sol.

o de Lupus. Blanca, B. Magnitud: 4,32. Distancia: 570 años luz. Brilla 450 veces más que el Sol.

π1 de Lupus. Doble. Blanca, tipo B. Magnitudes: 4,72 y 4,82. Distancia: 360 años luz. Brillan 125 y 120 veces más que el Sol.

ρ de Lupus. Blanca, B. Magnitud: 4,05. Distancia: 350 años luz. Brilla 215 veces más que el Sol.

σ de Lupus. Blanca, B. Magnitud: 4,42. Distancia: 790 años luz. Brilla 780 veces más que el Sol.

τ1 de Lupus. Blanca, tipo B. Magnitud: 4,56. Distancia: 1.100 años luz. Brilla 1.250 veces más que el Sol.

φ1 de Lupus. Anaranjada, tipo K. Magnitud: 3,56. Distancia: 190 años luz. Brilla 100 veces más que el Sol. Tiene una compañera blanca con una magnitud 4,5.

χ de Lupus. Blanca, tipo B. Magnitud: 3,95. Distancia: 230 años luz. Brilla 105 veces más que el Sol.

ω de Lupus. Anaranjada, tipo K. Magnitud: 4,33. Distancia: 290 años luz. Brilla 115 veces más que el Sol.

ψ1 de Lupus. Anaranjada, tipo K. Magnitud: 4,76 años luz. Brilla 60 veces más que el Sol.

OTROS OBJETOS DE INTERÉS

NGC 5822. Cúmulo abierto muy grande; tiene alrededor de 100 estrellas. Su magnitud aparente es de 6,5. Se encuentra a una distancia de 6.000 años luz.

NGC 5986. Cúmulo globular distante, a 45.000 años luz.

LYNX (LINCE)

Nombre abreviado: Lyn.
Localización: Circumpolar, hemisferio norte. A.R.: 8,03 horas. Dec.: 45,32°.
Franja de observación: 90° N - 28° S.
Mejor visibilidad: 23 de enero.
Aproximación: Constelación que se encuentra ubicada entre la Osa Mayor y el Cochero.

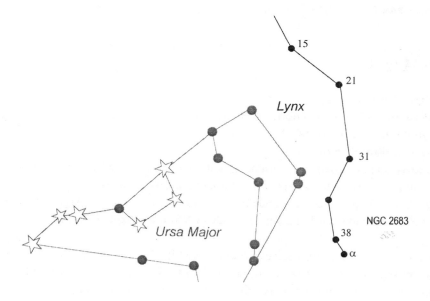

Hevelius explicó que el nombre de esta constelación era debido a que sólo las personas con ojos de lince pueden distinguir sus débiles estrellas. También ha sido vista como un tigre.

ESTRELLAS MÁS IMPORTANTES

β de Lynx. Anaranjada, tipo K. Magnitud: 3,13. Distancia: 170 años luz. Brilla 115 veces más que el Sol.

38 de Lynx. Blanca, tipo A. Magnitud: 3,82.

31 de Lynx. Anaranjada, tipo K. Magnitud: 4,25.

21 de Lynx. Blanca, tipo A. Magnitud: 4,64.

15 de Lynx. Amarilla, tipo G. Magnitud: 4,35.

OTROS OBJETOS DE INTERÉS

NGC 2683. Galaxia espiral. Magnitud aparente: 9,7.

LYRA (LIRA)

Nombre abreviado: Lyr.
Localización: Hemisferio norte. A.R.: 18,84 horas. Dec.: 36,82º.
Franja de observación: 90º N - 42º S.
Mejor visibilidad: 5 de julio.
Aproximación: La mejor manera de detectar esta constelación es partir de Bootes. Prolongando dos veces aproximadamente la distancia entre α y δ de Boyero, se alcanza Vega, la estrella más brillante de la constelación. Algunas tardes, aparece difuminada por la luminosidad de la Vía Láctea que la cubre.

Según la mitología griega, Zeus regaló a su hijo Apolo una lira de siete cuerdas. El muchacho, en poco tiempo, aprendió a tocar y embelesaba a hombres y dioses con su dulce música. Cuando Orfeo, hijo de la musa Calíope, se enteró

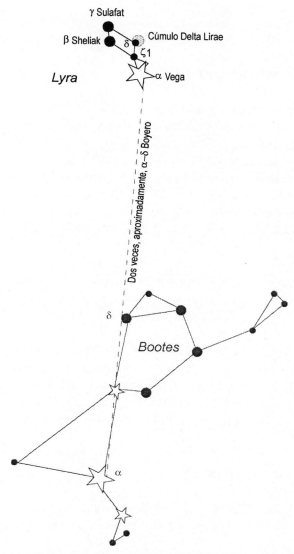

de ello, fue en busca de Apolo, quien le enseñó gustoso a manejar el instrumento. Orfeo perfeccionó la lira agregándole dos cuerdas más en honor a las nueve musas del Parnaso. Superó al propio Apolo en la ejecución del instrumento, llegando a ser sus interpretaciones lo más hermoso que puedan haber oído los seres humanos y divinos. Con la lira aquietaba las fieras, calmaba los vientos y hacían vibrar las emociones. Con su música encantó al dragón que cuidaba al Vellocino de Oro.

Estrellas más importantes

α de Lyra. Vega o Waki. Del árabe «Al nair al waki», que quiere decir «águila con las alas semicerradas» o, según algunos, «el águila que se precipita, el águila que ataca». Azul pálida. Magnitud: 0,04. Distancia: 26 años luz. Brilla 58 veces más que el Sol. Es la segunda estrella más brillante del hemisferio norte y está en su meridiano el 5 de julio a medianoche.

β de Lyra o Sheliak. Del árabe «la lira». Doble, azul y amarilla. Magnitud: 3,5 y 4,3. Distancia: entre 850 y 1.200 años luz. Brilla 3.000 veces más que el Sol.

γ de Lyra o Sulaphat. Palabra de origen árabe que significa «tortuga», nombre que también se ha dado a esta constelación. Azul pálida. Magnitud: 3,25. Distancia: 370 años luz. Brilla 520 veces más que el Sol.

δ1 de Lyra. Estrella Doble. Distancia: 120 años luz. Aunque se la llama «doble», es una estrella cuádruple. Observada con prismáticos, se ven dos puntos luminosos; sin embargo, con telescopio, cada una de ellas aparece dividida en dos. δ1 es blanca azulada, tipo B. Magnitud: 5,58. δ2 es roja, tipo M. Magnitud: 4,20. Están a una distancia de 890 y 710 años luz. Brillan 344 y 720 veces más que el Sol.

Otros objetos de interés

M57 (NGC 6720). Es una nebulosa anular que se encuentra también en esta constelación. No se puede ver a simple vista, pero algunos aseguran haberla observado con prismáticos.

Utilizando un telescopio pequeño se detecta un disco con forma de elipse aunque en las fotografías aparece claramente como un anillo.

M56 (NGC 6779). Cúmulo globular muy concentrado que se encuentra al sudeste de M57.

MENSA (MESA)

Nombre abreviado: Men.
Localización: Circumpolar, hemisferio sur. A.R.: 5,39 horas. Dec.: -77,78°.
Franja de observación: 33° N - 90° S.
Mejor visibilidad: 13 de diciembre.
Aproximación: Esta constelación es muy difícil de localizar, porque la magnitud de todas sus estrellas es superior a 5. Se pueden ver trazando la línea que une β de Hydrus y Canopus, en Carina, se pasa por β de Mensa. Esta constelación bordea la Gran Nube de Magallanes.

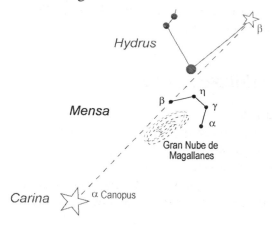

Todavía se la denomina a veces como Montaña de la Mesa (Mons Mensae). Lacaille la denominó así por la meseta del cabo de Buena Esperanza, junto a Ciudad del Cabo, desde donde realizó sus observaciones del cielo austral. Este astrónomo, además, comparó las nubes que rodeaban la montaña con la Gran Nube de Magallanes que aparecía al lado de la constelación.

ESTRELLAS MÁS IMPORTANTES

α de Mensa. Anaranjada, tipo K. Magnitud: 5,9. Distancia: 28,3 años luz. Brilla la mitad que el Sol.

β de Mensa. Anaranjada, tipo K. Magnitud: 5,31. Distancia: 330 años luz. Brilla 60 veces más que el Sol.

γ de Mensa. Anaranjada, tipo K. Magnitud: 5,19. Distancia: 390 años luz. Brilla 95 veces más que el Sol.

ζ de Mensa. Anaranjada, tipo K. Magnitud: 5,47. Distancia: 380 años luz. Brilla 60 veces más que el Sol.

OTROS OBJETOS DE INTERÉS

Gran Nube de Magallanes. Es la galaxia más cercana a la nuestra; está a 160.000 años luz y tiene un diámetro de 30.000 años luz. Es una espiral barrada; la mayor de las cuatro que se pueden ver sin necesidad de instrumentos, ya que alcanza una magnitud de 0,1.

MICROSCOPIUM (MICROSCOPIO)

Nombre abreviado: Mic.
Localización: Hemisferio sur. A.R.: 20,97 horas. Dec.: -35,20°.
Franja de observación: 45° N - 90° S.
Mejor visibilidad: 6 de agosto.
Aproximación: Se puede llegar hasta Microscopium trazando la línea que una α-μ del Pez Austral y duplicarla para llegar a Microscopium.

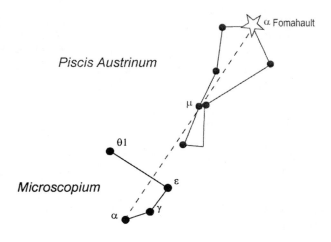

Esta es una de las 14 constelaciones inventadas en 1750 por Nicolas Louis de Lacaille.

ESTRELLAS MÁS IMPORTANTES

α de Microscopium. Binaria anaranjada, tipo K. Magnitud: 4,90. Distancia: 270 años luz. Brilla 60 veces más que el Sol.

γ de Microscopium. Amarilla, G. Magnitud: 4,67. Distancia: 96 años luz. Brilla 60 veces más que el Sol.

ε de Microscopium. Blanca, tipo A. Magnitud: 4,71. Distancia: 99 años luz. Brilla 45 veces más que el Sol.

ζ de Microscopium. Doble blanca, tipo A. Magnitud: 4,77. Distancia: 90 años luz. Brilla 4,5 veces más que el Sol.

OTROS OBJETOS DE INTERÉS

Esta constelación carece de otros elementos interesantes.

MONOCEROS (UNICORNIO)

Nombre abreviado: Mon.
Localización: Ecuatorial. A.R.: 7,15 horas. Dec.: -5,74°.
Franja de observación: 78° N - 78° S.
Mejor visibilidad: 8 de enero.
Aproximación: Gran parte de esta constelación queda enmarcada por el triángulo que forman tres estrellas muy brillantes: Betelgeuse (α de Orión), Sirio (α de Canis Major) y Proción (α de Canis Minor), todas de magnitud menor a 1. En medio de ese triángulo, se encuentra, la cabeza del Unicornio.

Introducida por Bartsch, parece que su origen es anterior. A pesar de que las estrellas que la componen son débiles, hay una gran la cantidad de cúmulos en ella.

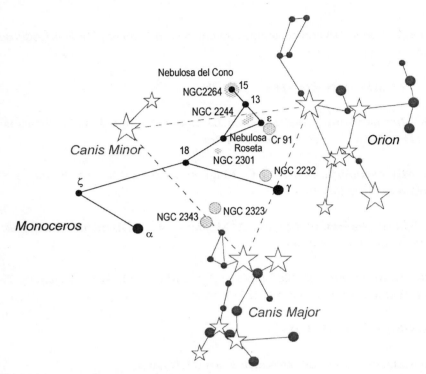

Estrellas más importantes

α de Monoceros. Gigante naranja, tipo K. Magnitud: 3,9. Distancia: 180 años luz. Brilla 65 veces más que el Sol. Mejor visibilidad: 17 de enero.

β de Monoceros. Doble blanca azulada, tipo B. Magnitud: 3,7. Tiene tres componentes blancas azuladas de magnitudes 4,6, 5,4 y 5,6. Las dos primeras están a una distancia de 590 y 1.300 años luz y brillan 380 y 860 veces más que el Sol, respectivamente. El mejor momento para observarlas es el 29 de diciembre.

γ de Monoceros. Gigante anaranjada, tipo K. Magnitud: 4,09. Distancia: 220 años luz. Brilla 95 veces más que el Sol. Mejor visibilidad: 26 de diciembre.

δ de Monoceros. Blanca azulada, tipo A. Magnitud: 4,09. Distancia: 220 años luz. Brilla 79 veces más que el Sol. Mejor visibilidad: 10 de enero.

ζ **de Monoceros.** Blanca azulada, tipo A. Magnitud: 4,41. Distancia: 1.900 años luz. Brilla 5.000 veces más que el Sol. Mejor visibilidad: 24 de enero.

15 de Monoceros. Blanca, tipo O. Magnitud: 4,60.

13 de Monoceros. Blanca, tipo A. Magnitud: 4,50.

18 de Monoceros. Anaranjada, tipo K. Magnitud: 4,47.

OTROS OBJETOS DE INTERÉS

NGC 2237 o Nebulosa Roseta. Se encuentra alrededor de NGC 2244 y es difícil de localizar. Con óptica de poco poder, se muestra como un halo alrededor del cúmulo abierto citado.

NGC 2244. Cúmulo abierto visible al ojo desnudo. Con prismáticos pueden verse las estrellas con bastante claridad.

NGC 2261. Nebulosa variable de Hubble, refleja la luz de la variable R del Unicornio y tiene forma de cola de cometa. Su brillo no mantiene la misma intensidad ya que la estrella que la ilumina varía entre las magnitudes 9,3 y 14,00.

Nebulosa del Cono. Curiosa formación cónica que tiene, en su parte más brillante, una anchura de 2,5 años luz. Es una zona de formación de estrellas de intensa actividad. Se encuentra a unos 2.200 años luz.

NGC 2264. Cúmulo asociado a la Nebulosa del Cono; se encuentra en su centro y contiene la estrella 15 de Monoceros. Debido a su forma triangular, a veces es llamado Árbol de Navidad.

NGC 2301. Cúmulo abierto; tiene alrededor de 50 componentes.

M50 (NGC 2323). Cúmulo abierto con alrededor de 100 componentes una de ellas roja en su centro. Localizado a alrededor de 2.500 años luz. Se puede localizar en la línea que une Sirio con Proción. También se le llama «Heart-shaped cluster», «cúmulo con forma de corazón».

NGC 2232. Cúmulo abierto próximo a γ Monocerotis, de magnitud de 3,90.

NGC 2343. Cúmulo abierto de magnitud 6,70 que puede ser observado con prismáticos o con pequeños telescopios.

MUSCA (MOSCA)

Nombre abreviado: Mus.
Localización: Circumpolar, hemisferio sur. A.R.: 12,46 horas. Dec.: -70,44°.
Franja de observación: 14° N - 90° S.
Mejor visibilidad: 30 de marzo. La constelación Musca únicamente puede ser vista desde el hemisferio sur, así como desde las latitudes más bajas del hemisferio norte.
Aproximación: Para ubicarla correctamente, tendremos que prolongar la línea que une Canopus con Miaplacidus, en Carina, para llegar con acierto hasta esta constelación.

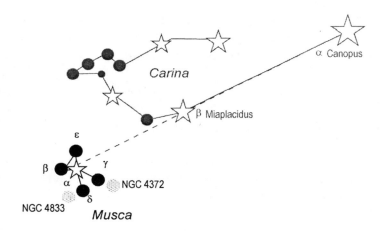

Los holandeses Houtman y Keyzer la crearon con el nombre de Apis, «la abeja», pero como su nombre se confundía con el de Apus, fue posteriormente cambiado a Musca Australis, para diferenciarla de Musca Borealis, constelación extinta que designaba un grupo de estrellas de Aries.

ESTRELLAS MÁS IMPORTANTES

α de Musca. Blanca, tipo B. Magnitud: 2,69. Distancia: 3,90 años luz. Brilla 950 veces más que el Sol.

β de Musca. Binaria blanca, tipo B. Magnitud: 3,05. Distancia: 350 años luz. Brilla 550 veces más que el Sol.

γ de Musca. Blanca, tipo B. Magnitud: 3,87. Distancia: 325 años luz. Brilla 215 veces más que el Sol.

δ de Musca. Anaranjada, tipo K. Magnitud: 3,62. Distancia: 110 años luz. Brilla 95 veces más que el Sol.

ε de Musca. Rojiza, M. Magnitud: 3,99. Distancia: 71 años luz. Brilla 200 veces más que el Sol.

OTROS OBJETOS DE INTERÉS

NGC 4372. Cúmulo globular débil, próximo a γ.

NGC 4833. Cúmulo globular magnitud 8, al norte de δ.

NORMA (NIVEL)

Nombre abreviado: Nor.
Localización: Circumpolar, hemisferio sur. A.R.: 16.05 horas. Dec.: -52,01°.
Franja de observación: 29° N - 90° S.
Mejor visibilidad: 22 de mayo. Como es una constelación circumpolar, puede observarse desde el hemisferio sur y desde las latitudes inferiores a los 29° en el hemisferio norte; permanece invisible para la mayoría de los países europeos.
Aproximación: Se encuentra al lado de Ara y al norte de Triangulum Australis.

Esta constelación, creada por Nicolás Louis de Lacaille, se llamó en un principio Quadrans Euclidis, El Cuadrante de Euclides. Hoy se la conoce por los nombres de Nivel o de Escuadra. Es una constelación muy oscura aunque se encuentra en una región muy rica en estrellas que ofrecen una buena visibilidad con prismáticos.

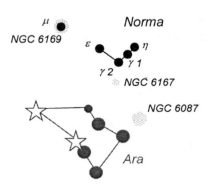

Estrellas más importantes

γ1 de Norma. Blanca amarillenta, tipo F. Magnitud: 4,99. Distancia: 5.900 años luz. Brilla 25.000 veces más que el Sol.

γ2 de Norma. Anaranjada, tipo K. Magnitud: 4,02. Distancia: 74 años luz. Brilla 60 veces más que el Sol.

ε de Norma. Blanca, tipo B. Magnitud: 4,96. Distancia: 93 años luz. Brilla 8 veces más que el Sol.

η de Norma. Amarilla, tipo G. Magnitud: 4,65. Distancia: 240 años luz. Brilla 60 veces más que el Sol.

Otros objetos de interés

NGC 6087. Cúmulo abierto en el que se han localizado alrededor de unas 40 estrellas. Está a 3.500 años luz.

NGC 6167. Cúmulo abierto de una magnitud aparente de 6,7.

NGC 6169 y μ de Norma. Cúmulo abierto de magnitud 6,60, en cuyo centro se encuentra μ, blanca tipo B, magnitud: 4,87.

SP 1. Nebulosa planetaria perfectamente circular. En su centro hay una estrella de magnitud 13.

OCTANS (OCTANTE)

Nombre abreviado: Oct.
Localización: Circumpolar, hemisferio sur. A.R.: 21,31 horas. Dec.: -86,76°.
Franja de observación: 0° N - 90° S.
Mejor visibilidad: 23 de agosto. Esta constelación no es visible desde el hemisferio norte; su estrella σ es la más próxima al polo sur celeste.
Aproximación: Prolongando la línea que une α y β de Hydrus, se encuentra inmediatamente Octans.

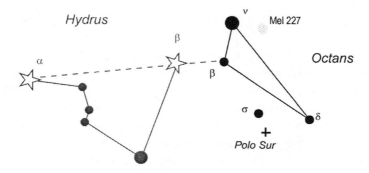

Esta constelación fue diseñada por Nicolás Luis de Lacaille en 1752.

ESTRELLAS MÁS IMPORTANTES

β de Octans. Blanca amarillenta, tipo F. Magnitud: 4,15. Distancia: 67 años luz. Brilla 7 veces más que el Sol.

δ de Octans. Anaranjada, tipo K. Magnitud: 4,32. Distancia: 250 años luz. Brilla 86 veces más que el Sol.

ν de Octans. Anaranjada, tipo K. Magnitud: 3,76. Distancia: 64 años luz. Brilla 10 veces más que el Sol.

σ de Octans. Es la estrella más cercana al polo sur. Blanca amarillenta, tipo F. Magnitud: 5,47. Distancia: 225 años luz. Brilla 30 veces más que el Sol.

OTROS OBJETOS DE INTERÉS

Mel 227. Cúmulo abierto de magnitud 5,30.

OPHIUCHUS (OFIUCO)

Nombre abreviado: Oph.
Localización: Ecuatorial. A.R.: 17,18 horas. Dec.: -4,24°.
Franja de observación: 59° N - 75° S.
Mejor visibilidad: 9 de junio.
Aproximación: Esta constelación se encuentra entre Escorpio y Sagitario.

La constelación de Ofiuco presenta muchos objetos interesantes, algunos de los cuales no pueden observarse sin la óptica adecuada. Además, como se encuentra sobre el ecuador, se puede ver tanto desde el hemisferio norte como desde el hemisferio sur. En su origen, ha representado al Serpentario, al encantador de serpientes. Muestra a un hombre que sostiene un ofidio en sus manos (la constelación de la Serpiente atraviesa Ofiuco).

Está relacionada con Esculapio (o Asclepio), hijo de Apolo y Coronis. Mientras estaba en el vientre de su madre, ésta fue infiel a Apolo quien, al enterarse de ello, la condenó a morir abrasada. Sin embargo, salvó al niño que estaba por nacer y lo puso a cuidado del centauro Quirón, que conocía el arte de la medicina. El vínculo de Esculapio con las serpientes se establece en varios puntos: por un lado, resucitó a muchos mortales utilizando la sangre de las gorgonas, los tres monstruos que, en lugar de cabellos, tenían serpientes en la cabeza. Por otro, aprendió de los ofidios el valor curativo de las plantas.

Habiendo matado a una serpiente, observó que otra, cuidándola con hierbas, la hizo resucitar y ese fue otro de los métodos que posteriormente usara para rescatar de la muerte a los mortales.

De hecho el caduceo, báculo en el que se enrollan dos serpientes, sigue siendo símbolo de la medicina y la farmacia.

Para Hades (Plutón en la mitología romana), el hecho de que los mortales resucitaran era un problema ya que dejaría de recibir almas en su reino, de modo que pidió a Zeus fulminase con su rayo a Esculapio y decretara que los hombres deberían, en algún momento, morir.

El dios concedió esa gracia a Hades; mató a Esculapio pero, a la vez, lo colocó en el cielo para dignificarlo.

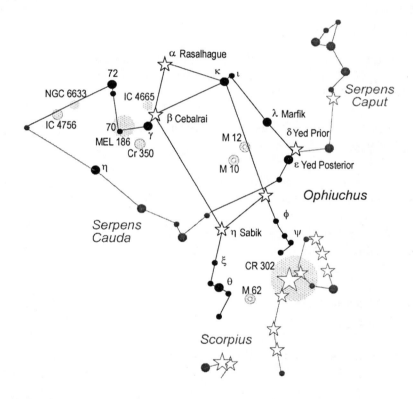

ESTRELLAS MÁS IMPORTANTES

α de Ophiuchus o Rasalhague. Del árabe «R'as al-Hawwa», «la cabeza del serpentario». Blanca, tipo A. Magnitud: 2,08. Distancia: 54 años luz. Brilla 33 veces más que el Sol.

β de Ophiuchus o Cebalrai. Del árabe «Kalb ar-R'ai», «perro ovejero». Anaranjada, tipo K. Magnitud: 2,77. Distancia: 100 años luz. Brilla 86 veces más que el Sol.

γ de Ophiuchus. Blanca, tipo A. Magnitud: 3,75. Distancia: 84 años luz. Brilla 45 veces más que el Sol.

δ de Ophiuchus o Yed Prior. Del árabe «Al-Yad», «la mano que precede». Roja, tipo M. Magnitud: 2,74. Distancia: 96 años luz. Brilla 125 veces más que el Sol. Es la estrella más roja de la constelación.

ε de Ophiuchus o Yed Posterior. Del árabe «Al-Yad», «la mano que sucede». Anaranjada, tipo K. Magnitud: 3,24. Distancia: 76 años luz. Brilla 60 veces más que el Sol.

ζ de Ophiuchus. Blanca, tipo B. Magnitud: 2,56. Distancia: 800 años luz. Brilla 4.500 veces más que el Sol.

η de Ophiuchus o Sabik. Del árabe «As-sabiq», «la que precede». Blanca, tipo A. Magnitud: 2,43. Distancia: 67 años luz. Brilla 22 veces más que el Sol. Tiene una compañera de magnitud 3,4.

κ de Ophiuchus. Anaranjada, tipo K. Magnitud: 3,20. Distancia: 110 años luz. Brilla 86 veces más que el Sol.

ι de Ophiuchus. Blanca, tipo B. Magnitud: 4,38. Distancia: 320 años luz. Brilla 137 veces más que el Sol.

λ de Ophiuchus o Marfic. Del árabe «Al-Mirfaq», «el codo». Binaria blanca, A. Magnitud: 3,82. Distancia: 110 años luz. Brilla 26 veces más que el Sol.

ν de Ophiuchus. Anaranjada, tipo K. Magnitud: 3,44. Distancia: 140 años luz. Brilla 65 veces más que el Sol.

ξ de Ophiuchus. Blanca amarillenta, tipo F. Magnitud: 4,39. Distancia: 54 años luz. Brilla 4 veces más que el Sol.

ɸ de Ophiuchus. Anaranjada, tipo K. Magnitud: 4,28. Distancia: 200 años luz. Brilla 60 veces más que el Sol.

ψ de Ophiuchus. Anaranjada, tipo K. Magnitud: 4,50. Distancia: 240 años luz. Brilla 65 veces más que el Sol.

ω de Ophiuchus. Blanca amarillenta, tipo F. Magnitud: 4,44. Distancia: 120 años luz. Brilla 17 veces más que el Sol.

OTROS OBJETOS DE INTERÉS

Hay seis objetos Messier: M9, M10, M12, M14, M19 y M62.

M9 (NGC 6333). Cúmulo globular de magnitud visual 7,7. Está a 25.800 años luz de distancia del Sistema Solar. En condiciones de buena visibilidad, en noches oscuras, puede ser observado con prismáticos. Se puede localizar partiendo de Sabik, una estrella de magnitud 2,43.

M10 (NGC 6254). Cúmulo globular de magnitud 6,60. Está a una distancia de 14.300 años luz. Su centro presenta ligeramente la forma de una pera y en su exterior, pueden verse algunos puntos con mayor brillo. En sus proximidades se encuentra una estrella rojiza, 30 de Ophiuchus. Tanto este cúmulo como el M12 deben observarse con prismáticos; aún así, son bastante difíciles de percibir ya que es fácil confundirlos con los campos estelares adyacentes, que los superan en brillo.

M12 (NGC 6218). Cúmulo globular de magnitud 6,60. Está a una distancia de 16.000 años luz. Es ligeramente mayor que el anterior.

M14 (NGC 6402). Cúmulo globular de magnitud visual 7,6. Tiene una forma ligeramente elíptica. Es 400.000 veces más luminoso que el Sol. Se encuentra a unos 30.300 años luz de distancia.

M19 (NGC 6273). Cúmulo globular de magnitud visual 6,8. Está a 28.000 años luz de distancia del sistema solar. Sus estrellas rondan la magnitud 14. Se percibe fácilmente su forma ligeramente elíptica.

M62 (NGC 6266). Es uno de los cúmulos globulares que presenta forma más irregular y uno de los objetos Messier más próximos al centro galáctico (está a unos 6.100 años luz). Se conocen en él 89 estrellas variables hasta el momento. Su núcleo es particularmente denso.

M107 (NGC 6171). Cúmulo globular de magnitud visual 7,9. Se encuentra a 20.900 años luz. Contiene zonas oscuras, lo cual no es habitual en los cúmulos globulares.

MEL 186. Cúmulo abierto de magnitud 3,00.

Cr 350. Cúmulo abierto de magnitud 6,10. Población de unas 20 estrellas.

NGC 6633. Cúmulo abierto de magnitud visual 4,6. Contiene unas 30 estrellas. La más brillante de ellas tiene una magnitud de 7,6.

ORION (ORIÓN)

Nombre abreviado: Ori.
Localización: Ecuatorial. A.R.: 5,59 horas. Dec.: 4,58°.
Franja de observación: 79° N - 67° S.
Mejor visibilidad: 15 de diciembre. Es visible desde prácticamente todos los puntos habitados del planeta.
Aproximación: Esta constelación es una de las más conocidas; sobre todo el asterismo de las tres estrellas que forman el cinturón de Orión, conocido con el nombre de Las Tres Marías.

Esta constelación, naturalmente, se relaciona con el mito griego de Orión. Éste era uno de los muchos hijos que había tenido Poseidón y, como él, tenía una gran altura de modo que era considerado un gigante por los hombres.

Como gracia, su padre le había conferido la cualidad de poder caminar sobre las aguas (aunque otros opinan que lo hacía sobre el fondo del océano pero como era tan alto, su cabeza siempre sobresalía de la superficie).

Orión se enamoró Mérope, la hija del rey de la isla de Quío y, para ganar los favores de la muchacha y de su padre, acabó con todas las bestias y alimañas que azotaban la isla. Sin embargo, Enopeo se negó a darle a su hija por esposa razón por la cual Orión, enfurecido, la ultrajó. Ante ello, el monarca mandó que le sacaran los ojos con un hierro candente y lo expulsó de la isla. El gigante, ciego, se dirigió a la isla de Lemnos guiándose por el sonido del martillo de Hefestos y una vez allí, éste le dio a uno de sus sirvientes para que lo guiara hacia el Sol. Orión lo colocó sobre sus hombros y emprendió su viaje. Una vez detenido el carro del Sol, recobró la vista.

Posteriormente aprendió a cazar con Artemisa, quien le brindó un especial afecto; a tal punto que Apolo, su hermano, se sintió celoso. Cierto día en que Orión se paseaba por el fondo del mar, con su cabeza sobresaliendo la superficie, Apolo desafió a su hermana diciéndole que no era capaz de acertar a ese objeto en movimiento. Tocada en su amor propio, la diosa tensó el arco y disparó, causando la muerte del gigante. Para recompensarlo, Artemisa lo colocó en el cielo para que allí se mantuviera por toda la eternidad.

Otra versión cuenta que él mismo desafió a Artemisa y que, habiéndole ganado, despertó la ira de ésta, quien envió un escorpión para provocarle la muerte (la constelación del Escorpión se encuentra exactamente a los pies de Orión).

En la mitología hindú, esta constelación fue conocida como Prajapati o «El Señor de las Criaturas»; estaba asociado a Brahma.

Las tres brillantes estrellas que forman el cinturón de Orión se conocen también como «Los Tres Reyes Magos» o «Las Tres Marías». Este último, representaría a María Magdalena, la Virgen María y María de Betania llorando ante el sepulcro de Jesucristo. Hubo varios pintores medievales que las representaron en sus cuadros.

Estrellas más importantes

α de Orion o Betelgeuse. Del árabe «Yad al Jauza», «la mano de Orión». Supergigante roja, tipo M. Magnitud: 0,1. Distancia: 427 años luz. Brilla 9.000 veces más que el Sol. Mejor visibilidad: 21 de diciembre. Esta estrella es una variable y el cambio en su brillo, puede deberse a que se expande y contrae. No hay ninguna seguridad, por ello, de su diámetro, ya que las mediciones varían.

β de Orion o Rigel. Su nombre significa «la pierna del gigante». Azul supergigante, tipo B. Magnitud: 0,08. Distancia: 773 años luz. Brilla 60.000 veces más que el Sol. Mejor visibilidad: 10 de diciembre.

A simple vista, podemos observar la diferencia evidente de color entre ésta y Betelgeuse.

γ de Orion o Bellatrix. Gigante azul, tipo B. Magnitud: 1,64. Distancia: 243 años luz. Brilla 1.000 veces más que el Sol. Mejor visibilidad: 14 de diciembre.

δ de Orion o Mintaka. Del árabe «Al-Mintaqah», «el cinturón». Doble blanca, tipo B. Magnitudes: 2,41 y 3,76. Distancia: 916 años luz. Brillan 6.750 y 2.000 veces más que el Sol respectivamente.

ε de Orion o Alnilam. Del árabe «Ad-Nidham», «el collar de perlas». Supergigante azul, tipo B. Magnitud: 1,7. Distancia: 1.350 años luz. Brilla 28.000 veces más que el Sol. Mejor visibilidad: 17 de diciembre.

ζ de Orion o Alnitak. Del árabe «An-Nitaq», «el cinturón». Doble blanca, tipo B. Magnitudes: 1,82 y 3.95. Distancia: 815 años luz. Brillan 9.200 y 1.300 veces más que el Sol.

η de Orion. Blanca, tipo B. Magnitud: 3,30. Distancia: 900 años luz. Brilla 2.230 veces más que el Sol.

θ1 de Orion. Sistema múltiple, responsable del brillo de la Gran Nebulosa de Orión. Tiene cuatro estrellas con magnitudes que van desde 4,96 hasta 7,49.

κ de Orion o Saiph. Del árabe «As-Saiph», «la espada». Blanca, tipo B. Magnitud: 2,06. Distancia: 720 años luz. Brilla 5.725 veces más que el Sol.

λ de Orión o Meissa. Del árabe Al-Maisan, «la que brilla». Estrella tipo O. Magnitud: 3.54. Se encuentra en el centro del cúmulo de Lambda Orionis y tiene una compañera.

π2 de Orion. Blanca, tipo A. Magnitud: 4,35. Distancia: 190 años luz. Brilla 50 veces más que el Sol.

π3 de Orion. Blanca amarillenta, tipo F. Magnitud: 3,19. Distancia: 26,2 años luz. Brilla 2,7 veces más que el Sol.

π4 de Orion. Blanca, tipo B. Magnitud: 3,69. Distancia: 1.250 años luz. Brilla 4.000 veces más que el Sol.

π5 de Orion. Blanca, tipo B. Magnitud: 3,70. Distancia: 1.340 años luz. Brilla 1.340 años luz. Brilla 4.400 veces más que el Sol.

φ1 de Orion. Blanca, tipo B. Magnitud: 4,41. Distancia: 985 años luz. Brilla 1.260 veces más que el Sol.

32 de Orion. Blanca, tipo B. Magnitud: 4,20.

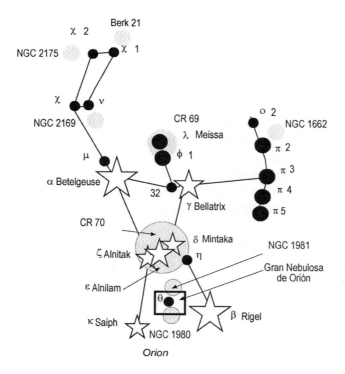

Orion

OTROS OBJETOS DE INTERÉS

Berk 21. Cúmulo abierto de magnitud 1,10.

NGC 2175. Cúmulo abierto de magnitud visual 2,8. Está asociado a una nebulosa difusa que también lleva el nombre de NGC 2175. Ella incluye la nebulosa NGC 2174.

NGC 2169. Cúmulo abierto de magnitud 5,90. Fue descubierto por Herschell en 1784.

CR 69. Cúmulo abierto de magnitud 2,8. Tiene unas 20 estrellas y una nebulosa asociada.

NGC 1662. Cúmulo abierto de magnitud aparente 6,4.

CR 70. Cluster abierto.

M42 (NGC 1976). Gran Nebulosa de Orión. Esta gigantesca nube tal vez sea la nebulosa más conocida del cielo. Es visible a simple vista y observada a través de prismáticos o de un telescopio, ofrece una imagen particularmente hermosa. Está situada en una de las regiones más activas de la galaxia. Tiene el diámetro aparente de la Luna llena, pero al estar situada a unos 1.500 años luz de la Tierra, el real debe ser enorme. Este objeto pertenece a una región mucho mayor que sólo se puede observar mediante fotografías de la constelación tomadas con técnicas especiales. En marzo de 2000, Patrick Roche y Phillips Lucas afirmaron haber encontrado objetos flotantes en esta nebulosa; de hecho, los llamaron planetas flotantes. Este hallazgo fue confirmado posteriormente por María Rosa Zapatero, del instituto de Astrofísica de Canarias. Algunos astrónomos opinan que estos objetos podrían ser consideradas enanas marrones de baja masa.

NGC 1980. Nebulosa débil con algujas estrellas brillantes, al sur de la Gran Nebulosa de Orión.

M43 (NGC 1982). Nebulosa difusa llamada también «Nebulosa de Mairan», en honor a su descubridor. Tiene una magnitud visual 9 y actualmente se considera como parte de la M42 o Gran Nebulosa de Orión. El borde externo situado al este, es notoriamente oscuro. Vista con telescopio, tiene la forma de una coma ortográfica.

M78 (NGC 2068). Nebulosa difusa de magnitud visual 8,3 que también pertenece al complejo de Orión. Gracias a la investigación con infrarrojos, se ha podido detectar en ella un cúmulo de estrellas jóvenes.

B33 o Nebulosa Cabeza de Caballo. Aunque esta formación no se puede ver sin la óptica adecuada, es necesario mencionarla. En las fotografías tomadas por diferentes telescopios, se ve emerger, sobre un fondo rojo, la oscura y bien perfilada cabeza de un caballo de ajedrez. Es una gran masa de gas que brilla por la luz que produce Z de Orion.

Pavo (Pavo Real)

Nombre abreviado: Pav.
Localización: Circumpolar. Hemisferio sur. A.R.: 19,68 horas. Dec.: -66,13°.
Franja de observación: 15° N - 90° S.
Mejor visibilidad: 14 de julio. Se puede observar desde el hemisferio sur, en los días de buena visibilidad, a partir del comienzo del otoño.
Aproximación: Aunque no es una constelación muy clara, no es demasiado difícil de localizar; uniendo con una línea α de Centaurus y α de Triangulum Australis, se llega muy cerca de α Pavonis que es su estrella más brillante.

Según Bartsch, introdujo esta constelación en honor de Argos, el constructor de la nave Argo (no confundir con otros personajes mitológicos del mismo nombre), que también tomó parte en la expedición de los Argonautas. Según una versión del mito, era hijo de Arestor y Gea. Provisto de una gran fuerza, liberó a la Arcadia de un toro salvaje y un sátiro. Hera le ordenó que custodiase a Ío, convertida en vaca. Zeus, que deseaba a Ío, ordenó a Hermes que la robase, lo que hizo matando a Argos. Hera, compadecida, lo transformó en pavo real y puso sus ojos en la cola del animal, haciendo referencia a una variación de la leyenda en la que Argo tenía cien ojos.

Estrellas más importantes

α de Pavo. Blanca, tipo B. Magnitud: 1,94. Distancia: 365 años luz. Brilla 1.650 veces más que el Sol.

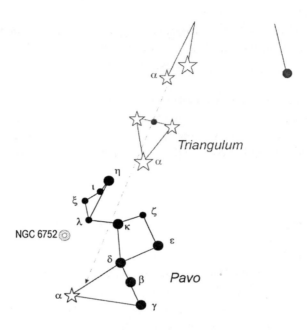

β de Pavo. Blanca, tipo A. Magnitud: 3,42. Distancia: 93 años luz. Brilla 26 veces más que el Sol.

γ de Pavo. Blanca amarillenta, tipo F. Magnitud: 4,22. Distancia: 28,1 años luz. Brilla como el Sol.

δ de Pavo. Amarilla, tipo G. Magnitud: 3,56. Distancia: 18,6 años luz. Brilla como el Sol.

ε de Pavo. Blanca, tipo A. Magnitud: 3,96. Distancia: 115 años luz. Brilla 45 veces más que el Sol.

ζ de Pavo. Anaranjada, tipo K. Magnitud: 4,01. Distancia: 93 años luz. Brilla 72 veces más que el Sol.

η de Pavo. Anaranjada, tipo K. Magnitud: 3,62. Distancia: 145 años luz. Brilla 8 veces más que el Sol.

κ de Pavo. Blanca amarillenta, tipo F. Magnitud: 3,91. Distancia: 1.250 años luz. Brilla 2.000 veces más que el Sol.

λ de Pavo. Cefeida blanca, tipo B. Magnitud: 4,22. Distancia: 1.450 años luz. Brilla 3.100 veces más que el Sol.

ξ de Pavo. Anaranjada, tipo K. Magnitud: 4,36. Distancia: 400 años luz. Brilla 220 veces más que el Sol.

π de Pavo. Blanca, tipo A. Magnitud: 4,35. Distancia: 91 años luz. Brilla 11 veces más que el Sol.

OTROS OBJETOS DE INTERÉS

NGC 6752. Cúmulo globular de magnitud 5,40.

PEGASUS (PEGASO)

Nombre abreviado: Peg.
Localización: Hemisferio norte. A.R.: 22,75 horas. Dec.: 19,53°.
Franja de observación: 90° N - 53° S.
Mejor visibilidad: 2 de septiembre. En el hemisferio norte, se puede apreciar en toda su magnitud durante el otoño (y, por tanto, en primavera en el hemisferio sur).
Aproximación: Esta constelación es, prácticamente inconfundible; sobre todo el cuadrilátero de Pegasus.

No obstante, si se tuvieran dudas se puede tomar como referencia la constelación de Casiopea. Prolongando la línea que une α y γ, se llega a Alpheratz que, aunque pertenece a la constelación de Andrómeda, es una de las esquinas del visible cuadrilátero.

El mito griego de Pegaso se relaciona con el caballo alado que nació de Poseidón y de la gorgona Medusa. Cuando Perseo luchó con ésta, de su cuello salió Pegaso. Al poco tiempo de nacer, dio una coz en el monte Helicón y allí empezó a fluir un manantial al que se relacionó con la inspiración divina.

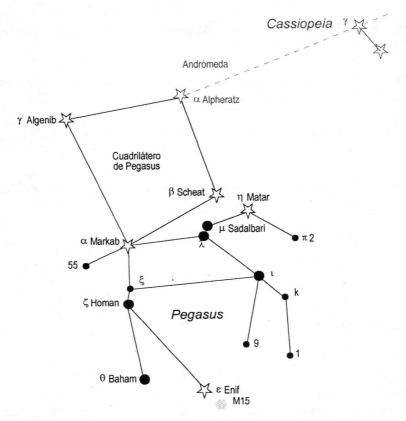

Muchos intentaron, sin éxito, atraparlo; el único que lo logró fue Belerofonte quien lo empleó en sus múltiples aventuras hasta que una vez, orgulloso y confiado, intentó subir con él al monte Olimpo, pero cuando estaba a punto de llegar, Pegaso, que no quería acercarse a los dioses, lo dejó caer. Algunos consideran que fue Zeus quien castigó al joven precipitándolo a tierra.

Desde entonces, Pegaso se quedó en el Olimpo y allí se ha dedicado a transportar el trueno y el rayo de Zeus.

ESTRELLAS MÁS IMPORTANTES

α de Pegasus o Markab. Del árabe «Mankib al-Faras», «el hombro del caballo». Blanca, tipo A. Magnitud: 2,49. Distancia: 90 años luz. Brilla 65 veces más que el Sol.

β de Pegasus o Scheat. Del árabe «Al-saq», «la pata». Roja, tipo M. Magnitud: 2,30. Distancia: 190 años luz. Brilla 290 veces más que el Sol.

γ de Pegasus o Algenib. Del árabe «Al-Janb», «el flanco». Blanca, tipo B. Magnitud: 2,83. Distancia: 480 años luz. Brilla 1.250 veces más que el Sol.

ε de Pegasus o Enif. Del árabe «Al-Anf», «el hocico». Blanca, tipo A. Magnitud: 3,53. Distancia: 740 años luz. Brilla 4.500 veces más que el Sol.

ζ de Pegasus u Homan. Del árabe «S'ad al-humam», «la estrella de la suerte del hombre de mente elevada». Blanca, tipo B. Magnitud: 3,40 Distancia: 160 años luz. Brilla 80 veces más que el Sol.

ν de Pegasus o Matar. Del árabe «S'ad Matar», «la estrella de la suerte de la lluvia». Amarilla, tipo G. Magnitud: 2,94. Distancia: 190 años luz. Brilla 180 veces más que el Sol.

η de Pegasus o Baham. El nombre de esta estrella proviene del árabe «Al-Biham», «el ganado». Blanca amarillenta, tipo F. Magnitud: 4,19. Distancia: 67 años luz. Brilla 22 veces más que el Sol.

ι de Pegasus. Blanca amarillenta, tipo F. Magnitud: 3,76. Distancia: 44 años luz. Brilla 4 veces más que el Sol.

κ de Pegasus. Blanca amarillenta, tipo F. Magnitud: 4,13. Distancia: 93 años luz. Brilla 11 veces más que el Sol.

λ de Pegasus. Anaranjada, K. Magnitud: 3,95. Distancia: 78 años luz. Brilla 180 veces más que el Sol.

μ de Pegasus o Sadalbari. Del árabe «S'ad al-Bari», «la estrella de la suerte del excelente». Anaranjada, tipo K. Magnitud: 3,48. Distancia: 81 años luz. Brilla 65 veces más que el Sol.

ξ de Pegasus. Blanca, F. Magnitud: 4,19. Distancia: 68 años luz. Brilla 7 veces más que el Sol.

π2 de Pegasus. Blanca amarillenta, tipo F. Magnitud: 4,29. Distancia: 310 años luz. Brilla 137 veces más que el Sol.

1 de Pegasus. Anaranjada, tipo K. Magnitud: 4,08.

9 de Pegasus. Amarilla, tipo G. Magnitud: 4,34.

Otros objetos de interés

M15 (NGC 7078). Cúmulo globular visible con prismáticos. Posee un centro denso y resulta bastante fácil de identificar.

Perseus (Perseo)

Nombre abreviado: Per.
Localización: Hemisferio norte. A.R.: 3,71 horas. Dec.: 41,77°.
Franja de observación: 90° N - 31° S.
Mejor visibilidad: 15 de noviembre. El otoño del hemisferio norte es el mejor momento para verla.
Aproximación: Esta constelación está, en gran parte, situada en la Vía Láctea y la mejor manera de llegar a ella es tomar como referencia la constelación del Cochero: la línea β-α de esta constelación apunta a β de Perseo o Algol. También se puede llegar a ella partiendo de Casiopea, ya que Perseo se encuentra inmediatamente al este de dicha constelación.

La constelación representa a Perseo, hijo de Zeus y Dánae, hija del rey de Argos Acrisio, quien encerró a Perseo y a su madre en un cofre arrojándolos luego al mar. Pese a ello, no murieron, sino que llegaron a la isla de Sérifos.

Perseo recibió de Polidectes el encargo de conseguir la cabeza de medusa, un monstruo que tenía una mirada tan penetrante que, ante ella, los hombres se petrificaban. Ésta le valió para salvar, tiempo después, a Andrómeda cuando había sido ofrecida en sacrificio a Cetus.

Perseo llevaba consigo un zurrón en el que guardaba una capa indestructible, un casco que le confería invisibilidad y un escudo con el que impidió que la mirada de Medusa lo convirtiese en piedra.

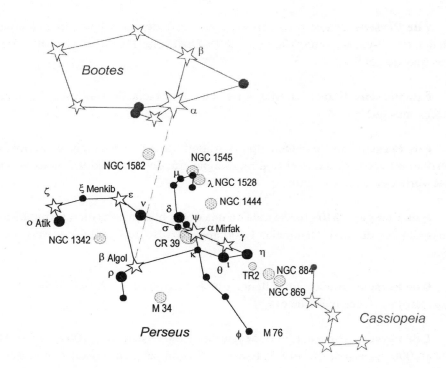

ESTRELLAS MÁS IMPORTANTES

α **de Perseus o Mirfak.** Del árabe «Al-Mirfaq», «el codo» de las Pléyades. Gigante blanco amarillenta, tipo F. Magnitud: 1,79. Distancia: 620 años luz. Brilla 5.500 veces más que el Sol.

β **de Perseus o Algol.** Del árabe «Al-Ghul», «el ghul»; genio mencionado en el Corán, que persigue a los hombres en el desierto, fascinándolos. Sería el equivalente del demonio. Binaria eclipsante blanca, tipo B. Magnitud: varía de 2,09 a 3,40. Distancia: 72 años luz. Brilla 95 veces más que el Sol. Su período de variación es de 2 días, 20 horas, 48 minutos, 56 segundos y ha sido la primera de las descubiertas en su tipo. Su compañera es una gigante anaranjada; lo curioso es que, a pesar de ser más masiva, orbita a la primera. Estas estrellas tienen una tercera compañera e, incluso, existe la sospecha de la presencia de una cuarta.

γ de Perseus. Doble muy cerrada compuesta de una gigante blanca amarillenta, tipo F y una enana. Magnitud: 2,93. Distancia: 110 años luz. Brilla 60 veces más que el Sol.

δ de Perseus. Blanca, B. Magnitud: 3,01. Distancia: 360 años luz. Brilla 600 veces más que el Sol.

ε de Perseus. Doble blanca, tipo B. Magnitud: 2,89. Distancia: 360 años luz. Brilla 680 veces más que el Sol. Su compañera, de magnitud 9,7, sólo es posible verla con un telescopio.

η de Perseus o Miram. Se trata de una doble blanca amarillenta, tipo F, cuya magnitud es de 3,76. Distancia: 1.400 años luz. Brilla 4.500 veces más que el Sol.

θ de Perseus. Blanca amarillenta, tipo F. Magnitud: 4,12. Distancia: 41 años luz. Brilla 3 veces más que el Sol.

ζ de Perseus. Blanca, tipo B. Magnitud: 2,85. Distancia: 1.700 años luz. Brilla 15.000 veces más que el Sol. Esta estrella comparte su espacio con una compañera débil de magnitud 9,16.

ι de Perseus. Amarilla, tipo G. Magnitud: 4,05. Distancia: 38 años luz. Brilla 3 veces más que el Sol.

κ de Perseus. Anaranjada, tipo K. Magnitud: 3,80. Distancia: 100 años luz. Brilla 65 veces más que el Sol.

λ de Perseus. Blanca, tipo A. Magnitud: 4,29. Distancia: 210 años luz. Brilla 65 veces más que el Sol.

μ de Perseus. Amarilla, tipo G. Magnitud: 4,14. Distancia: 1.700 años luz. Brilla 5.000 veces más que el Sol.

ν de Perseus. Blanca amarillenta, tipo F. Magnitud: 3,77. Distancia: 470 años luz. Brilla 500 veces más que el Sol.

ξ de Perseus o Menkib. Del árabe «Al-Mankib», «el hombro» de las Pléyades. Blanca, tipo O.

ρ de Perseus. Roja, tipo M. Magnitud: 3,39. Distancia: 200 años luz. Brilla 125 veces más que el Sol.

φ de Perseus. Blanca, tipo B. Magnitud: 4,00. Distancia: 1.300 años luz. Brilla 3.000 veces más que el Sol.

ψ de Perseus. Blanca, tipo B. Magnitud: 4,20. Distancia: 400 años luz. Brilla 200 veces más que el Sol.

OTROS OBJETOS DE INTERÉS

NGC 869 y NGC 864. Cúmulos que componen el mango de la Espada. Es también conocido como χ-η Persei. Resulta fácil identificarlos, ya que se encuentran entre Mirfak y Casiopea.

En las noches claras, se pueden observar a simple vista. Se encuentran a 8.000 años luz y cada uno de ellos tiene un diámetro aproximado de unos 70 años luz.

TR 2. Cúmulo abierto, próximo a los anteriores pero más cercano a Perseus, de magnitud 5,90.

NGC 1513. Cúmulo abierto, muy débil, de magnitud 8,4. Tiene pocas estrellas en conjunto y, de alguna manera, su forma puede hacer recordar a la de una lágrima.

NGC 1528. Cúmulo abierto que tiene, por lo menos, unas 40 estrellas. Con prismáticos sólo se detectan como un objeto difuso, elíptico y de poco brillo superficial.

NGC 1342. Cúmulo abierto de magnitud 6,70. Tiene forma trapezoidal y estrellas de diferentes brillos.

NGC 1444. Cúmulo abierto de magnitud 6,60.

NGC 1545. Cúmulo abierto grande, de magnitud 6,2, que en las noches despejadas y oscuras puede ser detectado sin ópticas. En su centro, se observa un triángulo de estrellas brillantes.

M34 (NGC 1039). Cúmulo abierto de unas 100 estrellas. Está a 1.400 años luz de distancia y tiene una magnitud 5,5. Este cúmulo abierto puede ser localizado fácilmente, incluso a simple vista en las noches sin Luna y con buena visibilidad. Se encuentra justo al norte de la línea que une Algol (β Persei) y γ Andrómeda.

CR 39. Cúmulo abierto en el que se halla a Persei. Es de grandes dimensiones y se puede observar a simple vista.

Phoenix (Ave Fénix)

Nombre abreviado: Phe.
Localización: Circumpolar, hemisferio sur. A.R.: 0,70 horas. Dec.: -48,57°.
Franja de observación: 32° N - 90° S.
Mejor visibilidad: 2 de octubre. Como se encuentra muy próxima al polo, no es visible desde el hemisferio norte salvo en las latitudes que están prácticamente sobre la línea del ecuador.
Aproximación: La línea que une Fomalhaut (α Piscis Austrini) con Archenar (α Eridani), pasa muy cerca de Ankaa (α Phoenicis). Pasa directamente sobre ζ Phoenicis, estrella de poco brillo pero que también puede ser utilizada para localizar la constelación completa.

Aparentemente, los árabes veían una barca en esta constelación, sin embargo hoy se conoce como Ave Fénix. Según la mitología, éste era un pájaro de enorme tamaño, similar al águila, que tenía un plumaje de vistosos colores. Originaria de Etiopía, para los egipcios era un ave relacionada con el Sol. Los antiguos griegos la denominaron Phoenicoperus.

Las características más asombrosas de este fabuloso animal eran su longevidad y la capacidad de renacer tras la muerte. Vivía, según algunos, 500 años; para otros, alcanzaba la edad de 12.954 años. Era único en el mundo y no se reproducía. Sin embargo, cuando sentía próxima su muerte, preparaba una pira con plantas aromáticas, se acostaba sobre ella y encendía el fuego. De las cenizas volvía a salir una nueva Ave Fénix.

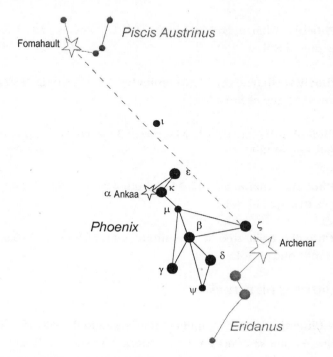

ESTRELLAS MÁS IMPORTANTES

α de Phoenix o Ankaa. Del árabe «Al-'Anka'», «fénix». Blanca, tipo A. Magnitud: 2,39. Distancia: 84 años luz. Brilla 65 veces más que el Sol.

β de Phoenix. Blanca, tipo B. Magnitud: 3,31. Distancia: 130 años luz. Brilla 60 veces más que el Sol.

γ de Phoenix. Anaranjada, tipo K. Magnitud: 3,39. Distancia: 1.200 años luz. Brilla 4.500 veces más que el Sol.

δ de Phoenix. Anaranjada, tipo K. Magnitud: 3,95. Distancia: 110 años luz. Brilla 16 veces más que el Sol.

ε de Phoenix. Anaranjada, tipo K. Magnitud: 3,88. Distancia: 110 años luz. Brilla 16 veces más que el Sol.

ζ de Phoenix. Blanca, B. Magnitud: 3,91. Distancia: 220 años luz. Brilla 95 veces más que el Sol.

ι de Phoenix. Blanca, tipo A. Magnitud: 4,71. Distancia: 180 años luz. Brilla 30 veces más que el Sol.

κ de Phoenix. Blanca, tipo A. Magnitud: 3,94. Distancia: 56 años luz. Brilla 6 veces más que el Sol.

μ de Phoenix. Anaranjada, K. Magnitud: 4,59 Distancia: 240 años luz. Brilla 60 veces más que el Sol.

ψ de Phoenix. Roja, tipo M. Magnitud: 4,41. Distancia: 310 años luz. Brilla 125 veces más que el Sol.

OTROS OBJETOS DE INTERÉS

SX de Phoenix. Variable rápida con un período de sólo 79 minutos; uno de los más breves que se conocen. Esta estrella ha establecido un nuevo tipo. Se cree que son estrellas jóvenes que se han formado a partir de una binaria vieja y que no responden al tipo espectral de las que le dieron origen.

PICTOR (CABALLETE DEL PINTOR)

Nombre abreviado: Pic.
Localización: Circumpolar, hemisferio sur. A.R.: 5,41 horas. Dec.: -50,30°.
Franja de observación: 26° N - 90° S.
Mejor visibilidad: 16 de diciembre. Desde la mayoría de las ciudades del hemisferio norte resulta invisible ya que se encuentra muy próxima al polo sur.
Aproximación: Se encuentra exactamente al lado de Canopus. Sus estrellas son muy débiles pero guiándose por la constelación de la Quilla, se puede localizar sin demasiada dificultad.

Su nombre original es Caballete del Pintor (Equuleus Pictoris) y Gould la popularizó a partir de 1877 bajo Pictor, su nombre actual.

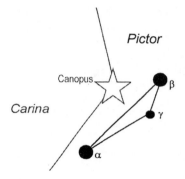

Estrellas más importantes

α de Pictor. Blanca, tipo A. Magnitud: 3,27. Distancia: 56 años luz. Brilla 11 veces más que el Sol.

β de Pictor. Blanca, tipo A. Magnitud: 3,85. Distancia: 62 años luz. Brilla 8 veces más que el Sol.

γ de Pictor. Anaranjada, tipo K. Magnitud: 4,51. Distancia: 250 años luz. Brilla 72 veces más que el Sol.

Otros objetos de interés

El único detalle interesante que se puede agregar a esta constelación es que en el año 1925 comenzó a brillar una nova que llegó a alcanzar la primera magnitud. Luego fue paulatinamente apagándose y hoy es una estrella débil.

PISCES (LOS PECES)

Nombre abreviado: Psc.
Localización: Zodiacal. A.R.: 0,85 horas. Dec.: 11,08°.

Franja de observación: 83° N - 56° S.

Mejor visibilidad: 6 de octubre.

Aproximación: Esta constelación bordea, formando una V, el Cuadrilátero de Pegasus teniendo uno de los extremos en esta constelación y el otro junto a Andrómeda. Sigue el curso de la cabeza de la Ballena (Cetus).

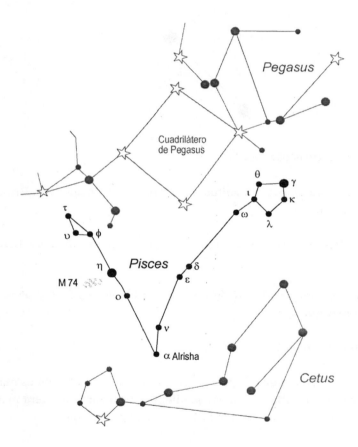

Esta es una constelación construida en la antigüedad; representa a dos peces unidos por la estrella Al Rischa (α de Piscis).

Los griegos nombraban a esta constelación de dos formas: Ichthye e Ichtyes; el primero alude a dos peces en tanto que el segundo, a varios.

Al parecer se relaciona con el mito de Afrodita, que se lanzó con su hijo Eros al río Éufrates, ambos convertidos en peces, para escapar del monstruo Tifón.

Los árabes llamaban a esta constelación Al Samakatain, que también se traduce por «los peces».

Estrellas más importantes

α de Pisces o Alrisha. Del árabe, «los peces». Blanca, tipo A. Magnitud: 4,18. Distancia: 130 años luz. Brilla 22 veces más que el Sol.

γ de Pisces. Anaranjada, tipo K. Magnitud: 3,69. Distancia: 91 años luz. Brilla 60 veces más que el Sol.

δ de Pisces. Anaranjada, tipo K. Magnitud: 4,43. Distancia: 290 años luz. Brilla 105 veces más que el Sol.

ε de Pisces. Anaranjada, tipo K. Magnitud: 4,28. Distancia: 210 años luz. Brilla 65 veces más que el Sol.

η de Pisces. Amarilla, tipo G. Magnitud: 3,62. Distancia: 150 años luz. Brilla 60 veces más que el Sol.

θ de Pisces. Amarilla, tipo G. Magnitud: 4,28. Distancia: 230 años luz. Brilla 80 veces más que el Sol.

ι de Pisces. Blanca amarillenta, tipo F. Magnitud: 4,13. Distancia: 46 años luz. Brilla 4 veces más que el Sol.

κ de Pisces. Blanca, tipo A. Magnitud: 4,90. Distancia: 81 años luz. Brilla 5 veces más que el Sol.

λ de Pisces. Blanca, tipo A. Magnitud: 4,50. Distancia: 86 años luz. Brilla 8,5 veces más que el Sol.

μ de Pisces. Anaranjada, tipo K. Magnitud: 4,84. Distancia: 350 años luz. Brilla 105 veces más que el Sol.

ν **de Pisces.** Anaranjada, tipo K. Magnitud: 4,44. Distancia: 80 años luz. Brilla 95 veces más que el Sol.

o **de Pisces.** Anaranjada, tipo K. Magnitud: 4,26. Distancia: 210 años luz. Brilla 65 veces más que el Sol.

τ **de Pisces.** Anaranjada, tipo K. Magnitud: 4,51. Distancia: 120 años luz. Brilla 16 veces más que el Sol.

υ **de Pisces.** Blanca, tipo A. Magnitud: 4,76. Distancia: 150 años luz. Brilla 22 veces más que el Sol.

φ **de Pisces.** Anaranjada, tipo K. Magnitud: 4,65. Distancia: 250 años luz. Brilla 65 veces más que el Sol.

ω **de Pisces.** Blanca amarillenta, tipo F. Magnitud: 4,01. Distancia: 180 años luz. Brilla 60 veces más que el Sol.

Otros objetos de interés

M74 (NGC 628). Se trata de una galaxia espiral cuya magnitud es 9,4. Es difícil de ver con prismáticos, pero sí que es posible observarla con pequeños telescopios.

El 29 de enero de 2002, el astrónomo aficionado japonés Yoji Hirose, descubrió en esta galaxia una supernova de magnitud 13,7.

Piscis Austrinus (Pez del Sur)

Nombre abreviado: PsA.
Localización: Hemisferio sur. A.R.: 22,29 horas. Dec.: -30,66°.
Franja de observación: 53° N - 90° S.
Mejor visibilidad: 27 de agosto. Se puede observar en primavera en el hemisferio austral y en otoño en el hemisferio boreal.
Aproximación: Prolongando cuatro veces la distancia entre α y β de Pegasus, se llega a Fomalhaut, α Pegasus.

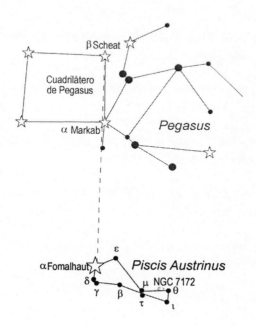

Esta constelación era antiguamente conocida como «Los peces que bebían del Acuario». Se piensa que esta constelación se refiere al dios asirio Dagon así como al dios babilonio Oannes.

ESTRELLAS MÁS IMPORTANTES

α δε Piscis Austrinus o Fomalhaut. Del árabe «Fam al-Hut», «la boca del pez». Blanca, tipo A. Magnitud: 1,16. Distancia: 22 años luz. Brilla 12 veces más que el Sol.

β de Piscis Austrinus. Binaria fija, blanca, tipo A. Magnitud: 4,29. Distancia: 180 años luz. Brilla 45 veces más que el Sol.

γ de Piscis Austrinus. Blanca, tipo A. Magnitud: 4,46. Distancia: 76 años luz. Brilla 45 veces más que el Sol.

δ de Piscis Austrinus. Binaria anaranjada, tipo K, separada y débil. Magnitud: 4,21. Distancia: 200 años luz. Brilla 60 veces más que el Sol.

ε de Piscis Austrinus. Blanca, tipo B. Magnitud: 4,17. Distancia: 240 años luz. Brilla 95 veces más que el Sol.

θ de Piscis Austrinus. Blanca, tipo A. Magnitud: 5,01. Distancia: 360 años luz. Brilla 95 veces más que el Sol.

ι de Piscis Austrinus. Blanca, tipo A. Magnitud: 4,34. Distancia: 80 años luz. Brilla 45 veces más que el Sol.

μ de Piscis Austrinus. Blanca, tipo A. Magnitud: 4,50. Distancia: 110 años luz. Brilla 22 veces más que el Sol.

τ de Piscis Austrinus. Blanca amarillenta, tipo F. Magnitud: 4,92. Distancia: 60 años luz. Brilla 3 veces más que el Sol.

Otros objetos de interés

NGC 7172. Galaxia espiral. Magnitud 11,9.

PUPPIS (POPA)

Nombre abreviado: Pup.
Localización: Hemisferio sur. A.R.: 7,57 horas. Dec.: -39,39°.
Franja de observación: 39° N - 90° S.
Mejor visibilidad: 19 de enero.
Aproximación: Una vez que se ha localizado la constelación de la Quilla y la brillante Canopus, resulta fácil encontrarla. También puede tomarse como referencia el triángulo que forman δ, η y ε del Can Mayor, ya que el vértice que forma η apunta directamente a π de la Popa.

Esta constelación formaba parte, junto con la Quilla, Brújula y Vela, de La Nave de los Argonautas. Nicolás Louis de Lacaille la dividió. En el poema de Apolonio de Rodas, los argonautas eran los hombres que acompañaron a Jasón en la búsqueda del vellocino de oro. Ésta es la piel del carnero alado con piel de oro que salvó a los hijos del rey de Tesalia, Atamante (*ver* Aries).

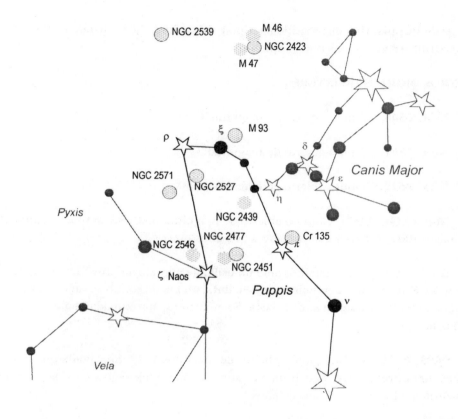

La nave de Jasón tenía cincuenta remos y estaba construida con la madera del roble sagrado de Dodona, regalo de Atenea; tenía el don de la profecía y del habla.

ESTRELLAS MÁS IMPORTANTES

α **de Puppis o Naos.** Blanca tipo O. Magnitud: 2,25.

ξ **de Puppis.** Amarilla, tipo G. Magnitud: 3,34. Distancia: 1.100 años luz. Brilla 4.100 veces más que el Sol.

π **de Puppis.** Anaranjada, tipo K. Magnitud: 2,70. Distancia: 100 años luz. Brilla 125 veces más que el Sol.

ρ de Puppis. Blanca amarillenta, tipo F. Magnitud: 2,68. Distancia: 93 años luz. Brilla 48 veces más que el Sol.

OTROS OBJETOS DE INTERÉS

NGC 2546. Cúmulo abierto de magnitud 6,30.

NGC 2571. Cúmulo abierto de magnitud 7.

NGC 2527. Cúmulo abierto de magnitud 6,50.

M46 (NGC 2437). Cúmulo abierto de magnitud 6,10. Se han localizado en él hasta 500 estrellas y está situado a 500 años luz.

M47 (NGC 2422). Estamos ante un brillante cúmulo abierto cuya magnitud es 4,40. Bajo buenas condiciones de visibilidad, puede ser observado sin necesidad de óptica alguna, a simple vista. Se encuentra, aproximadamente, a 1.600 años luz.

M93 (NGC 2477). Cúmulo abierto de magnitud 6,20. Se calcula que tiene unas 300 estrellas. Las más brillantes son gigantes azules cuya edad se estima que rondan los 100 millones de años.

CR 135. Cúmulo abierto de magnitud 2,10.

NGC 2439. Cúmulo abierto de magnitud 6,90.

NGC 2423. Cúmulo abierto de magnitud 6,70.

PYXIS (BRÚJULA)

Nombre abreviado: Pyx.
Localización: Hemisferio sur. A.R.: 8,93 horas. Dec.: -31,03°.
Franja de observación: 52° N - 90° S.
Mejor visibilidad: 6 de febrero.

Aproximación: Una vez localizadas Puppis o Vela, es muy fácil encontrar las dos estrellas más importantes de Pyxis. Para tener una idea más exacta de su situación, ver el dibujo de la constelación anterior.

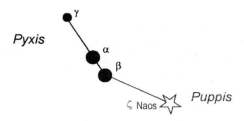

Su nombre original era Pyxis Nautica y formaba parte de La Nave de Argos. Sin embargo no correspondía a una brújula, ya que esta nave no podía tenerla porque aún no había sido inventada; formaba el mástil de la embarcadión. Fue separada por Lacaille.

Estrellas más importantes

α de Pyxis. Blanca, tipo B. Magnitud: 3,68. Distancia: 1.120 años luz. Brilla 3.100 veces más que el Sol.

β de Pyxis. Amarilla, tipo G. Magnitud: 3,97. Distancia: 322 años luz. Brilla 200 veces más que el Sol.

γ de Pyxis. Anaranjada, tipo K. Magnitud: 4,01. Distancia: 99 años luz. Brilla 86 veces más que el Sol.

Reticulum (Retícula)

Nombre abreviado: Ret.
Localización: Circumpolar. Hemisferio sur. A.R.: 3,88 horas. Dec.: -61,15°.
Franja de observación: 23° N - 90° S.
Mejor visibilidad: 19 de noviembre.

Aproximación: Esta constelación se sitúa a medio camino entre Archenar y Canopus. A pesar de ser muy pequeña y de poco brillo, no es difícil de encontrar
ya que su forma es compacta.

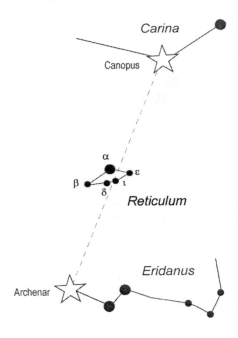

Esta constelación fue creada por Bartsch. Al principio recibió el nombre de
Rombo, pero en 1752 Lacaille la llamó Reticulo Romboidalis (Retículo Róm-
bico), refiriéndose a una malla de hilos muy finos que se colocan en el ocular del
telescopio a fin de realizar mediciones.

ESTRELLAS MÁS IMPORTANTES

α de la retícula. Amarilla, tipo G. Magnitud: 3,35. Distancia: 130 años luz.
Brilla 60 veces más que el Sol.

β de la Retícula. Anaranjada, tipo K. Magnitud: 3,85. Distancia: 65 años luz.
Brilla 9 veces más que el Sol.

δ de la Retícula. Color: rojizo, tipo M. Magnitud: 4,56. Distancia: 440 años luz. Brilla 220 veces más que el Sol.

ε de la Retícula. Anaranjada, tipo K. Magnitud: 4,44. Distancia: 50 años luz. Brilla 3 veces más que el Sol.

OTROS OBJETOS DE INTERÉS

R de la Retícula. Es una variable tipo Mira que no puede ser observada a simple vista.

Con prismáticos, entra en el mismo campo que α y que dos estrellas más débiles: η (6,2) y θ (5,2).

SAGITTA (FLECHA)

Nombre abreviado: Sge.
Localización: Hemisferio norte. A.R.: 19,67 horas. Dec.: 17,81°.
Franja de observación: 90° N - 69° S.
Mejor visibilidad: 17 de julio. Se puede ver esta constelación en otoño y verano en el hemisferio norte y, por lo tanto, durante la primavera y el invierno en el hemisferio sur.
Aproximación: Se encuentra entre Cygnus y Aquila. Resulta bastante fácil de localizar.

Esta constelación se relaciona con muchos mitos.

Algunos opinan que, habiendo salido Hércules de cacería, vio el Águila y el Cisne y decidió abatir a uno de ellos; sin embargo, erró el tiro y la flecha quedó entre ambos.

La mayoría de los autores, sin embargo, la relacionan con el mito de Prometeo quien, por haber regalado el fuego a los hombres, fue condenado a vivir eternamente y a que un buitre le comiera permanentemente las entrañas.

Zeus decretó que sólo si alguien moría en su lugar, quedaría libre de dicho castigo.

Hércules lanzó una flecha y consiguió matar al buitre y, en honor a este hecho, la flecha fue colocada en el cielo.

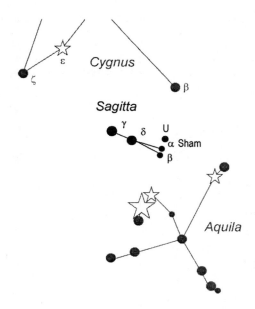

ESTRELLAS MÁS IMPORTANTES

α de Sagitta o Sham. Del árabe «Al-Sahm», «la flecha». Amarilla, tipo G. Magnitud: 4,37. Distancia: 500 años luz. Brilla 350 veces más que el Sol.

β de Sagitta. Anaranjada, K. Magnitud: 4,37. Distancia: 585 años luz. Brilla 450 veces más que el Sol.

γ de Sagitta. Anaranjada, tipo K. Magnitud: 3,47. Distancia: 195 años luz. Brilla 115 veces más que el Sol.

δ de Sagitta. Blanca, tipo A. Magnitud: 3,82. Distancia: 720 años luz. Brilla 1.150 veces más que el Sol.

Y de Sagitta. Es una binaria eclipsante, del tipo Algol. Su magnitud varía entre 6,4 y 9,0, de modo que puede ser vista con prismáticos cuando se encuentra próxima a su máximo.

Otros objetos de interés

M71 (NGC 6838). Cúmulo globular que se encuentra entre δ y γ de Sagitta. Su magnitud es de sólo 9, de manera que puede verse con prismáticos pero no a simple vista.

Los astrónomos estiman que se encuentra, aproximadamente, a 18.000 años luz.

Sagittarius (Sagitario)

Nombre abreviado: Sgr.
Localización: Zodiacal. A.R.: 19,11 horas. Dec.: -25.77°.
Franja de observación: 44° N - 90° S.
Mejor visibilidad: 14 de julio. Durante el verano y el otoño del hemisferio norte tiene buena visibilidad.
Aproximación: Está hacia el centro de la Vía Láctea. Se puede abordar, desde el hemisferio norte, mirando hacia el horizonte sur, ya que se encuentra muy próxima a éste. Prolongando la cola del Escorpión, podemos llegar enseguida a Sagitario.

El mito que da origen a esta constelación es incierto. Algunos opinan que está asociada a Quirón, un centauro relacionado con la medicina y la música, que gozaba de excelente puntería.

Sin embargo, hay quienes opinan que este vínculo nace de la idea de que Quirón identificó esta constelación en el cielo y la utilizó para guiar a los Argonautas en su viaje a Tesalia.

Otros ven en ella un arquero sobre una barca y aseguran que no es un centauro puesto que, en esa construcción, no tiene cuatro patas. De manera que lo identifican entonces con Croto, hijo de Eufeme y de Pan, esto es, uno de los sátiros.

Eufeme era la cuidadora de las Musas y fueron éstas quienes le enseñaron el arte del tiro con arco.

Cuenta la leyenda que, ensalzando a las musas inventó el aplauso, ganando con ello una gran reputación. Las musas, agradecidas, pidieron a Zeus que la dignificase y él la colocó en el cielo.

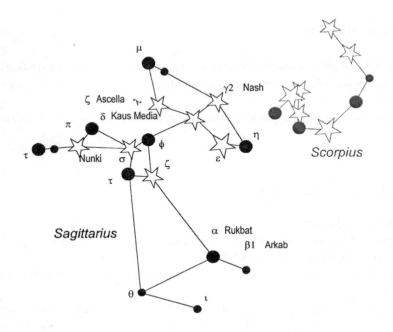

ESTRELLAS MÁS IMPORTANTES

α de Sagittarius o Rukbat. Del árabe «Ar-Rukbah», «la rodilla». Blanca, tipo B. Magnitud: 3,97. Distancia: 250 años luz. Brilla 50 veces más que el Sol.

β de Sagittarius o Arkab. Del árabe «Al-'Urqub», «tendón del talón». Blanca, tipo B. Son dos estrellas vecinas: Arkab Prior y Arkab Posterior, visibles a partir de los 44° de latitud norte y en el hemisferio sur, a simple vista. Magnitud: 4,01 y 4,29. Distancia: 130 y 110 años luz. Brillan 30 y 17 veces más que el Sol, respectivamente.

γ de Sagittarius o Alnasel. Del árabe «Al-Qaus», «An-Nasl», «la punta de la flecha». Gigante amarilla, tipo K. Magnitud: 2,99. Distancia: 125 años luz. Brilla 85 veces más que el Sol.

δ de Sagittarius o Kaus Media. Del árabe «Al-Qaus», «la media del arco». Anaranjada, tipo K. Magnitud: 2,70. Distancia: 85 años luz. Brilla 60 veces más que el Sol.

ε de Sagittarius o Kaus Australis. Nombre que proviene del árabe «Al-Qaus», «la septentrional del arco». Blanca, tipo A. Magnitud: 1,85. Distancia: 125 años luz. Brilla 250 veces más que el Sol. Está en su meridiano el 30 de junio a medianoche.

ζ de Sagittarius o Acella. Del latín, «ascila». Blanca, tipo A. Magnitud: 2,60. Distancia: 82 años luz. Brilla 45 veces más que el Sol.

η de Sagittarius. Roja anaranjada. Magnitud: 3,05. Distancia: 72 años luz. Brilla 720 veces más que el Sol.

λ de Sagittarius o Kaus Borealis. Del árabe «Al-Qaus», «la boreal del arco». Gigante naranja, tipo K. Magnitud: 2,81. Distancia: 90 años luz. Brilla 30 veces más que el Sol.

μ de Sagittarius. Blanca, tipo B. Magitud: 3,80. Distancia: 5.000 años luz. Brilla 55.000 veces más que el Sol.

ξ de Sagittarius. Anaranjada. Magnitud: 3,51. Distancia: 160 años luz. Brilla 80 veces más que el Sol. Tiene una compañera de magnitud 5,08.

ρ1 de Sagittarius. Blanca, tipo A. Magnitud: 3,93. Distancia: 78 años luz. Brilla 16 veces más que el Sol.

π de Sagittarius. Blanca amarillenta, tipo F. Magnitud: 2,89. Distancia: 310 años luz. Brilla 500 veces más que el Sol.

τ de Sagittarius. Anaranjada, tipo K. Magnitud: 3,32. Distancia: 74 años luz. Brilla 80 veces más que el Sol.

σ de Sagittarius o Nunki. Palabra de origen babilónico; se cree que es un nombre propio ya que no tiene traducción conocida. Blanca, tipo B. Magnitud: 2,02. Distancia: 210 años luz. Brilla 500 veces más que el Sol.

φ de Sagittarius. Blanca, tipo B. Magnitud: 3,17. Distancia: 240 años luz. Brilla 240 veces más que el Sol.

OTROS OBJETOS DE INTERÉS

En esta zona existen numerosos cúmulos, tanto abiertos como globulares. Es una zona del cielo muy densa, que presenta muchos objetos interesantes. En la figura siguiente se muestra la localización de los objetos Messier.

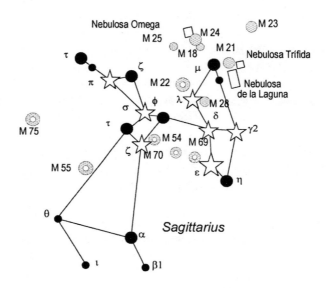

M8 (NGC 6523) o Nebulosa de la Laguna. Nebulosa difusa que se encuentra próxima a Kaus Borealis y puede ser vista con prismáticos. Se estima que está a 5.000 años luz. Su magnitud visual es de 5,2. Tiene zonas oscuras llamadas glóbulos en las cuales hay nubes protoestelares que están colapsándose.

M17 (NGC 6618), también llamada **Nebulosa Omega, Nebulosa del Cisne o Nebulosa de la Herradura.** Es una enorme nube de polvo y gas en la que se están formando constantemente estrellas. Se puede localizar buscando primero γ de Scutum y es visible con prismáticos.

M18 (NGC 6613). Cúmulo abierto de magnitud 7,5. Está a una distancia que oscila, según diversos autores, entre 2.000 y 9.000 años luz. Tiene una edad estimada en 32 millones de años.

M20 (NGC 6514) o Nebulosa Trífida. Nebulosa difusa de magnitud 5. Se encuentra a una distancia comprendida entre los 2.200 y los 6.000 años luz. Recibe este nombre porque tiene tres lógulos gaseosos separados por líneas oscuras de polvo. Es, a la vez, una nebulosa de emisión y de reflexión. En su centro hay cúmulos de estrellas jóvenes. Se puede localizar a 2° al noroeste de la enorme Nebulosa de la Laguna.

M21 (NGC 6531). Cúmulo abierto de magnitud visual 6,5. Está situada a algo más de 4.000 años luz de distancia. La mayoría de sus estrellas más brillantes son gigantes espectrales tipo B, de lo que se deduce que es un cúmulo joven. Se encuentra próximo a μ. Partiendo de esta estrella, se pueden localizar los demás cúmulos de la zona: M25, M17, M21, M20 y M8. Se aconseja mirar el esquema para no confundir unos con otros.

M22 (NGC 6656). Cúmulo globular de magnitud 5,1. A una distancia de 10.400 años luz, es uno de los más cercanos. El satélite de infrarrojos IRAS ha descubierto en él una nebulosa planetaria débil. Este cúmulo es visible a simple vista; está compuesto por unas 70.000 estrellas, de las cuales 32 son variables.

M23 (NGC 6494). Cúmulo abierto de magnitud 6,9, situado a unos 2.100 años luz. Algunos autores lo consideran uno de los cúmulos abiertos más viejos.

M24 (NGC 6603). No es exactamente un cúmulo sino una enorme nube de estrellas en la Vía Láctea. Forma parte de uno de los brazos espirales de nuestra galaxia. Su magnitud visual es 4,6 y está a una distancia de 10.000 años luz. Es visible a simple vista y puede ser localizada como una nube dentro de la Vía Láctea, al norte de Sagittarius. Contiene en su interior diversos cúmulos propiamente dichos.

M25 (IC 4725). Cúmulo abierto de magnitud 6,5. Su distancia es de 2.000 años luz. Entre sus más de 80 miembros se pueden observar dos gigantes tipo M, dos gigantes tipo G y la variable cefeida U de Sagittarius.

M28 (NGC 6626). Cúmulo globular de magnitud 6,8. Su forma es ligeramente elíptica. En 1987 se ha decubierto en él un púlsar, el segundo hallado en un cúmulo globular.

M54 (NGC 6715). Cúmulo globular de magnitud 7,6. Es relativamente concentrado. Su centro es intensamente brillante. En este cúmulo se hallan, al menos, 82 estrellas variables, la mayoría son de tipo RR Lyra. Está a una distancia comprendida entre los 50.000 y 65.000 años luz.

M55 (NGC 6809). Cúmulo globular que está a 17.300 años luz de distancia. Su magnitud es 6,3.

M69 (NGC 6637). Cúmulo globular de magnitud 7,6. Está a una distancia de 29.700 años luz. Es bastante pobre.

M70 (NGC 6681). Cúmulo globular de magnitud visual: 7,9. Se encuentra a 29.300 años luz de distancia. Su centro es muy denso. En 1995 este cúmulo se hizo más conocido cuando Alan Hale y Thomas Bopp descubrieron en su proximidad el cometa Hale-Bopp.

M75 (NGC 6864). Es uno de los cúmulos globulares más compactos y concentrados. Tiene una magnitud visual de 8,5 y se encuentra a 67.500 años luz de distancia; es decir, es uno de los objetos Messier más alejados del Sistema Solar. Es unas 180.000 veces más brillante que el Sol.

La tetera. Asterismo formado por σ, ι, ζ y ϕ, en el asa. El pico lo forman δ, γ y ε y la tapa, λ. Las nubes de estrellas que se observan en la constelación de Sagitario indican la dirección al centro de la galaxia.

Scorpius (Escorpión)

Nombre abreviado: Sco.
Localización: Zodiacal. A.R.: 16,99 horas. Dec.: -37,17°.
Franja de observación: 44° N - 90° S.
Mejor visibilidad: 7 de junio.
Aproximación: Desde el hemisferio norte, esta constelación es fácil de localizar porque está situada a nivel del horizonte sur. Para su localización se puede trazar una línea que pase por la Polar y por β de Hercules para llegar a α de Scorpius.

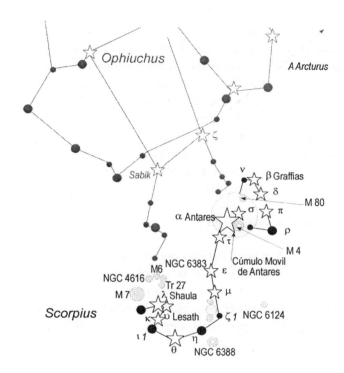

Es natural que la constelación del Escorpión haya sido conocida en la antigüedad por las más diversas culturas; la gran luminosidad de sus estrellas y la forma tan definida que presenta, ha permitido que muchos pueblos hayan visto en ella al arácnido.

En algunos kudurrus sumerios (mojones grabados en piedra), entre los cuales el más antiguo data de la época de Nebuchadnezar (1124-1103 a. C.), se puede ver la representación de diferentes dioses relacionados con estrellas o planetas; entre ellos hay un hombre-escorpión, guardián del inframundo. También está Nusku, el escorpión del lecho conyugal de Ishkhara, la diosa del amor y la fertilidad. Para los polinesios, esta constelación se relaciona con el héroe Maui quien, después de muchas viscisitudes, se apodera de la pinza de su antepasada divina Muri-Ranga y se fabrica con ella un arma invencible. Cierto día, se esconde tras la puerta por la que todas las mañanas sale el Sol y lo ataca usando su arma como garrote. A partir de entonces, el Sol queda tan maltrecho que se ve obligado a recorrer el cielo con lentitud.

La pinza le sirve, además, para otros propósitos: hace con ella un anzuelo mágico y cuando intenta pescar con él, atrapa un enorme pedazo de tierra que, al tirar, se desprende dando lugar así a la formación de Nueva Zelanda y las islas vecinas. En esa oportunidad, el anzuelo sale despedido violentamente y adquiere tal velocidad que llega al cielo formando la conocida constelación.

En la mitología griega el Escorpión se relaciona con Orión (ver en esta constelación la explicación del mito).

También los mayas y aztecas han visto en esta constelación un escorpión; se han encontrado representaciones de este animal junto a la tortuga y la serpiente, otras constelaciones zodiacales.

ESTRELLAS MÁS IMPORTANTES

α de Scorpius o Antares. Palabra que se traduce como «anti-Ares», «rival de Marte». Supergigante de color roja variable, tipo M. Magnitud: 0,88. Distancia: 520 años luz. Brilla 9.000 veces más que el Sol. Los árabes la llamaron «Albalacrab», «el corazón del escorpión». También fue conocida por «la que iguala a Marte», debido a que su color es muy similar al del planeta. Está en su meridiano el 30 de mayo a medianoche.

β de Scorpius o Graffias. Doble con una componente blanca y otra azul verdoso. Magnitudes: 2,55 y 4,92. Distancia: 630 y 990 años luz. Brillan 2.000 y 785 veces más que el Sol respectivamente.

δ de Scorpius. Blanca, tipo B. Magnitud: 2,32. Distancia: 630 años luz. Brilla 3.450 veces más que el Sol.

ε de Scorpius. Anaranjada, tipo K. Magnitud: 2,29. Distancia: 98 años luz. Brilla 86 veces más que el Sol.

ζ de Scorpius. Anaranjada, tipo K. Magnitud: 3,62. Distancia: 200 años luz. Brilla 104 veces más que el Sol.

η de Scorpius. Este es un sistema cuádruple formado por dos pares de estrellas. Todas de color blanco, tipo B. Magnitud: 4,01. Distancia: 110 años luz. Brilla 1.040 veces más que el Sol.

θ de Scorpius. Blanca amarillenta, tipo F. Magnitud: 1,87 años luz. Brilla Distancia: 1.000 años luz. Brilla 13.500 veces más que el Sol.

ι1 de Scorpius. Blanca amarillenta, tipo F. Magnitud: 3,03. Distancia: 6.300 años luz. Brilla 180.000 veces más que el Sol.

κ de Scorpius. Blanca, tipo B. Magnitud: 2,41. Distancia: 390 años luz. Brilla 1.250 veces más que el Sol.

λ de Scorpius o Shaula. Su nombre proviene del árabe «Ash-Shaulah», «la cola elevada del escorpión». Blanca, tipo B. Magnitud: 1,62. Distancia: 280 años luz. Brilla 1.250 veces más que el Sol.

μ1 de Scorpius. Blanca, tipo B. Magnitud: 2,94. Distancia: 530 años luz. Brilla 1.250 veces más que el Sol. Tiene una compañera, de magnitud 3,57.

ν de Scorpius. Blanca, tipo B. Magnitud: 4,01. Distancia: 110 años luz. Brilla 1.040 veces más que el Sol.

π de Scorpius. Blanca, tipo B. Magnitud: 2,89. Distancia: 620 años luz. Brilla 2.000 veces más que el Sol.

ρ de Scorpius. Blanca, tipo B. Magnitud: 3,88. Distancia: 620 años luz. Brilla 785 veces más que el Sol.

σ de Scorpius. Blanca, tipo B. Magnitud: 2,86. Distancia: 940 años luz. Brilla 4.500 veces más que el Sol.

OTROS OBJETOS DE INTERÉS

En esta constelación hay muchos cúmulos abiertos y globulares, algunos catalogados por Charles Messier. Entre los más importantes, se pueden citar:

M4 (NGC 6121). Cúmulo globular con una magnitud visual de 5,6. A 7.200 años luz de distancia, es uno de los más cercanos. En las noches sin Luna y con cielo despejado, puede ser detectado a simple vista y si se utilizan prismáticos, es fácil de localizar. Una de las características importantes de este cúmulo es que su centro presenta una estructura barrada constituida por estrellas de magnitud 11. Si no fuera por las nubes de polvo interestelar que se hallan en él, sería sin duda uno de los cúmulos globulares más espectaculares. De él también puede decirse que es uno de los más abiertos. La forma de localizarlo es buscar a 1,3° al oeste de Antares, la brillante a Scorpius.

M6 (NGC 6405) o Cúmulo de la Mariposa. Cúmulo abierto de magnitud 4, cercano a la cola del Escorpión. Su forma recuerda a la de una mariposa con las alas desplegadas. Se han identificado en él unos 80 miembros. Sus estrellas más brillantes son gigantes anaranjadas o amarillas.

M7 (NGC 6475) o Cúmulo de Ptolomeo. Este cúmulo abierto, grande y brillante, puede ser perfectamente observado sin ninguna óptica. Hacia el año 130 a. C. fue mencionado por Ptolomeo como «nebulosa que sigue al aguijón del escorpión». Tiene una magnitud visual de 4,1 y se encuentra a una distancia aproximada de 1.000 años luz. Se está aproximando a una velocidad de 14 kilómetros por segundo.

M80 (NGC6093). Brillante cúmulo globular próximo a β Escorpii, de magnitud 7,3. Se estima que tiene una edad de 12 o 13 billones de años, con lo que sería relativamente viejo. Sus estrellas están tan próximas entre sí que los astrónomos opinan que desde su formación ha habido en él alrededor de 2.700 colisiones estelares. En su núcleo, este cúmulo contiene numerosas «blue-stragglers» o «desbocadas azules». Se denominan así ciertas estrellas descubiertas en épocas recientes que, a pesar de encontrarse en cúmulos viejos cuya actividad cesó hace tiempo, son azules y jóvenes.

Respecto a su origen, hay quienes piensan que se trata de estrellas nuevas que se están formando después de períodos de inactividad en el cúmulo, pero también quienes consideran que podría tratarse del rejuvenecimiento de viejas estrellas.

M80 puede ser fácilmente localizado ya que se encuentra casi exactamente a medio camino entre Antares (α Scorpii) y Graffias (β Scorpii).

Cr 302 o Cúmulo Móvil de Antares. Nebulosa rojiza que rodea a Scorpii, de magnitud 1. Está compuesta de gas y polvo.

NGC 6281. Cúmulo abierto asociado a una nebulosa, de magnitud aparente 5,4. Está próximo a μ Scorpii.

NGC 6242. Cúmulo abierto, también cercano a μ Scorpii, de magnitud 10, razón por la cual no es posible localizarlo sin la óptica adecuada.

NGC 6268. Cúmulo abierto de magnitud 10, próximo a μ Scorpii.

NGC 6388. Cúmulo globular a unos 35.000 años luz de distancia, que se encuentra próximo a θ de Escorpio.

SCULPTOR (ESCULTOR)

Nombre abreviado: Scl.
Localización: Hemisferio sur. A.R.: 0,50 horas. Dec.: -32,35°.
Franja de observación: 50° N - 90° S.
Mejor visibilidad: 29 de septiembre.
Aproximación: Duplicando la distancia entre ε y α (Fomalhaut) de Piscis Austrinus, se llega a γ de Sculptor.

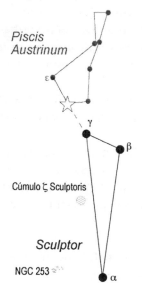

El nombre original que recibió esta constelación fue Taller del Escultor. Se halla, en parte, en el lugar de la antigua constelación del Agua, de Arato. Tal y como hoy se conoce fue creada por Nicolás Louis de Lacaille.

Estrellas más importantes

α de Sculptor. Blanca, tipo B. Magnitud: 4,31.

β de Sculptor. Blanca, tipo B. Magnitud: 4,37.

γ de Sculptor. Anaranjada, tipo K. Magnitud: 4,41.

ζ de Sculptor. Blanca, tipo B. Magnitud: 6,01.

Otros objetos de interés

Cúmulo ζ Sculptoris. Cúmulo abierto de magnitud 4,50.

NGC 53. Galaxia espiral. Es la más brillante del llamado Grupo Sculptor que gira en torno al polo sur galáctico. Este grupo posiblemente sea el más próximo al Grupo Local de galaxias. Su magnitud visual aproximada es 7,1. Sus brazos forman un halo elíptico, que rodea su centro brillante. Observada con telescopio, presenta en su centro puntos brillantes, no se trata de elementos que pertenezcan a la misma, sino de estrellas que están entre la galaxia y la Tierra.

NGC 55. Galaxia espiral localizada a unos 10° de la anterior, de magnitud 8. Se puede localizar fácilmente partiendo de α Phoenicis ya que se encuentra a 4° al noroeste de dicha estrella.

Al igual que en la anterior, se detectan varias estrellas en su superficie pero, sin embargo, no pertenecen a esa galaxia. Su centro es brillante pero los brazos son muy tenues, de manera que es aconsejable observarla con pocos aumentos de modo que entre en el mismo campo parte del fondo a fin de que su oscuridad sirva de contraste.

NGC 300, NGC 7793 y NGC 134. También en esta constelación, son mucho más tenues que las anteriores.

SCUTUM (ESCUDO)

Nombre abreviado: Sct.

Localización: Ecuatorial. A.R.: 18,67 horas. Dec.: -10,30°.

Franja de observación: 74° N - 90° S.

Mejor visibilidad: 3 de julio. Como está sobre el ecuador, es bien visible desde ambos hemisferios.

Aproximación: Duplicando la longitud de la línea que une Tarazed (α Aqu) y δ Aqu, se llega a β de Scutum.

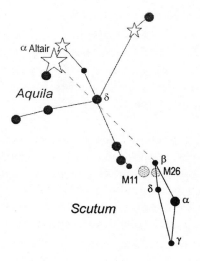

Antiguamente, esta constelación formaba parte del Águila. En 1687 Hevelius la rebautizó con el nombre de Scutum Sobiesci (Escudo de Sobieski), en honor al brillante militar, de origen polaco, Jan Sobieski, quien peleó contra los turcos. Una vez derrotados, se presentó como candidato a la sucesión del trono y fue electo en el mes de mayo de 1674. Asumió el nombre de Jan III. Hoy, la constelación se conoce con el nombre de Escudo.

ESTRELLAS MÁS IMPORTANTES

α de Scutum. Anaranjada, tipo K. Magnitud: 3,85. Distancia: 210 años luz. Brilla 95 veces más que el Sol.

β de Scutum. Amarilla, tipo G. Magnitud: 4,22. Distancia: 600 años luz. Brilla 550 veces más que el Sol.

γ de Scutum. Blanca, tipo A. Magnitud: 4,70. Distancia: 150 años luz. Brilla 22 veces más que el Sol.

δ de Scutum. Variable pulsante de período corto. Blanca amarillenta, tipo F. Magnitud: 4,60. Distancia: 160 años luz. Brilla 24 veces más que el Sol.

OTROS OBJETOS DE INTERÉS

M11 (NGC 6705) o Cúmulo de los Patos Salvajes. Cúmulo abierto en una brillante región de la Vía Láctea que, visto por telescopio, asemeja a una bandada de patos. Es uno de los más ricos y compactos de la galaxia. Tiene una magnitud de 5,80, está a 5.500 años luz y en las noches despejadas puede ser visto a simple vista. Contiene varios centenares de estrellas.

M26 (NGC 6694). Cúmulo abierto que se encuentra en el mismo campo que δ Scu. Es imposible verlo sin óptica y no resulta demasiado fácil de localizar con prismáticos. Su estrella más brillante, de tipo espectral B, tiene una magnitud de 11,9.

R de Scutum. Variable del poco frecuente tipo RV Tauri. Tiene un período primario de, aproximadamente, 140 días, pero que no es constante. La estrella parece oscilar siguiendo dos períodos superpuestos y en su máximo, puede llegar a ser 8.000 veces más luminosa que el Sol. A través de prismáticos de X7, se encuentra en el mismo campo que el cúmulo M11.

SERPENS (SERPIENTE)

Nombre abreviado: Ser.
Localización: Ecuatorial. A.R.: 15,71 horas. Dec.: 9,07°.
Franja de observación: 74° N - 64° S.
Mejor visibilidad: La cabeza de la serpiente, en mayo; ahora bien, la cola, en junio.

Aproximación: Esta constelación está dividida en dos por Ophiuchus, de modo que esa será la mejor referencia para localizarla.

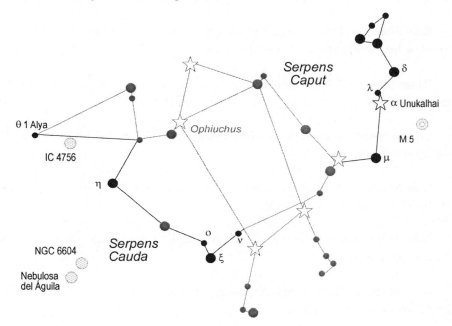

Consta de dos partes: La Cabeza (Caput), que contiene la estrella principal, α, y La Cola (Cauda).

Esta antigua constelación se relaciona con el mito de Ofiuco; la Serpiente es el animal que revela los secretos al Serpentario, que le enseña a resucitar a los difuntos. Simboliza el veneno, que tan pronto puede curar como matar.

Estrellas más importantes

α de Serpens o Unukalhai. Del árabe «Unuq al-Hayyah», «el cuello de la serpiente». Anaranjada, tipo K. Magnitud: 2,65. Distancia: 67 años luz. Brilla 29 veces más que el Sol.

β de Serpens. Estrella binaria difícil de resolver debido al intenso brillo de la primaria y la debilidad de la secundaria. La primera es una estrella blanca, tipo A. Magnitud: 3,67. Distancia: 80 años luz. Brilla 45 veces más que el Sol.

γ de Serpens. Amarilla, tipo G. Magnitud: 3,85. Distancia: 40 años luz. Brilla 3 veces más que el Sol.

δ de Serpens. Doble blanca amarillenta, tipo F. Magnitud: 3,80. Distancia: 86 años luz. Brilla 16 veces más que el Sol.

θ1 de Serpens o Alya. Binaria con dos blancas tipo A. Magnitud: 4,61. Distancia: 110 años luz. Brillan 11 veces más que el Sol.

ι de Serpens. Blanca, tipo A. Magnitud: 4,52. Distancia: 150 años luz. Brilla 26 veces más que el Sol.

κ de Serpens. Anaranjada, tipo K. Magnitud: 4,09. Distancia: 270 años luz. Brilla 125 veces más que el Sol.

λ de Serpens. Amarilla, tipo G. Magnitud: 4,43. Distancia: 35 años luz. Brilla 2 veces más que el Sol.

μ de Serpens. Blanca, tipo A. Magnitud: 3,53. Distancia: 130 años luz. Brilla 45 veces más que el Sol.

ν de Serpens. Anaranjada, tipo K. Magnitud: 3,34. Distancia: 140 años luz. Brilla 26 veces más que el Sol.

ξ de Serpens. Blanca, tipo A. Magnitud: 3,54. Distancia: 110 años luz. Brilla 16 veces más que el Sol.

o de Serpens. Blanca, tipo A. Magnitud: 4,26. Distancia: 120 años luz. Brilla 22 veces más que el Sol.

Otros objetos de interés

M5 (NGC 9504). Cúmulo globular compuesto por estrellas relativamente brillantes, casi al alcance del ojo humano. Tiene una forma alargada, más bien elíptica. Se cree que es uno de los cúmulos globulares más viejos ya que se le adjudica una edad de 13 billones de años. Se encuentra a una distancia de

24.500 años luz y contiene un número elevado de estrellas variables; de momento se conocen en él 105. Se está alejando de nuestro sistema a una velocidad de 52 kilómetros por segundo.

M16 (NGC 6611) y Nebulosa del Águila. Cúmulo galáctico combinado con una nebulosa de emisión. Su magnitud es 6,4 y se encuentra, aproximadamente, a 7.000 años luz. Está sobre el siguiente brazo interior de la Vía Láctea. El cúmulo estelar se ha formado a partir de la nube de gas y polvo conocida con el nombre de nebulosa del Águila. En ella, aún hay zonas activas de formación de estrellas. En esa zona se pueden encontrar varias de tipo espectral O, muy jóvenes y calientes. Para localizar este cúmulo lo mejor que podemos hacer es partir de γ Scutii, la gigante blanca de magnitud 4,70; M 16 está a 2,5° de esta estrella. Para ver sus detalles, que son interesantes, es necesario contar con un telescopio, aunque sea de poca potencia. Este es uno de los cúmulos favoritos de los fotógrafos.

NGC 6604. Cúmulo abierto de magnitud 6.5.

SEXTANS (SEXTANTE)

Nombre abreviado: Sex.
Localización: Ecuatorial. A.R.: 10,26 horas. Dec.: -2,41°.
Franja de observación: 78° N - 83° S.
Mejor visibilidad: 25 de febrero.
Aproximación: La estrella más brillante de esta constelación, forma un triángulo con Alphard y Régulo.

Su nombre original era Sextans Uraniae, haciendo referencia a Urania, la musa de la astronomía. Fue diseñada por Hevelius. Esta constelación comprende el polo norte galáctico.

ESTRELLAS MÁS IMPORTANTES

α de Sextans. Blanca, tipo A. Magnitud: 4,49. Distancia: 340 años luz. Brilla 135 veces más que el Sol.

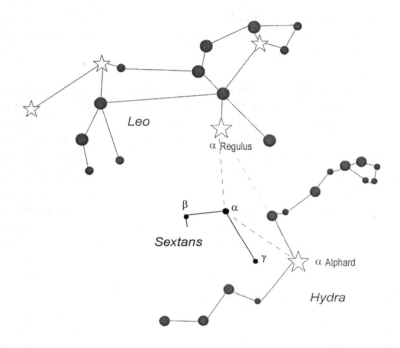

β de Sextans. Blanca, tipo B. Magnitud: 5,09. Distancia: 514 años luz. Brilla 180 veces más que el Sol.

γ de Sextans. Blanca, tipo A. Magnitud: 5,05. Distancia: 195 años luz. Brilla 26 veces más que el Sol.

TAURUS (TAURO)

Nombre abreviado: Tau.
Localización: Zodiacal. A.R.: 4,27 horas. Dec.: 18,87°.
Franja de observación: 88° N - 58° S.
Mejor visibilidad: 24 de noviembre.
Aproximación: Trazando la línea que une Capella con ι de Auriga y luego duplicándola, se llega aproximadamente a una estrella rojiza, brillante: Aldebarán o α Taurii.

El origen de esta constelación se encuentra en Mesopotamia, aunque lo más probable es que ya fuera conocida por pueblos más antiguos. La imagen representa, básicamente, la cabeza de un toro astado, que luce en su cornamenta la brillante y roja Aldebarán.

Hay un grupo de estrellas, las Pléyades, que hoy forman parte de Tauro, pero que antes eran consideradas como un asterismo independiente.

En la frente del toro están las Híades, un cúmulo abierto claramente visible.

Eratóstenes, identifica a esta constelación con varios toros mitológicos sin dedicarla a ninguno de ellos. Según algunos autores, esto indicaría un posible origen extranjero de la constelación.

Uno de los mitos al cual la asocia Eratóstenes es el rapto de Europa, la hija de Agenor, rey de Tiro. Mientras la princesa jugaba en la playa con unas amigas, Zeus la vio y se enamoró de ella. Para no despertar las sospechas de las muchachas y a fin de que se acercaran a él, se transformó en un hermoso toro blanco, con los cuernos en forma de medialuna. Una vez que Europa se sentó en su lomo, Zeus echó a correr en dirección a Creta. Allí, en la ciudad de Gortina, el dios y la princesa se casaron en un bosquecito de sauces que, según el mito, no volvieron a perder sus hojas.

Otro de los mitos a los que alude Eratóstenes es el de Ío, hija del dios fluvial Ínaco y de Melia. La joven era una de las sacerdotisas de Hera y por mediación de los hechizos de Iinge, hija de Eco, Zeus se enamoró perdidamente de ella. Conociendo los terribles celos de su esposa, después de haberse unido a la muchacha Zeus la transformó en vaca, pero Hera no cayó en el engaño y pidió a su marido que se la regalara. Una vez que la tuvo en su poder, la puso bajo la custodia de Argos Panoptes, el gigante de los 100 ojos. Zeus encargó a Hermes su liberación y, al enterarse Hera de que la joven había escapado, mandó un tábano para que molestara constantemente a la vaca. En su huida, Ío llegó a Egipto y allí Zeus le devolvió su forma humana. Debido a la relación con este mito, muchos han vinculado la constelación con el buey Apis, sagrado para los egipcios. El cúmulo de las Híades fue conocido por los griegos antes de la constelación de Tauro; tanto Homero como Hesíodo hacen referencia a éste y a las Pléyades, que eran hermanas, en cambio no así a Tauro.

Los griegos incluían en las Híades a Aldebarán, que más tarde formaría el ojo del toro, en tanto que las estrellas del cúmulo formarían el hocico. Al parecer, su nombre significa «hacedoras de lluvia» o «lluviosas»; en la antigüedad, su aparición marcaba el comienzo de la estación de las lluvias.

Los romanos veían en estas estrellas unos cerditos. Lo que sugiere el origen mesopotámico de Tauro es su aparición en las tablas de Mul-Apin. Es una de las 18 constelaciones zodiacales que registra este autor y lo hace bajo el nombre de Gud-an-na, en sumerio «el toro celeste» o «el toro de An».

Una de las referencias más antiguas de esta constelación aparece en Gilgamesh y el Toro Celeste, que se remonta a la II Dinastía de Ur (2100-200 a. C.). La Epopeya narra cómo Gilgamesh mata, con su amigo Enkidu, al gigante Humbala. Ante su heroico acto, la diosa Innana cae rendida de amor a sus pies, pero Gilgamesh la rechaza. Herida en su amor propio, ella pide a An, su padre, que ordene al toro celeste que castigue a Gilgamesh.

El dios accede a la petición de su hija y da vida a la constelación, que provoca el pánico y causa grandes estragos en la ciudad de Uruk. Finalmente, Gilgamesh y Enkidu le dan muerte.

Hay autores que sugieren un origen más antiguo para esta constelación; la relacionan con las pinturas rupestres de las cuevas de Altamira y de Lascaux.

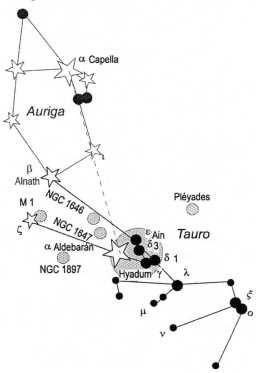

Estrellas más importantes

α de Tauro o Aldebarán. Del árabe «Ad-Dabaran», «seguidor» de las Pléyades. Gigante roja anaranjada, tipo K. Magnitud: 0,80. Distancia: 65 años luz. Brilla 137 veces más que el Sol. Tiene una compañera de magnitud 13,6. Por su posición, es ocultada por la Luna.

β de Tauro o Alnath. Del árabe «Al Nath», «el cuerno que embiste». Gigante blanca azulada, tipo B. Magnitud: 1,65. Distancia: 150 años luz. Brilla 344 veces más que el Sol. En un par de millones de años, se convertirá en una gigante anaranjada.

γ de Tauro o Hyadum. Anaranjada, tipo K. Magnitud: 3,65. Distancia: 160 años luz. Brilla 65 veces más que el Sol.

δ1 de Tauro. Anaranjada, tipo K. Magnitud: 3,76. Distancia: 170 años luz. Brilla 65 veces más que el Sol.

δ3 de Tauro. Blanca, tipo A. Magnitud: 4,29. Distancia: 120 años luz. Brilla 22 veces más que el Sol.

ε de Tauro o Ain. Del árabe, «'Ain», «ojo» del toro. Gigante binaria anaranjada, tipo K. Magnitud: 3,53. Distancia: 150 años luz. Brilla 65 veces más que el Sol. Su compañera tiene magnitud 10,6.

ζ de Tauro. Gigante azul, tipo B. Magnitud: 2,90. Distancia: 520 años luz. Brilla 1.250 veces más que el Sol. Tiene, como característica, una velocidad de rotación sumamente alta: más de 300 kilómetros por segundo. Para tener una idea de lo que ello significa, basta pensar que el Sol, que es cinco veces más pequeño, tarda 25 días en completar su rotación.

λ de Tauro. Binaria blanca eclipsando tipo Algol y tipo espectral B. Magnitud: 3,40. Distancia: 1.600 años luz. Brilla 8.050 veces más que el Sol.

μ de Tauro. Blanca, tipo B. Magnitud: 4,29. Distancia: 510 años luz. Brilla 377 veces más que el Sol.

ν de Tauro. Blanca, tipo A. Magnitud: 3,91. Distancia: 110 años luz. Brilla 26 veces más que el Sol.

ξ de Tauro. Blanca, tipo B. Magnitud: 3,74. Distancia: 190 años luz. Brilla 87 veces más que el Sol.

o de Tauro. Amarilla, tipo G. Magnitud: 3,60. Distancia: 150 años luz. Brilla 60 veces más que el Sol.

OTROS OBJETOS DE INTERÉS

NGC 1807. Cúmulo abierto de magnitud 7,0. Está compuesto de unas 15 estrellas que van de la magnitud 8 a la 9.

NGC 1646. Cúmulo abierto de magnitud 6,1. Tiene alrededor de 20 estrellas y las más brillantes tienen magnitud 8.

NGC 1647. Cúmulo abierto de magnitud 6,4. Está compuesto por unas 200 estrellas, algunas de las cuales son binarias.

M1 (NGC 1952) o Nebulosa del Cangrejo. Restos de una supernova. Su explosión fue registrada por los chinos en el año 1054 d. C. y, según los registros, su brillo alcanzó al de cuatro veces el de Venus. La luminosidad alcanzada fue tal que durante 23 días fue visible día y noche; luego, durante 653 días más, sólo por la noche, al cabo de los cuales desapareció. Este fue, al parecer, el objeto que impulsó a Charles Messier a construir su catálogo.

Hoy, 900 años después, se sigue expandiendo a una velocidad de 1.800 kilómetros por segundo. Esta nebulosa aún daría otra sorpresa: en noviembre de 1968 se detectó en ella un púlsar que gira a la increíble velocidad de 30 veces por segundo. Sólo un objeto muy pequeño y denso es capaz de hacerlo, razón por la cual se deduce que es una estrella de neutrones. Si bien se puede observar su forma con telescopios medianos, para ver su estructura es necesaria una óptica más potente.

Híades o Mel 25. Es el cúmulo abierto más cercano; se encuentra a sólo 150 años luz. Es tan grande que para apreciarlo en su totalidad se recomienda verlo a simple vista o, como mucho, con prismáticos de poca potencia. Tiene una magnitud visual de 0,5 y sus estrellas se dirigen hacia un punto próximo a Betelgeuse, en la constelación de Orión, a la velocidad de 43 kilómetros por segundo. Se le calcula una edad de 660 millones de años. En su interior puede verse Aldebarán, pero hay que tener en cuenta que esta estrella no pertenece al cúmulo; está más próxima a nosotros, a 60 años luz.

M45 o Las Pléyades. Es uno de los cúmulos abiertos más espectaculares, que tiene sus propias relaciones con la mitología, de ahí que se le dé un tratamiento especial. Muchas civilizaciones lo han considerado un asterismo independiente y muy importante, ya que es uno de los que destacan más en el cielo. Sus seis estrellas más brillantes están muy próximas entre sí y son visibles a simple vista, de modo que no es casual que se hayan considerado como grupo por pueblos muy distantes entre sí.

Parte de la importancia que han tenido en la antigüedad, sobre todo hacia el año 3000 a. C., se debe al hecho de que su aparición coincidía con el equinoccio de primavera. Para los griegos, por ejemplo, marcaba el comienzo del calendario agrícola. Hesíodo las nombra en más de una ocasión:

«Comienza la siega cuando nazcan las Pléyades engendradas por Atlas y la siembra cuando se pongan, pues están ocultas durante cuarenta noches y cuarenta días y en el transcurso del año se muestran de nuevo por primera vez cuando se afila la guadaña. Cuando el que lleva la casa (el caracol) *suba desde la tierra a la hojas huyendo de las Pléyades, entonces ya no es época de cavar las viñas, sino que una vez aguzadas las hoces despierta a los esclavos».*

Los nombres que hoy conservan sus estrellas ya eran conocidos en la antigüedad. Como de las siete estrellas son seis las claramente visibles, Eratóstenes explica que la razón de ello es que seis de ellas se enamoraron de diferentes dioses en tanto que la séptima, de un mortal. Según la mitología griega, son las hijas de Atlas, aunque otros opinan que serían hijas de una amazona; de ahí que también hubieran recibido el nombre de «Las Siete Hermanas».

La leyenda cuenta que Orión se enamoró de ellas y dedicó cinco años a perseguirlas pero que Zeus, apiadándose de la situación de las jóvenes, las convirtió en estrellas. Estos mitos nacen, sin duda, de la posición que las Pléyades tienen con relación a Orión en el cielo.

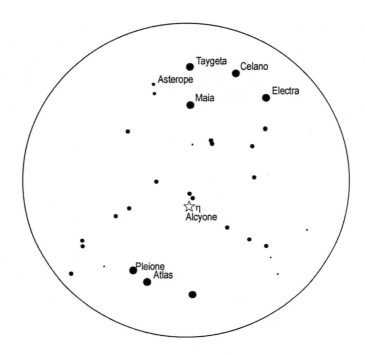

Si bien a simple vista se observan siete estrellas, con prismáticos o telescopios pequeños se pueden ver cerca de un centenar. La magnitud del cúmulo es 1,6. En la ilustración puede comprobarse que las estrellas más importantes de este brillante cúmulo tienen nombre propio.

Telescopium (Telescopio)

Nombre abreviado: Tel.
Localización: Circumpolar, hemisferio sur. A.R.: 19,31 horas. Dec.: -50,46°.
Franja de observación: 33° N - 90° S.
Mejor visibilidad: 12 de julio. Esta constelación no es visible desde la mayoría de las ciudades del hemisferio norte y, en las que se puede ver, aparece muy baja en el cielo.
Aproximación: Esta pequeña y oscura constelación se encuentra entre Ara y Corona Australis. Siguiendo la línea de η y α de Ara en dirección a Corona Aus-

tralis, se logra una buena aproximación a α Telescopii. Ésta, a su vez, junto con ζ, forman un triángulo con α de Ara.

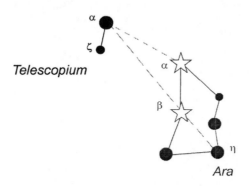

Esta es una de las catorce constelaciones inventadas por Nicolás Louis de Lacaille.

Antiguamente se superponía a Altar y a Sagitario, pero sus límites fueron cambiados posteriormente.

ESTRELLAS MÁS IMPORTANTES

α de Telescopium. Blanca, tipo B. Magnitud: 3,51.

ζ de Telescopium. Anaranjada, tipo K. Magnitud: 4,13.

OTROS OBJETOS DE INTERÉS

No hay en esta constelación otros objetos interesantes posibles de ver a simple vista o con prismáticos.

TRIANGULUM (TRIÁNGULO)

Nombre abreviado: Tri.
Localización: Hemisferio norte. A.R.: 2,11 horas. Dec.: 33,03°.
Franja de observación: 90° N - 52° S.

Mejor visibilidad: 25 de octubre.

Aproximación: Está situada entre Andómeda y Aires. Se puede localizar α del Triángulo utilizando como referencia la línea que une Mirach (β And) y Hamal (α Ari).

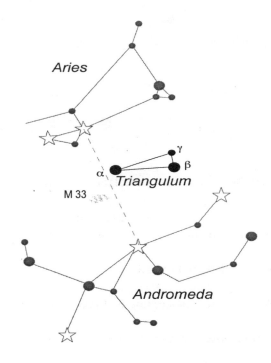

A pesar de tratarse de un grupo poco interesante de estrellas, ya era conocida en la antigüedad a causa de la forma triangular que sugiere. A las estrellas α, β y 12 Trianguli, los griegos las llamaron Deltoton. En el siglo XVII, Hevelius inventó la constelación Triangulum Minor, quitando 12 Trianguli para formar un triángulo más pequeño con las estrellas 6, 10 y 12 Tri. Al mismo tiempo, el triángulo original quedó formado por α, β y γ.

ESTRELLAS MÁS IMPORTANTES

α de Triangulum. Blanca amarillenta, tipo F. Magnitud: 3,41. Distancia: 65 años luz. Brilla 14 veces más que el Sol. Está en su meridiano el 23 de octubre a medianoche. No es la estrella más brillante de la constelación, pero sí la más importante ya que está en el mismo campo visual que M33.

β de Triangulum. Blanca, tipo A. Magnitud: 3,00. Distancia: 110 años luz. Brilla 60 veces más que el Sol.

γ de Triangulum. Blanca, tipo A. Magnitud: 4,01. Distancia: 84 años luz. Brilla 45 veces más que el Sol.

Otros objetos de interés

M33 (NGC 598) o Galaxia del Triángulo. Galaxia espiral situada entre α de Trianguli y τ Piscium. Su magnitud es 5,20 y está a una distancia de 3 millones de años luz. Los brazos de esta galaxia tienen zonas azules de estrellas jóvenes.

Triangulum Australis (Triángulo Austral)

Nombre abreviado: TrA.
Localización: Circumpolar, hemisferio sur. A.R.: 16,08 horas. Dec.: -65,91°.
Franja de observación: 19° N - 90° S.
Mejor visibilidad: 24 de mayo. En los pocos lugares del hemisferio norte desde donde se puede observar esta constelación, aparece muy baja.
Aproximación: Es una constelación fácil de identificar por su forma triangular; sobre todo, si se toma como referencia la conocida Cruz del Sur. Una ayuda puede consistir en prolongar la línea que une γ y β de la Cruz del Sur; con ella se llega a γ del TrA.

Al parecer, fue descrita por Américo Vespuccio en 1503, pero fue Johann Bayer quien la introdujo en 1603.

Estrellas más importantes

α de Triangulum Australis. También denominada Atria, por Alfa y Triángulo. Anaranjada, tipo K. Magnitud: 1,92. Distancia: 105 años luz. Brilla 140 veces más que el Sol.

β de Triangulum Australi. Blanca amarillenta, tipo F. Magnitud: 2,85. Distancia: 39,3 años luz. Brilla 9,5 veces más que el Sol.

γ de Triangulum Australis. Blanca, tipo A. Magnitud: 2,89. Distancia: 460 años luz. Brilla 450 veces más que el Sol.

ε de Triangulum Australis. Anaranjada, K. Magnitud: 4,11. Distancia: 86 años luz. Brilla 65 veces más que el Sol.

Otros objetos de interés

NGC 6025. Cúmulo abierto de magnitud 5,10. Se puede llegar a él prolongando la línea que une ε y β TrA. Es muy brillante y es posible observarlo muy bien con prismáticos.

Tucana (Tucán)

Nombre abreviado: Tuc.
Localización: Circumpolar, hemisferio sur. A.R.: 0,13 horas. Dec.: -64,96°.
Franja de observación: 14° N - 90° S.
Mejor visibilidad: 16 de septiembre.

Aproximación: Se trata de una constelación que limita con las constelaciones del Pavo, Grulla y Fénix, pero ésta es la menos brillante de las aves del cielo austral.

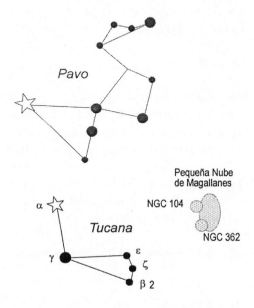

El nombre de Tucana fue puesto por Johann Bayer. Otros astrónomos entre los que se pueden citar a Kepler y Riccioli, la llamaban Anser Americanus (el Ganso Americano), pero fue Bayer quien latinizó ese concepto cambiándolo por el de Tucán.

Estrellas más importantes

α de Tucana. Anaranjada, tipo K. Magnitud: 2,86. Distancia: 130 años luz. Brilla 95 veces más que el Sol.

β de Tucana. Doble blanca, tipo B. Magnitud: 4,54. Distancia: 110 años luz. Brilla 13 veces más que el Sol.

γ de Tucana. Blanca amarillenta, tipo F. Magnitud: 3,99. Distancia: 76 años luz. Brilla 45 veces más que el Sol.

ε de Tucana. Blanca, tipo B. Magnitud: 4,50. Distancia: 260 años luz. Brilla 79 veces más que el Sol.

ζ de Tucana. Blanca amarillenta, tipo F. Magnitud: 4,23. Distancia: 23 años luz. Tiene 0,8 veces el brillo del Sol.

OTROS OBJETOS DE INTERÉS

La Pequeña Nube de Magallanes. Galaxia sin forma definida que orbita, al igual que la Gran Nube de Magallanes, la Vía Láctea. Se estima que está a una distancia de 200.000 años luz, aproximadamente. A simple vista aparece como una nubosidad y con prismáticos se puede, en parte, resolver.

NGC 104 o 47 Tucanae. Cúmulo globular que, al igual que el NGC 362, se encuentra delante de la Pequeña Nube de Magallanes. Es uno de los más próximos: está aproximadamente a 15.000 años luz.

NGC 362. Cúmulo algo inferior a 47 Tucanae y menos condensado.

URSA MAJOR (OSA MAYOR)

Nombre abreviado: UMa.
Localización: Circumpolar, hemisferio norte. A.R.: 10,67 horas. Dec.: 55,38°.
Franja de observación: 90° N - 16° S.
Mejor visibilidad: 4 de marzo. En el hemisferio norte, se puede observar todo el año.
Aproximación: Esta es la constelación más conocida y fácil de localizar desde el hemisferio norte. En el hemisferio sur, puede ser observada desde las latitudes más cercanas al ecuador. Prolongando la recta que forman las estrellas α y β, se llega a la Polar.

Es, en tamaño relativo, la tercera constelación del hemisferio norte.
Desde la antigüedad, tomando sus siete estrellas más brillantes, se han podido ver diversas figuras: un carro, un féretro, una cacerola, un arado, etc., y, de acuerdo con éstas, las diferentes culturas le dieron diferentes nombres. Los ro-

manos las denominaban Los Siete Bueyes (Septem triones, expresión de la cual deriva la palabra septentrión que se utiliza para designar el norte). Este nombre, al parecer, les fue dado porque su lenta rotación alrededor de la estrella Polar, hacía recordar al trabajo laborioso y paciente de esos animales en el campo.

Pero tal y como se ve en la figura, la constelación tiene otras estrellas de menor magnitud que, unidas con trazos, conforman una figura animal.

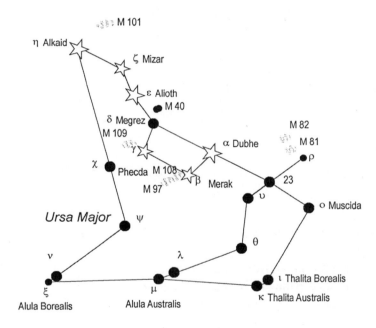

Los egipcios consideraban que era un hipopótamo, al que llamaban Horus; los galos, en cambio, veían en ella a un jabalí. El nombre por la que hoy se conoce, nace de un mito griego.

Calista era una bella joven que formaba parte del séquito de la diosa Artemisa. El enamoradizo Zeus, al verla, quedó prendado de su belleza y, del resultado de esos amores, Calista quedó embarazada. Cuando Artemisa conoció el estado de la muchacha, la expulsó inmediatamente de su séquito.

Cuando el embarazo llegó a término, Calista dio a luz a su hijo al que llamó Arcas; pero como en el Olimpo las noticias vuelan, muy pronto se enteró Hera, esposa de Zeus, de la infidelidad de su marido. Presa de rabia y celos convirtió a la hermosa joven en un grotesco y torpe animal con forma de oso.

Cuando Calista estuvo a punto de ser cazada por su propio hijo, Zeus, que era fogoso pero en el fondo tenía buen corazón, se apiadó de ella y convirtió a ambos en constelaciones. Calista pasó a ser la conocida Osa Mayor y Arcas, el Boyero, cuya estrella más brillante lleva por nombre Arturo, que significa «guardián de la osa».

Estrellas más importantes

α de Ursa Major o Dubhe. Del árabe antiguo «Thahr al Dubb al Akbar» que quiere decir «la espada del gran oso». Anaranjada, tipo K. Magnitud: 1,80. Distancia: 105 años luz. Brilla 145 veces más que el Sol. Esta estrella está en su meridiano el 6-7 de marzo a medianoche.

β de Ursa Major o Merak. Del árabe «Al Marakk», que significa «la cadera». Blanca, tipo A. Magnitud: 2,37. Distancia: 80 años luz. Brilla 75 veces más que el Sol. Junto con Dubhe, se la considera guardiana de la estrella Polar.

γ de Ursa Major, Phekda o Phad. Del árabe «Al Fahdh», «el muslo». Blanca, tipo A. Magnitud: 2,4. Distancia: 90 años luz. Brilla 75 veces más que el Sol.

δ de Ursa Major o Megrez. Del árabe antiguo «Al Maghrez», «la base de la cola». Blanca, tipo A. Magnitud: 3,3. Distancia: 65 años luz.

ε de Ursa Major o Alioth. El origen del nombre puede provenir del vocablo árabe «Alyat» que significa «cola plana», o de «Al Hawar» que significa «el blanco del ojo» o «el ojo brillante». Blanca, tipo A. Magnitud: 1,79. Distancia: 70 años luz. Brilla como 85 soles.

ζ de Ursa Major o Mizar. De «Mi'Zar», «faja o fajín». También se denominó Anak al Banat, que significa «cuello de las doncellas». Blanca, tipo A. Magnitud: 2,1. Distancia: 60 años luz. Es una binaria compuesta por dos elementos: Mizar A y Mizar B. Esta estrella es la más conocida de las dobles; tiene, además, una compañera llamada Alcor, de magnitud 4,0, que se puede detectar fácilmente a simple vista. Entre éstas hay una tercera, de magnitud 8, conocida como Sidus Ludovicianum y que se puede distinguir con prismáticos. Curiosamente, los antiguos árabes utilizaban a Alcor para probar la agudeza visual, si bien es cierto que hoy puede ser distinguida por cualquier persona con una vista normal, por lo que algunos expertos han apuntado que, probablemente, se refirieran a Sidus Ludovicianum, a la que actualmente es imposible ver sin instrumentos ópticos.

η de Ursa Major, Alkaid o Benetnasch. Del árabe «Ka'id Banat al Na'ash», «el gobernador de las hijas del difunto». Blanca, tipo B. Magnitud: 1,87. Distancia: 210 años luz. Brilla 630 veces más que el Sol.

θ de Ursa Major. Blanca amarillenta, tipo F. Magnitud: 3,17. Distancia: 55 años luz. Brilla 12 veces más que el Sol.

ι de Ursa Major o Thalita Borealis. Del árabe, «Ath Thalithah», «el tercer» salto del norte. Blanca, tipo A. Magnitud: 3,14. Distancia: 49 años luz. Brilla 10 veces más que el Sol.

κ de Ursa Major o Thalita Australis. Del árabe, «Ath Thalithah», «el tercer» salto del sur. Blanca, tipo A. Magnitud: 3,60. Distancia: 200 años luz. Brilla 112 veces más que el Sol.

λ de Ursa Major o Tania Borealis. Del árabe «Ath-Thaniyah», «el segundo» salto del norte. Blanca, tipo A. Magnitud: 3,45. Distancia: 110 años luz. Brilla 45 veces más que el Sol.

μ **de Ursa Major o Tania Australis.** Del árabe «Ath-Thaniyah», «el segundo» salto del sur. Anaranjada, tipo K. Magnitud: 3,05. Distancia: 93 años luz. Brilla 114 veces más que el Sol.

ν **de Ursa Major o Alula Borealis.** Del árabe «Al-Qafzah al-Ula», «el primer salto» del norte. Anaranjada, tipo K. Magnitud: 3,48. Distancia: 180 años luz. Brilla 95 veces más que el Sol.

ξ **de Ursa Major o Alula Australis.** Del árabe «Al-Qafzah al-Ula», «el primer salto» del sur. Binaria amarilla, tipo G. Magnitud: 4,32. Distancia: 25 años luz. Brilla casi como el Sol.

ο **de Ursa Major o Muscida.** Amarilla, tipo G. Magnitud: 3,37. Distancia: 230 años luz. Brilla 180 veces más que el Sol.

χ **de Ursa Major.** Anaranjada, tipo K. Magnitud: 3,71. Distancia: 160 años luz. Brilla 65 veces más que el Sol.

OTROS OBJETOS DE INTERÉS

M 40 o Winnecke 4. Es una estrella doble encontrada por Messier mientras buscaba una nebulosa que había sido registrada en el siglo XVII.
La magnitud de sus dos componentes es 9,0 y 9,3, dando una magnitud visual de 8,4.

M 81 (NGC 3031). Galaxia espiral de magnitud visual 6,9. Es una de las más fáciles de localizar para los aficionados del hemisferio norte que dispongan, al menos, de prismáticos. Tiene una apariencia redonda y un núcleo brillante en su centro.
En marzo de 1993, el astrónomo aficionado Francisco García Díaz, de Lugo, encontró en esta galaxia una supernova que en su brillo máximo alcanzó la magnitud 10,5.

M82 (NGC 3034). Se conoce también con el nombre de la Galaxia del Cigarro. Es una irregular de magnitud visual 8,4 que forma un par con su vecina, la M81.

Ambas se encuentran a 8.500.000 años luz y pueden ser observadas con prismáticos. Se pueden localizar identificando primero las estrellas υ y 23. Siguiendo la línea que las une, se llega a un trío formado por σ1, σ2 y ρ, de una magnitud cercana a 5. En el mismo campo se observa otra estrella, 24 de UMa, de una magnitud de 4,6 y ambas galaxias están junto a ésta.

Hace unas pocas decenas de millones de años, ambas galaxias, la M81 y M82, tuvieron un encuentro muy próximo en el cual, la mayor de ellas, la M81, deformó a la otra por la acción gravitacional ejercida.

M97 (NGC 3587) o Nebulosa del Búho. Esta nebulosa planetaria es uno de los objetos más débiles del catálogo de Messier; tiene una magnitud visual de 9,9 y se encuentra a unos 2.600 años luz. Los astrónomos la consideran una de las nebulosas planetarias más complejas. A su alrededor, hay varias nebulosas pequeñas; lo más probable es que se trate de galaxias que están muy lejanas.

Cuando es observada mediante un telescopio lo suficientemente potente, se ve en ella la cara de esta ave.

M101 (NGC 5457). Galaxia espiral de magnitud visual 7,9. En telescopios pequeños, se puede observar claramente su núcleo brillante pero sus brazos, en todo caso, aparecen muy difusos. Sin embargo, observada con ópticas potentes o en fotografías tomadas a partir de esas observaciones, presenta uno de los diseños de espiral más claros y hermosos del cielo. Se encuentra a unos 27 millones de años luz.

M108 (NGC 3556). Galaxia espiral de magnitud 10. Se encuentra a una distancia de 45 millones de años luz.

Para los aficionados, es bastante fácil de localizar; aparece como una mancha blanca plateada, con un brillo irregular en la región central que se alternan con zonas más oscuras.

En apariencia, da la sensación de no tener un núcleo brillante, central y definido como otras debido a las nubes de polvo.

M109 (NGC 3992). Galaxia espiral de magnitud visual 9,8. Presenta un brillo en la región central, así como una barra bien definida. Se encuentra a unos 55 millones de años luz de distancia y se aleja a una velocidad de 1.142 kilómetros por segundo.

URSA MINOR (OSA MENOR)

Nombre abreviado: UMi.
Localización: Circumpolar, hemisferio norte. A.R.: 14,78 horas. Dec.: 74,36°.
Franja de observación: 90° N - 0° S.
Mejor visibilidad: 3 de mayo. Todo el año en el hemisferio norte.
Aproximación: Tomar con los dedos la distancia que separa α y β de Ursa Major y prolongar esa recta cinco veces en la misma dirección para llegar a α de Ursa Minor o estrella Polar.

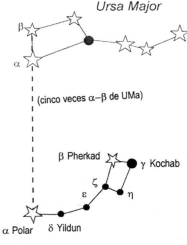

Las estrellas que componen esta constelación son menos brillantes que las de la Osa Mayor y algo más difíciles de identificar, pero en noches despejadas se podrán observar sin mayores dificultades.

La Osa menor es un punto de referencia importantísimo ya que α de la Osa Menor es la estrella Polar, el punto quieto alrededor del cual gira, aparentemente, todo el cielo.

Esta constelación es conocida desde la antigüedad. Probablemente haya sido inventada por los fenicios, ya que uno de los primeros nombres que se le adjudicaron fue, precisamente, Phoinike.

Algunos consideran que representa a Arcas, el hijo de Calisto, la ninfa que fuera convertida en Osa Mayor, pero para otros como Eratóstenes, se trata de la ninfa Fenicia a la que la diosa Artemisa castigó convirtiéndola en bestia por haber mantenido amores con Zeus. También era conocida en Egipto y en Mesopotamia, donde se asociaba con un carro.

ESTRELLAS MÁS IMPORTANTES

α de Ursa Minor, Polar o Polaris. Recibe este nombre porque coincide con el polo norte celeste. Amarillo intenso, tipo F. Magnitud: 1,99. Distancia: 450 años luz. 2.300 veces más luminosa que el Sol. Es una estrella triple pero sólo una de ellas se puede ver a simple vista: la llamada Polaris B. Es una estrella pulsante, del grupo de las cefeidas. Su gran importancia radica en que se encuentra a un grado del Polo Norte celeste.

β de Ursa Minor. Kochab o Kokab. Del árabe «Al Kaukab», «estrella». También conocida como «Al Na'ir al Farkadian», «el más luminoso de los dos terneros». Amarilla anaranjada. Mag.: 2,1. Dist.: 100 años luz. Brilla como 330 soles.

γ de Ursa Minor, Pherkad o Ferkad. Del árabe antiguo, «Alifa al Farkadain», «el más tenue de los dos terneros». Blanca, tipo A. Magnitud: 3,05. Distancia: 220 años luz. Brilla 215 veces más que el Sol. Junto con Beta, son los guardianes del polo.

δ de Ursa Minor. Yildun. Blanca, tipo A. Magnitud: 4,4. Distancia: 140 años luz. Brilla 26 veces más que el Sol.

ε de Ursa Minor. Amarilla, tipo G. Magnitud: 4,23. Distancia: 200 años luz. Brilla 60 veces más que el Sol.

ζ de Ursa Minor. Blanca, tipo A. Magnitud: 4,32. Distancia: 110 años luz. Brilla 16 veces más que el Sol.

η de Ursa Minor. Blanca amarillenta, tipo F. Magnitud: 4,95. Distancia: 76 años luz. Brilla 7 veces más que el Sol. (Estas tres últimas estrellas son tan tenues que la sola luz de la Luna podría entorpecer su visión.)

VELA (VELAS, VELA)

Nombre abreviado: Vel.
Localización: Circumpolar, hemisferio sur. A.R.: 9,48 horas. Dec.: -47,45°.
Franja de observación: 32° N - 90° S.
Mejor visibilidad: 14 de febrero. En el hemisferio norte aparece muy baja y desde las latitudes que superen los 32° es imposible verla.
Aproximación: Tomando como referencia la brillante Canopus y conociendo previamente la constelación de la Quilla, es fácil llegar hasta el grupo de estrellas que forman la Vela.

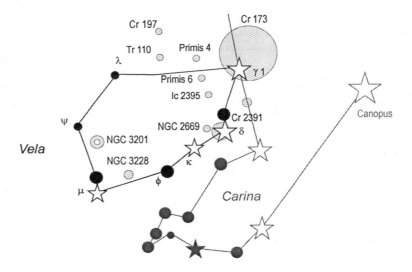

Esta constelación originariamente formó parte de La Nave de Argos, junto con Carina, Puppis y Pyxis.

ESTRELLAS MÁS IMPORTANTES

γ de Vela. Es una estrella poco corriente; muy caliente e inestable. Muchos astrónomos opinan que en un espacio de tiempo más o menos breve, puede convertirse en una supernova. Es una doble amplia. γ1. Blanca, tipo B. Magnitud: 4,27. Distancia: 1.400 años luz. Brilla 3.000 veces más que el Sol. γ2. Blanca, tipo O (las estrellas de este tipo espectral son muy poco comunes). Magnitud: 1,81. Distancia: 800 años luz. Brilla 15.000 veces más que el Sol.

δ de Vela. Blanca, tipo A. Magnitud: 1,96. Distancia: 65 años luz. Brilla 50 veces más que el Sol.

κ de Vela. Blanca, tipo B. Magnitud: 2,50. Distancia: 410 años luz. Brilla 1.250 veces más que el Sol.

λ de Vela o Alsuhail. Anaranjada, tipo K. Magnitud: 2,14. Distancia: 680 años luz. Brilla 4.500 veces más que el Sol.

μ de Vela. Amarilla, tipo G. Magnitud: 2,69. Distancia: 98 años luz. Brilla 60 veces más que el Sol.

φ de Vela. Blanca, tipo B. Magnitud: 3,54. Distancia: 2.600 años luz. Brilla 20.000 veces más que el Sol.

ψ de Vela. Blanca amarillenta, tipo F. Magnitud: 3,60. Distancia: 50 años luz. Brilla 4 veces más que el Sol.

OTROS OBJETOS DE INTERÉS

Esta zona es bastante rica en objetos.

Muchos de los objetos que se encuentran aquí se pueden observar a simple vista o con prismáticos.

NGC 2391. Cúmulo abierto de magnitud 3,50. Su estrella más brillante es o Velorum. Se puede percibir a simple vista. Su distancia aproximada es de 500 años luz.

NGC 2547. Cúmulo abierto próximo a γ, visible a simple vista.

NGC 3201. Cúmulo globular de magnitud 6,80.

NGC 2669. Cúmulo abierto de magnitud 6,10.

NGC 3228. Cúmulo abierto de magnitud 6.

Primis 4 y Primis 6. Cúmulos abiertos de magnitud 5,90 y 7 respectivamente.

Virgo (La Virgen)

Nombre abreviado: Vir.
Localización: Zodiacal. A.R.: 7,85 horas. Dec.: -69,63°.
Franja de observación: 67° N - 75° S.
Mejor visibilidad: 18 de abril.
Aproximación: La prolongación de la línea que une Nekkar y Arturo (α y β de Bootes respectivamente), pasa muy cerca de Spica (α de Virgo); una estrella de magnitud 0,90.

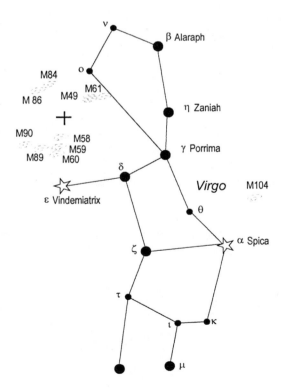

Esta constelación ha sido identificada con varias leyendas.

Para unos, representa a Astrea, la justicia, hija de Temis y Zeus y hermana de Pudicitia, el pudor. Es la encargada de generar en los hombres la virtud y los sentimientos de justicia. Al difundirse el mal en la tierra, subió al cielo convirtiéndose en constelación. La espiga en la mano se explica porque antes de su ascensión pasó mucho tiempo entre labradores.

Otros historiadores creen que se trata de Tique, la Fortuna.

Hay quienes la identifican con Démeter, la diosa del trigo, hija de Crono y de Rea. Enseñó a los hombres a cultivar el trigo, habas, hortalizas e higos. También a cocer pan y a construir molinos.

Para los atenienses, esta constelación se relaciona con el mito de Icario. Habiendo muerto éste a manos de unos pastores, su hija se colgó al lado del cadáver y fue llevada al cielo formando la constelación de Virgo.

Algunos autores la identifican con Partenos, hija de Apolo y Crisóstemis. Habiendo muerto joven, fue colocada en el cielo por su padre.

ESTRELLAS MÁS IMPORTANTES

α de Virgo o Spica (espiga). Blanca, tipo B. Magnitud: 0,90. Distancia: 275 años luz. Brilla 2.300 veces más que el Sol. Está en su meridiano el 15 de abril a medianoche.

β de Virgo o Zavijava o Alaraph. Ambos nombres son de origen árabe. El primero proviene de «Zawiyat al-Awwa», «el rincón del pregonero»; el segundo, al parecer, se traduce como «el vendimiador». Blanca amarillenta, tipo F. Magnitud: 3,61. Distancia: 33 años luz. Brilla 3 veces más que el Sol.

γ de Virgo o Porrima. Nombre puesto en honor a la diosa romana protectora de los bebés. Blanca amarillenta, tipo F. Magnitud: 3,48. Distancia: 33 años luz. Brilla 3 veces más que el Sol.

δ de Virgo o Auva. Del árabe, «Al-'Awwa'», «el panadero». Rojiza, tipo M. Magnitud: 3,38. Distancia: 200 años luz. Brilla 125 veces más que el Sol.

ε de Virgo o Vindemiatrix. Del latín, «vendimiador». Anaranjada, tipo K. Magnitud: 2,83. Distancia: 76 años luz. Brilla 65 veces más que el Sol.

ζ de Virgo. Blanca, tipo A. Magnitud: 3,37. Distancia: 74 años luz. Brilla 16 veces más que el Sol.

η de Virgo o Zaniah. Del árabe «Az-Zawiyah», «el ángulo». Blanca, tipo A. Magnitud: 3,89. Distancia: 100 años luz. Brilla 22 veces más que el Sol.

θ de Virgo. Blanca, tipo A. Magnitud: 4,38. Distancia: 140 años luz. Brilla 26 veces más que el Sol.

ι de Virgo o Syrma. Proviene del griego, «borde del vestido». Brillanta, tipo F. Magnitud: 4,08. Distancia: 76 años luz. Brilla 41 veces más que el Sol.

μ de Virgo. Blanca amarillenta, tipo F. Magnitud: 3,88. Distancia: 72 años luz. Brilla 60 veces más que el Sol.

ν de Virgo. Color: rojizo, tipo M. Magnitud: 4,03. Distancia: 260 años luz. Brilla 125 veces más que el Sol.

OTROS OBJETOS DE INTERÉS

M49 (NGC 4472). Galaxia elíptica de magnitud visual 8,4. Se encuentra a 60 millones de años luz.

M58 (NGC 4579). Galaxia espiral de magnitud 9,7. Se encuentra a una distancia de 60 millones de años luz.

M59 (NGC 4621). Galaxia elíptica de magnitud 9,6. Se encuentra a una distancia de 60 millones de años luz.

M60 (NGC 4649). Galaxia elíptica de magnitud visual 8,8. Se encuentra a 60 millones de años luz.

M84 (NGC 4374). Galaxia lenticular de magnitud visual 9,1. Está formada por estrellas viejas, amarillas. Se encuentra a una distancia de 60 millones de años luz.

M86 (NGC 4406). Galaxia lenticular de magnitud visual 8,9. Está en el centro del cúmulo de Galaxias de Virgo.

Se encuentra a 60 millones de años luz y se está aproximando a una velocidad de 419 kilómetros por segundo.

M87 (NGC 4486). Galaxia elíptica de magnitud 8,6. Como las anteriores, se encuentra a 60 millones de años luz.

M89 (NGC 4552). Galaxia elíptica de magnitud 9,8. Se encuentra a 60 millones de años luz de distancia.

M90 (NGC 4569). Galaxia espiral en cuyos brazos no parece haber zonas de formación de estrellas.

Tiene una magnitud visual de 9,5 y está a una distancia de 60 millones de años luz.

M104 (NGC 4594) o Galaxia del Sombrero. Galaxia espiral de magnitud 8,0. Está a una distancia de 50 millones de años luz.

VOLANS (PEZ VOLADOR)

Nombre abreviado: Vol.
Localización: Circumpolar, hemisferio sur. A.R.: 7,85 horas. Dec.: -69,63°.
Franja de observación: 14° N - 90° S.
Mejor visibilidad: 17 de enero. Como se trata de una constelación muy próxima al polo sur, no es visible desde latitudes del hemisferio norte que superen los 14°.
Aproximación: Esta constelación se encuentra entre Canupus y Miaplacidus, de Carina.

Es una constelación creada por Johann Bayer quien, en su obra *Uranometría* publicada en 1603 la denominó «Piscis Volans».

Posteriormente, cuando la Unión Astronómica Internacional definió las 88 constelaciones, perdió la primera palabra de su nombre y hoy se conoce como Volans.

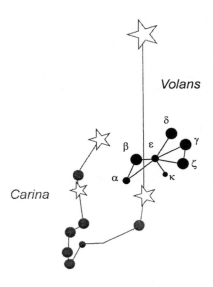

ESTRELLAS MÁS IMPORTANTES

α de Volans. Blanca, A. Magnitud: 4,00. Distancia: 65 años luz. Brilla 8 veces más que el Sol.

β de Volans. Anaranjada, tipo K. Magnitud: 3,77. Distancia: 78 años luz. Brilla 14 veces más que el Sol.

γ1 de Volans. Amarilla, tipo G. Magnitud: 5,69. Distancia: 200 años luz. Brilla 17 veces más que el Sol. Tiene una compañera, γ2, anaranjada, tipo K. Magnitud: 3,78. Distancia: 200 años luz. Brilla 95 veces más que el Sol.

δ de Volans. Blanca amarillenta, tipo F. Magnitud: 3,98. Distancia: 512 años luz. Brilla 500 veces más que el Sol.

e de Volans. Blanca, tipo B. Magnitud: 4,35. Distancia: 505 años luz. Brilla 345 veces más que el Sol.

ζ de Volans. Anaranjada, tipo K. Magnitud: 3,95. Distancia: 185 años luz. Brilla 65 veces más que el Sol.

κ de Volans. Blanca, tipo B. Magnitud: 5,37. Distancia: 560 años luz. Brilla 165 veces más que el Sol. Tiene una compañera, κ2, de magnitud 5,65. Distancia: 420 años luz. Brilla 72 veces más que el Sol.

OTROS OBJETOS DE INTERÉS

NGC 2442. Galaxia espiral barrada. Se encuentra entre γ y ε deVulpecula.

VULPECULA (ZORRILLA)

Nombre abreviado: Vul.
Localización: Hemisferio norte. A.R.: 20,34 horas. Dec.: 25,06°.
Franja de observación: 90° N - 61° S.
Mejor visibilidad: 27 de julio.
Aproximación: Se encuentra entre Aquila y Cygnus.

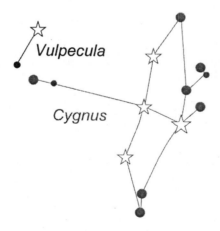

Esta constelación ha sido creada por Bartsch y, posteriormente, introducida por Hevelius. Éste le puso el nombre de Vulpecula cum ansere, «la zorrilla con el ganso», pero hoy se conoce sencillamente como Vulpecula.

ESTRELLA MÁS IMPORTANTE

α de Vulpecula. Distancia: 235 años luz. Brilla 67 veces más que el Sol.

OTROS OBJETOS DE INTERÉS

M27 (NGC 6853) o Nebulosa Dumbbell. Hasta hoy, es la segunda nebulosa más grande de cuantas han sido observadas; tiene un diámetro de 3 años luz.

Mapas

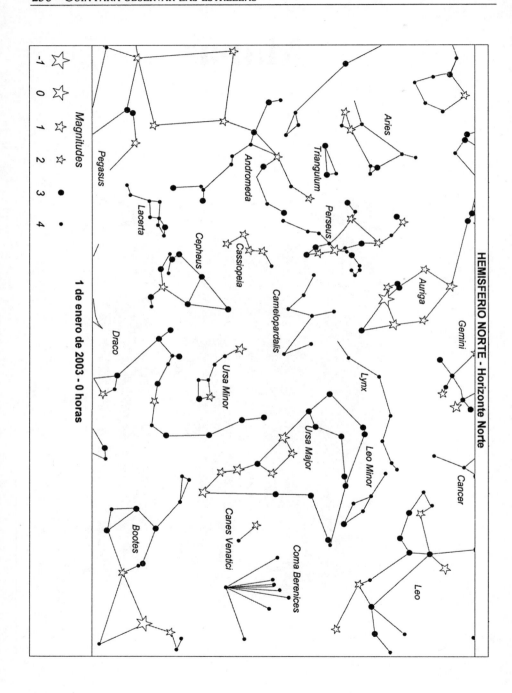

HEMISFERIO NORTE - Horizonte Norte

Magnitudes

-1
0
1
2
3
4

1 de enero de 2003 - 0 horas

Pegasus

Lacerta

Andromeda

Triangulum

Aries

Perseus

Cassiopeia

Cepheus

Camelopardalis

Auriga

Gemini

Draco

Ursa Minor

Lynx

Cancer

Ursa Major

Leo Minor

Canes Venatici

Coma Berenices

Leo

Bootes

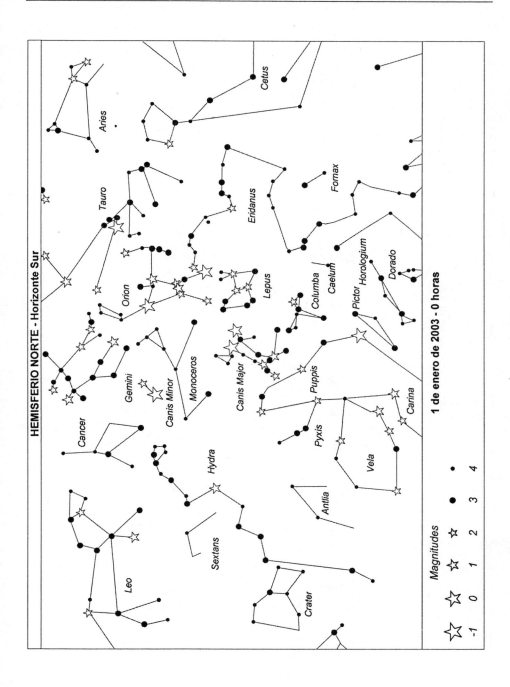

HEMISFERIO NORTE - Horizonte Sur

Aries

Cetus

Tauro

Fornax

Eridanus

Orion

Lepus

Columba

Caelum

Pictor

Horologium

Dorado

Gemini

Canis Minor

Monoceros

Canis Major

Puppis

Carina

Cancer

Hydra

Pyxis

Vela

Antlia

Sextans

Leo

Crater

1 de enero de 2003 - 0 horas

Magnitudes

-1 0 1 2 3 4

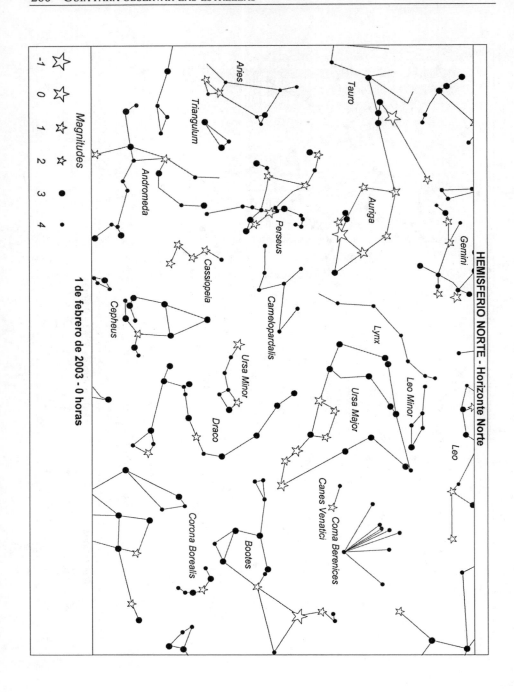

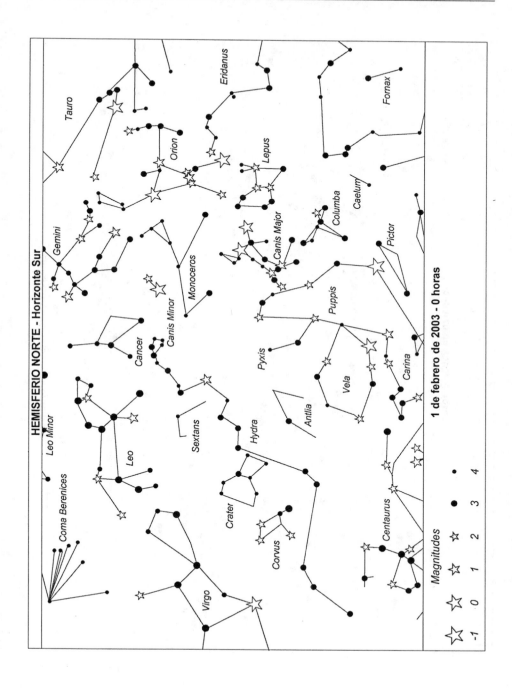

HEMISFERIO NORTE - Horizonte Sur

1 de febrero de 2003 - 0 horas

Tauro
Eridanus
Fornax
Orion
Lepus
Caelum
Columba
Gemini
Canis Major
Pictor
Monoceros
Puppis
Canis Minor
Pyxis
Cancer
Vela
Carina
Antlia
Leo Minor
Coma Berenices
Leo
Sextans
Hydra
Crater
Corvus
Centaurus
Virgo

Magnitudes

-1   0   1   2   3   4

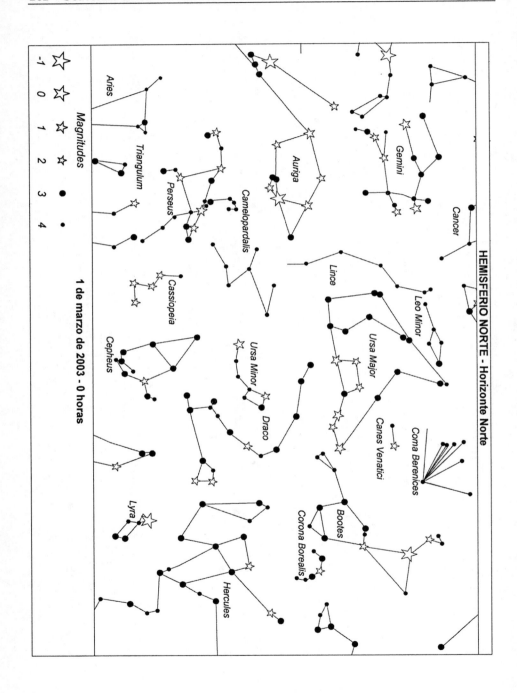

HEMISFERIO NORTE - Horizonte Norte

1 de marzo de 2003 - 0 horas

Magnitudes

-1
0
1
2
3
4

Aries
Triangulum
Perseus
Camelopardalis
Auriga
Gemini
Cancer
Cassiopeia
Cepheus
Lince
Leo Minor
Ursa Major
Ursa Minor
Draco
Canes Venatci
Coma Berenices
Bootes
Corona Borealis
Lyra
Hercules

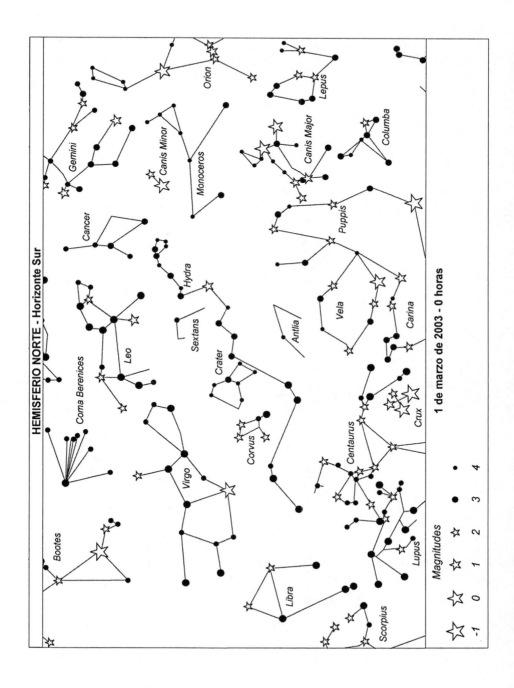

HEMISFERIO NORTE - Horizonte Sur

1 de marzo de 2003 - 0 horas

Bootes
Coma Berenices
Gemini
Cancer
Canis Minor
Orion
Monoceros
Lepus
Canis Major
Columba
Puppis
Leo
Hydra
Sextans
Crater
Antlia
Vela
Carina
Virgo
Corvus
Centaurus
Crux
Libra
Scorpius
Lupus

Magnitudes

☆ 4   ● 3   ☆ 2   ☆ 1   ☆ 0   ☆ -1

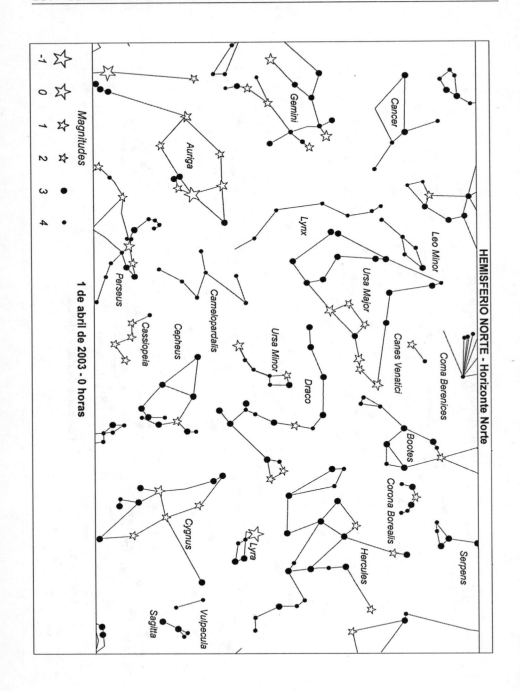

HEMISFERIO NORTE - Horizonte Norte

1 de abril de 2003 - 0 horas

Magnitudes
-1 0 1 2 3 4

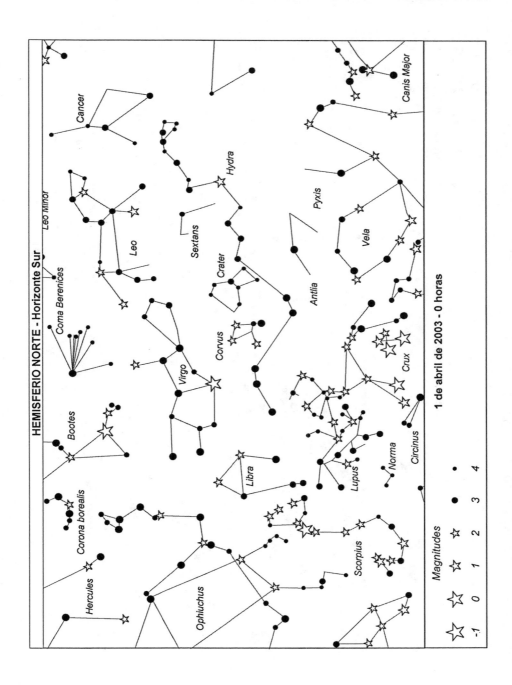

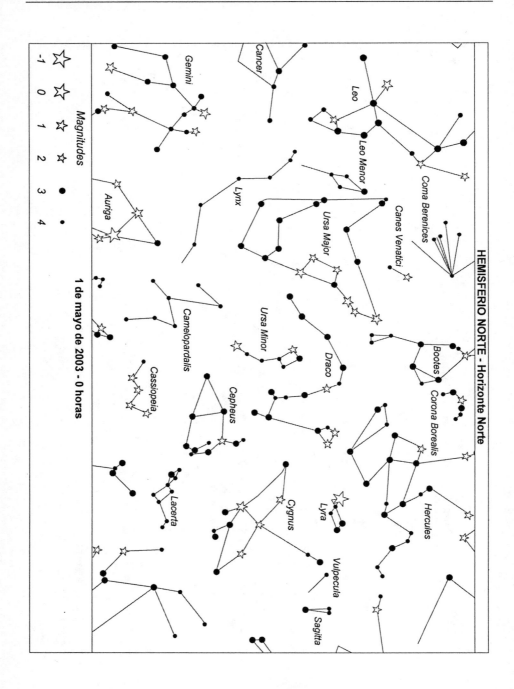

HEMISFERIO NORTE - Horizonte Norte

1 de mayo de 2003 - 0 horas

Magnitudes

-1 ☆
0 ☆
1 ☆
2 ☆
3 ●
4 ·

Gemini
Cancer
Leo
Leo Menor
Coma Berenices
Lynx
Canes Venatici
Auriga
Ursa Major
Bootes
Camelopardalis
Ursa Minor
Corona Borealis
Draco
Cassiopeia
Cepheus
Hercules
Lacerta
Cygnus
Lyra
Vulpecula
Sagitta

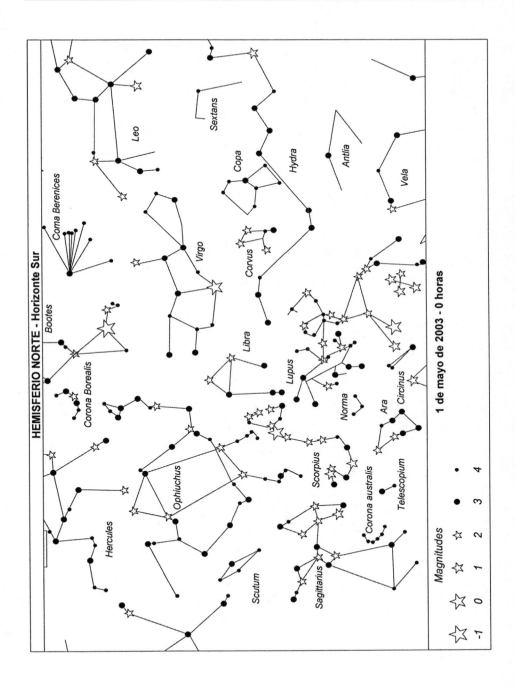

HEMISFERIO NORTE - Horizonte Sur

Coma Berenices

Leo

Sextans

Bootes

Copa

Hydra

Antlia

Vela

Virgo

Corvus

Corona Borealis

Libra

Lupus

Hercules

Ophiuchus

Norma

Ara

Circinus

Scorpius

Corona australis

Telescopium

Scutum

Sagittarius

1 de mayo de 2003 - 0 horas

Magnitudes

4

3

2

1

0

-1

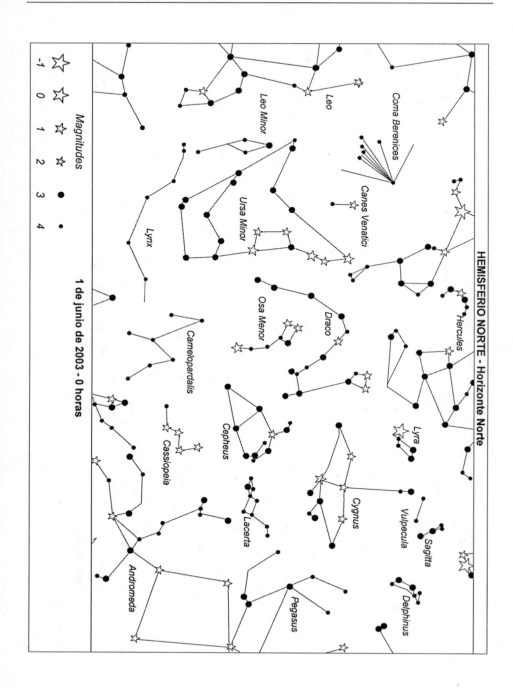

HEMISFERIO NORTE - Horizonte Norte

Magnitudes

| -1 | 0 | 1 | 2 | 3 | 4 |

1 de junio de 2003 - 0 horas

Leo
Leo Minor
Coma Berenices
Canes Venatici
Ursa Minor
Lynx
Osa Menor
Draco
Camelopardalis
Cepheus
Cassiopeia
Andromeda
Lacerta
Pegasus
Cygnus
Vulpecula
Sagitta
Delphinus
Lyra
Hercules

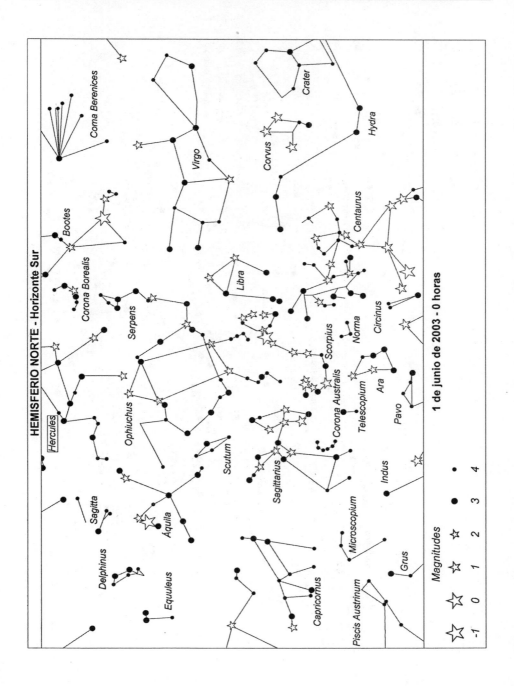

HEMISFERIO NORTE - Horizonte Sur

1 de junio de 2003 - 0 horas

Magnitudes

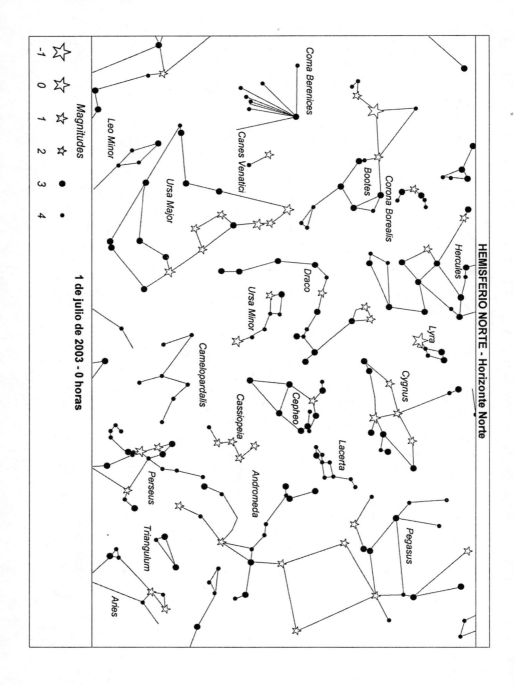

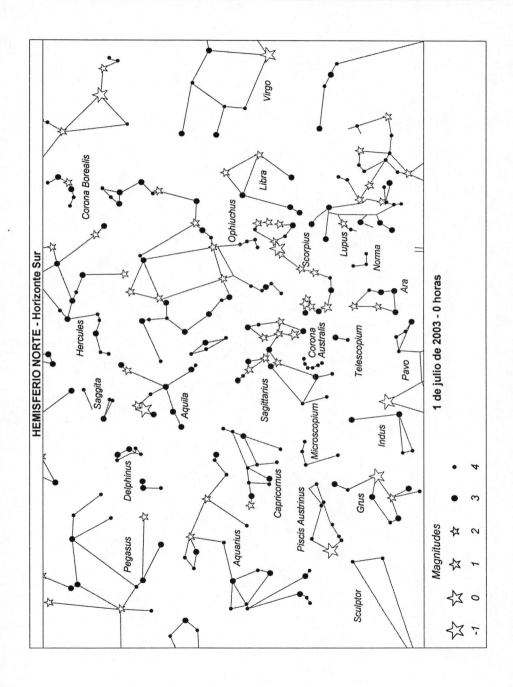

HEMISFERIO NORTE - Horizonte Sur

1 de julio de 2003 - 0 horas

Virgo
Corona Borealis
Libra
Ophiuchus
Scorpius
Lupus
Norma
Ara
Hercules
Telescopium
Saggita
Pavo
Aquila
Corona Australis
Sagittarius
Delphinus
Microscopium
Indus
Pegasus
Capricornus
Grus
Aquarius
Piscis Austrinus
Sculptor

Magnitudes

-1   0   1   2   3   4

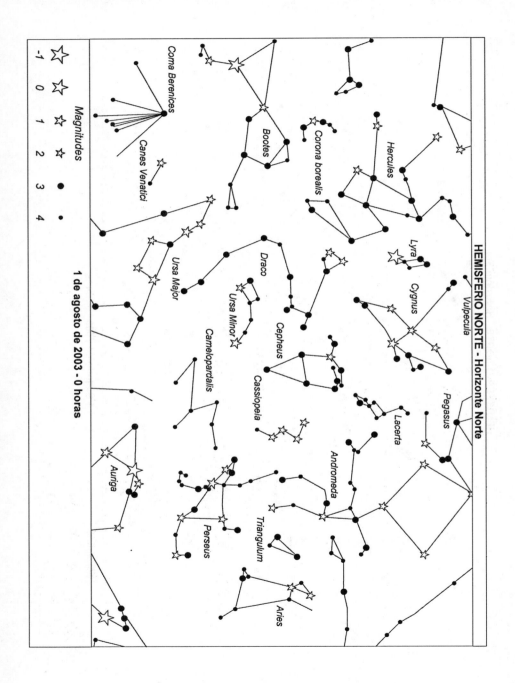

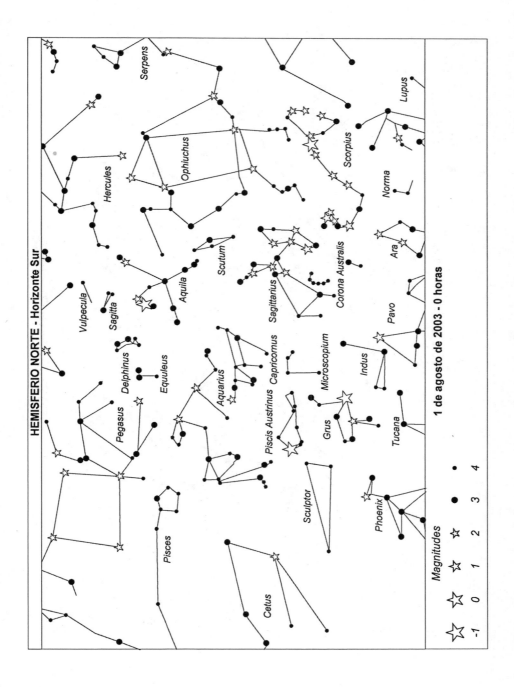

HEMISFERIO NORTE - Horizonte Sur

1 de agosto de 2003 - 0 horas

Magnitudes

-1 0 1 2 3 4

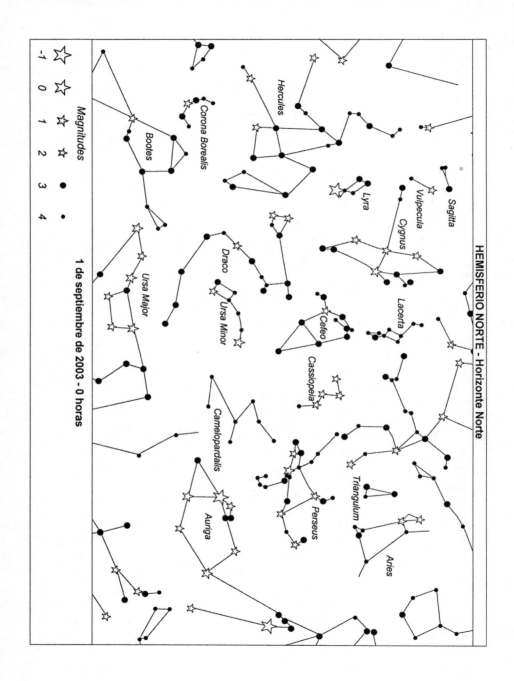

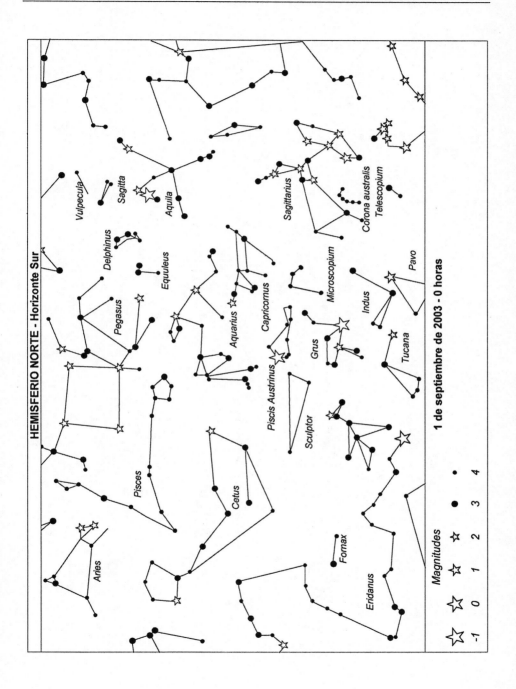

HEMISFERIO NORTE - Horizonte Sur

1 de septiembre de 2003 - 0 horas

Vulpecula

Sagitta

Aquila

Delphinus

Equuleus

Pegasus

Aquarius

Capricornus

Pisces

Cetus

Aries

Piscis Austrinus

Sculptor

Grus

Microscopium

Indus

Tucana

Pavo

Sagittarius

Corona australis

Telescopium

Fornax

Eridanus

Magnitudes

☆ -1

☆ 0

☆ 1

☆ 2

● 3

• 4

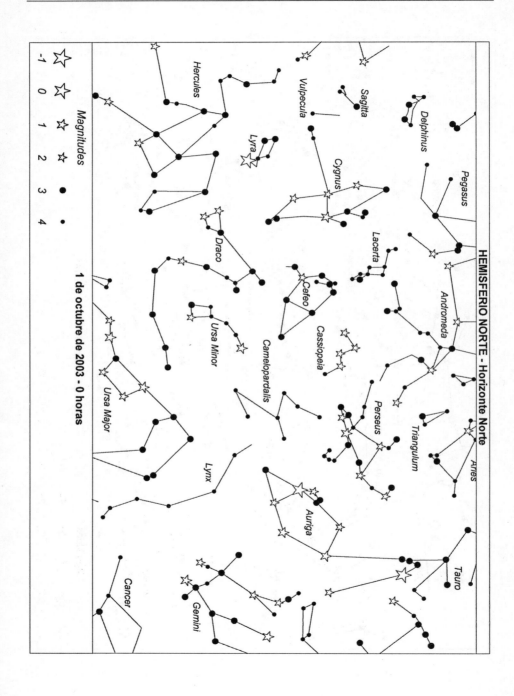

HEMISFERIO NORTE - Horizonte Norte

1 de octubre de 2003 - 0 horas

Magnitudes

-1 ☆
0 ☆
1 ☆
2 ☆
3 ●
4 ·

Hercules
Vulpecula
Sagitta
Delphinus
Pegasus
Lyra
Cygnus
Lacerta
Andromeda
Draco
Cefeo
Cassiopeia
Ursa Minor
Camelopardalis
Perseus
Triangulum
Aries
Ursa Major
Lynx
Auriga
Tauro
Cancer
Gemini

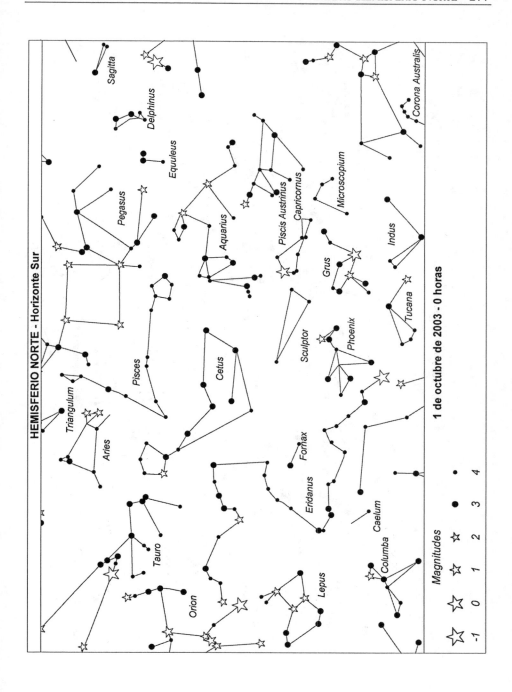

HEMISFERIO NORTE - Horizonte Sur

1 de octubre de 2003 - 0 horas

Sagitta
Delphinus
Equuleus
Pegasus
Aquarius
Piscis Austrinus
Capricornus
Microscopium
Corona Australis
Indus
Grus
Tucana
Triangulum
Aries
Pisces
Cetus
Sculptor
Phoenix
Fornax
Eridanus
Caelum
Columba
Lepus
Tauro
Orion

Magnitudes

-1   0   1   2   3   4

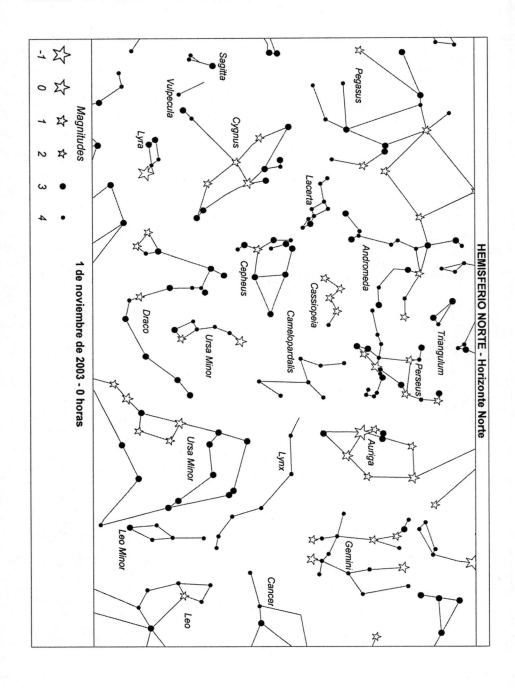

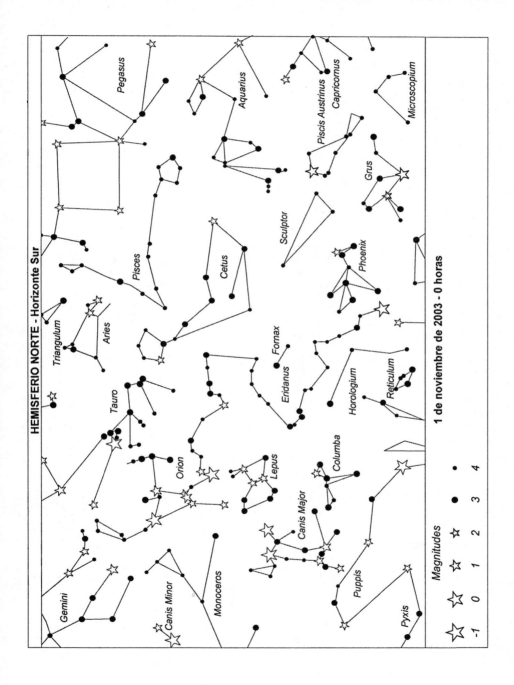

HEMISFERIO NORTE - Horizonte Sur

1 de noviembre de 2003 - 0 horas

Pegasus

Aquarius

Piscis Austrinus

Capricornus

Microscopium

Grus

Sculptor

Phoenix

Pisces

Cetus

Triangulum

Aries

Fornax

Eridanus

Reticulum

Horologium

Tauro

Orion

Lepus

Columba

Gemini

Canis Major

Canis Minor

Monoceros

Puppis

Pyxis

Magnitudes

-1 0 1 2 3 4

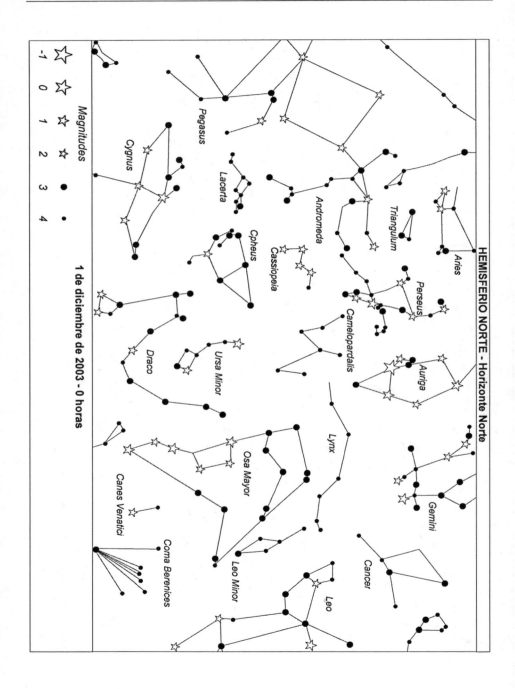

HEMISFERIO NORTE - Horizonte Norte

Pegasus

Cygnus

Lacerta

Andromeda

Triangulum

Aries

Cepheus

Cassiopeia

Perseus

Camelopardalis

Auriga

Draco

Ursa Minor

Lynx

Gemini

Canes Venatici

Osa Mayor

Cancer

Coma Berenices

Leo Minor

Leo

Magnitudes

-1 0 1 2 3 4

1 de diciembre de 2003 - 0 horas

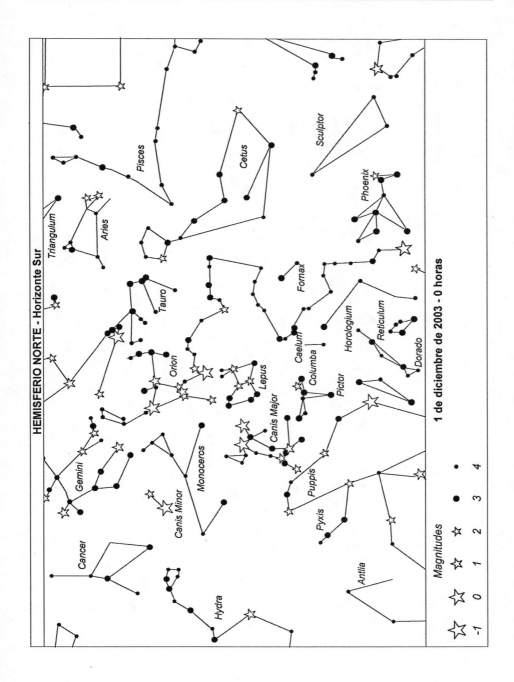

HEMISFERIO NORTE - Horizonte Sur

1 de diciembre de 2003 - 0 horas

Magnitudes

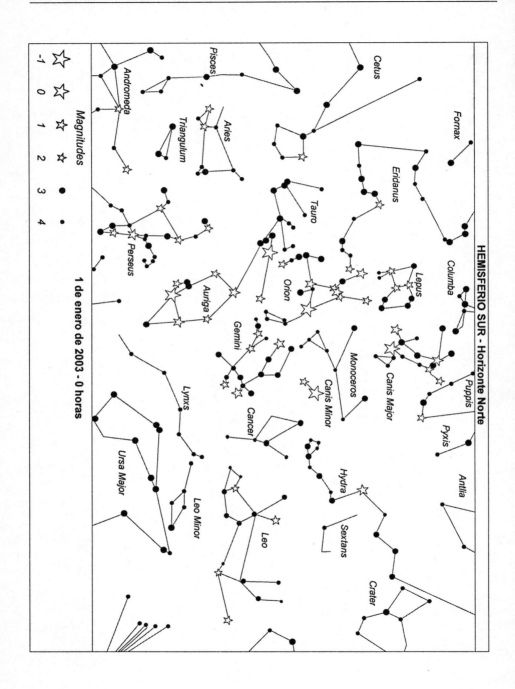

HEMISFERIO SUR - Horizonte Norte

1 de enero de 2003 - 0 horas

Magnitudes

-1 · 0 · 1 · 2 · 3 · 4

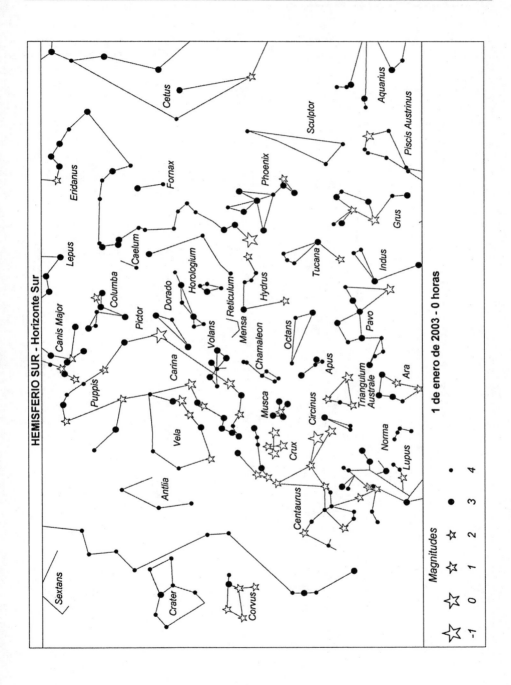

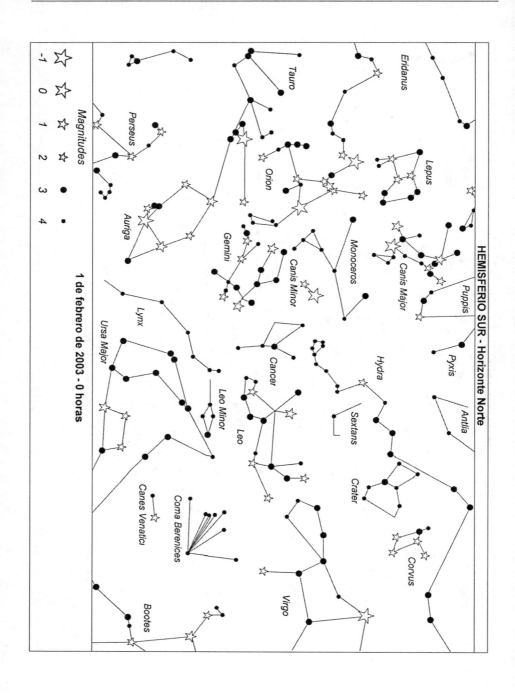

HEMISFERIO SUR - Horizonte Norte

1 de febrero de 2003 - 0 horas

Magnitudes

-1 ☆
0 ☆
1 ☆
2 ☆
3 ●
4 ●

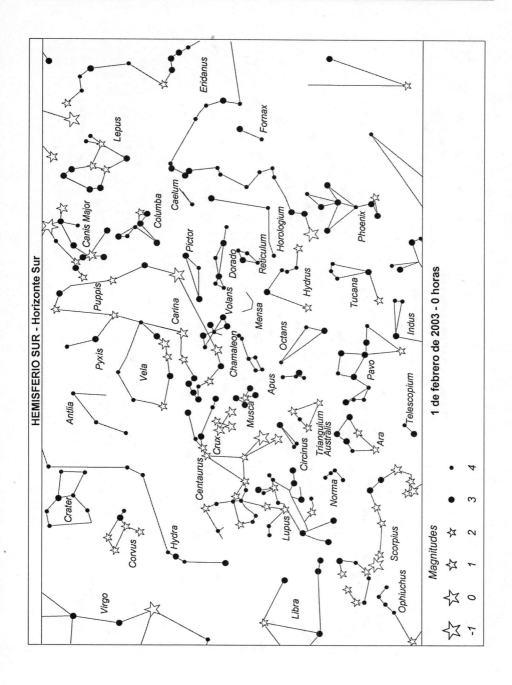

HEMISFERIO SUR - Horizonte Sur

1 de febrero de 2003 - 0 horas

Magnitudes

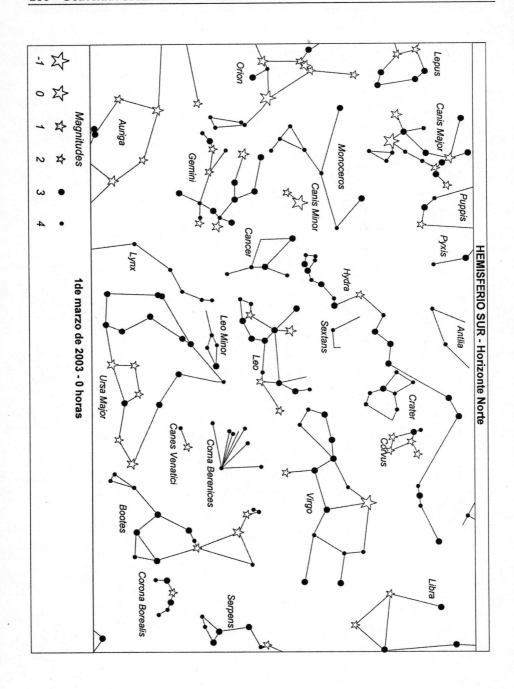

HEMISFERIO SUR - Horizonte Norte

1de marzo de 2003 - 0 horas

Magnitudes

-1 0 1 2 3 4

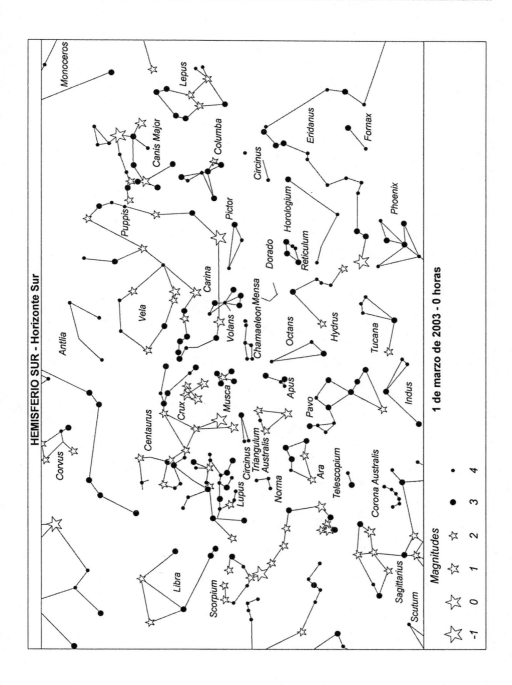

HEMISFERIO SUR - Horizonte Sur

1 de marzo de 2003 - 0 horas

Magnitudes

-1   0   1   2   3   4

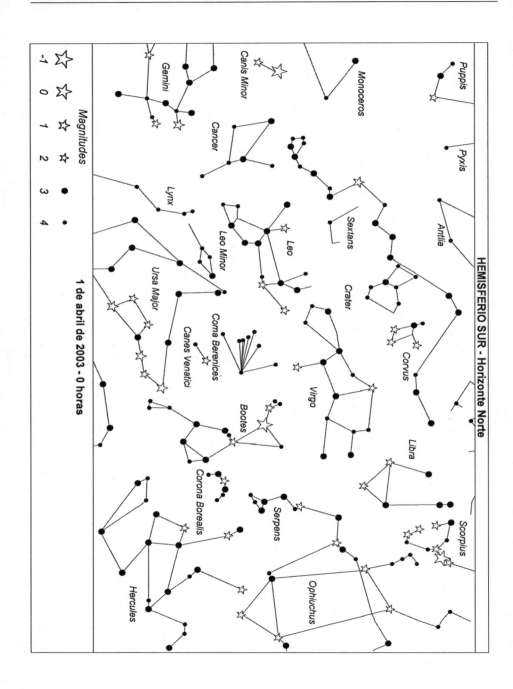

HEMISFERIO SUR - Horizonte Norte

1 de abril de 2003 - 0 horas

Magnitudes

-1 0 1 2 3 4

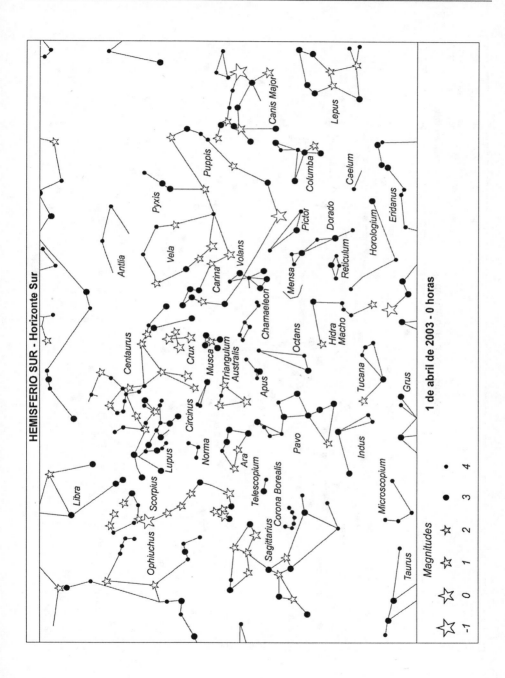

HEMISFERIO SUR - Horizonte Sur

1 de abril de 2003 - 0 horas

Magnitudes

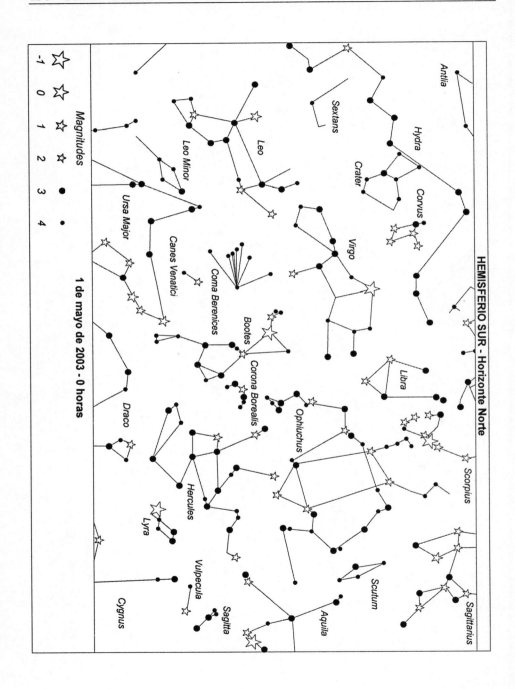

HEMISFERIO SUR - Horizonte Norte

Magnitudes

-1
0
1
2
3
4

1 de mayo de 2003 - 0 horas

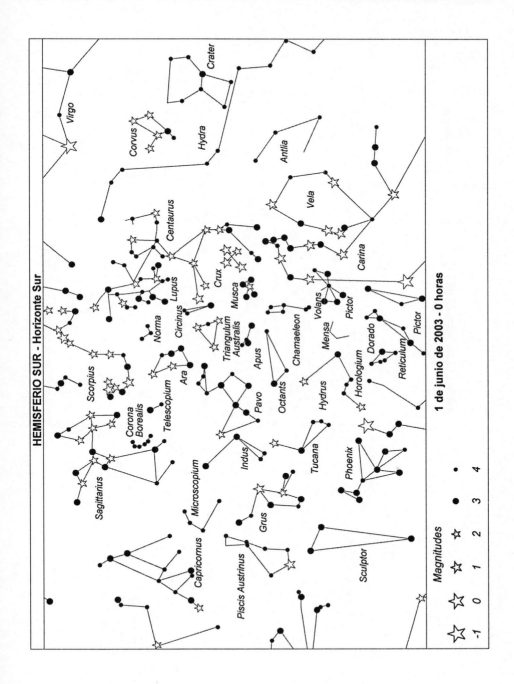

HEMISFERIO SUR - Horizonte Sur

1 de junio de 2003 - 0 horas

Magnitudes

☆ -1   ☆ 0   ☆ 1   ☆ 2   ● 3   • 4

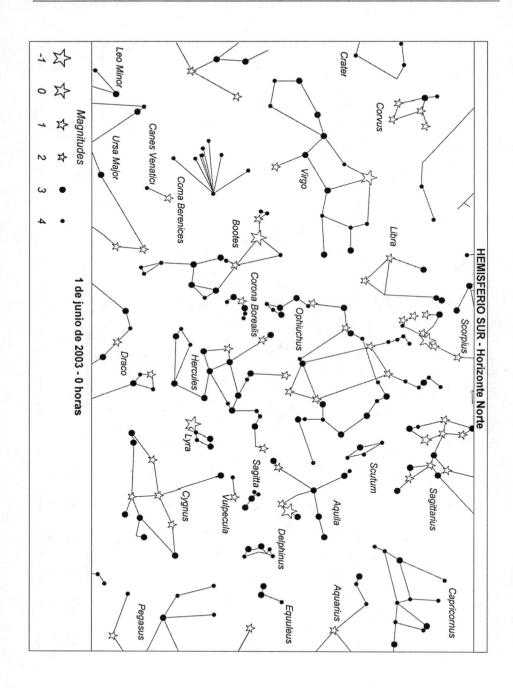

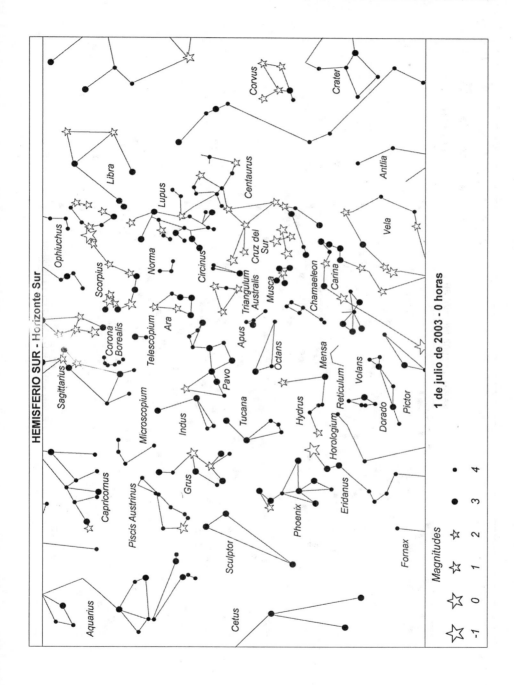

HEMISFERIO SUR - Horizonte Sur

1 de julio de 2003 - 0 horas

Magnitudes

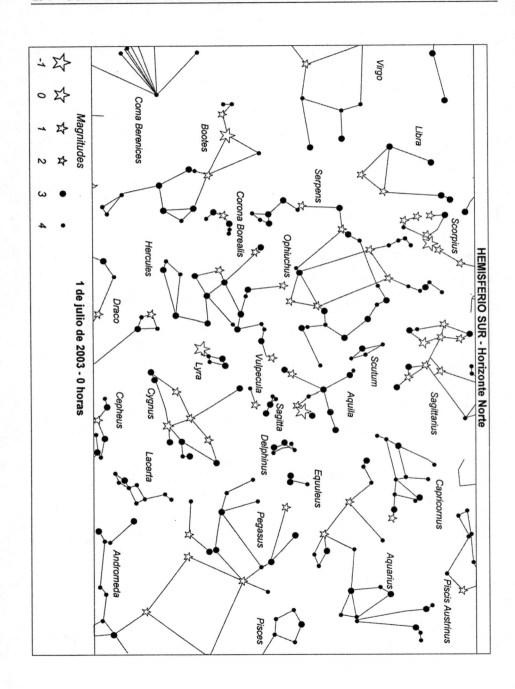

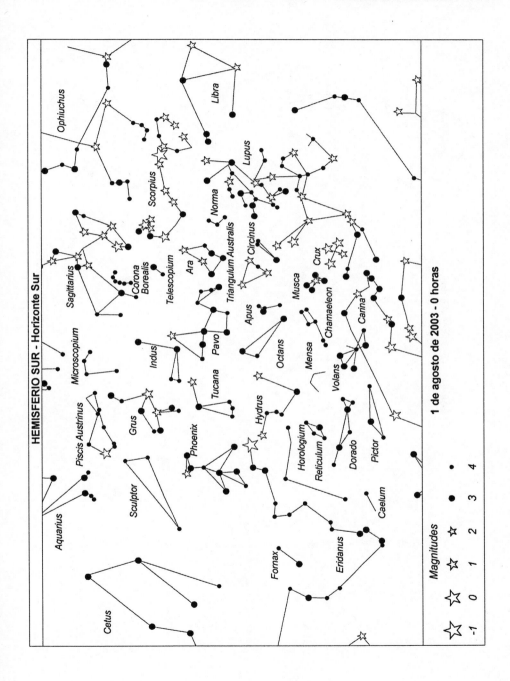

HEMISFERIO SUR - Horizonte Sur

1 de agosto de 2003 - 0 horas

Ophiuchus
Libra
Scorpius
Lupus
Norma
Circinus
Sagittarius
Corona Borealis
Ara
Telescopium
Triangulum Australis
Crux
Musca
Apus
Chamaeleon
Carina
Microscopium
Indus
Pavo
Octans
Mensa
Volans
Tucana
Hydrus
Pictor
Piscis Austrinus
Grus
Phoenix
Horologium
Reticulum
Dorado
Sculptor
Caelum
Aquarius
Fornax
Eridanus
Cetus

Magnitudes

-1   0   1   2   3   4

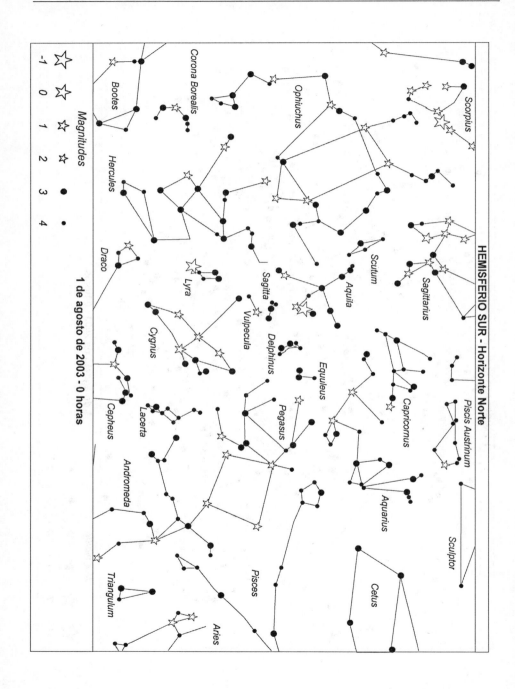

HEMISFERIO SUR - Horizonte Norte

1 de agosto de 2003 - 0 horas

Magnitudes

-1 0 1 2 3 4

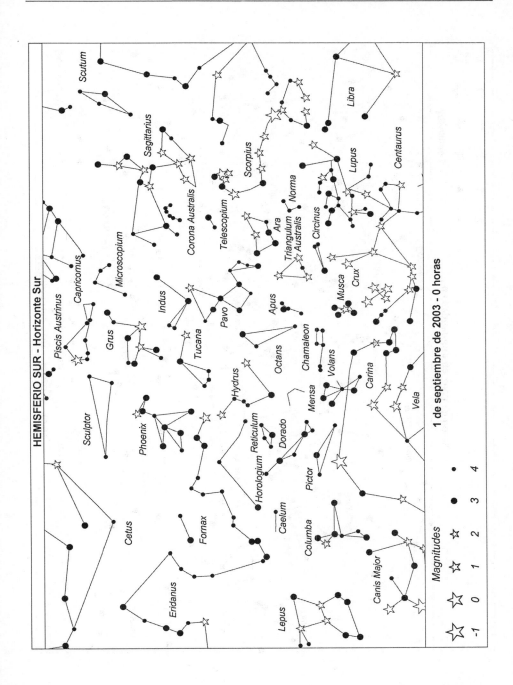

HEMISFERIO SUR - Horizonte Sur

1 de septiembre de 2003 - 0 horas

Magnitudes

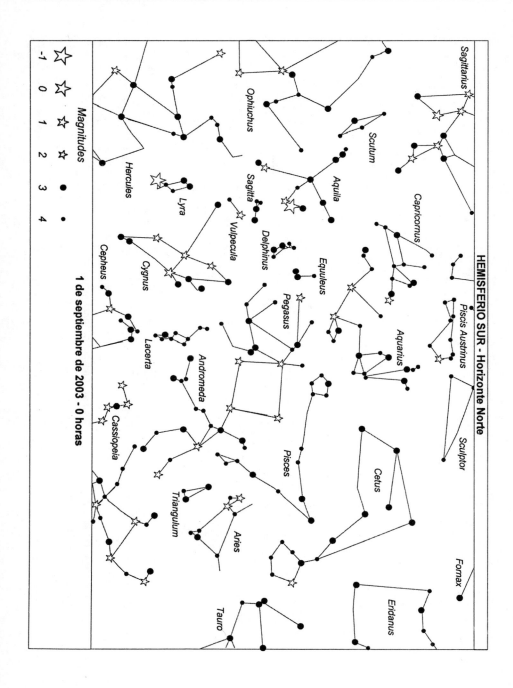

HEMISFERIO SUR - Horizonte Norte

Magnitudes

-1 ☆
0 ☆
1 ☆
2 ☆
3 •
4 •

1 de septiembre de 2003 - 0 horas

Sagittarius
Ophiuchus
Scutum
Aquila
Capricornus
Hercules
Sagitta
Lyra
Vulpecula
Delphinus
Equuleus
Aquarius
Piscis Austrinus
Cepheus
Cygnus
Pegasus
Sculptor
Lacerta
Andromeda
Cassiopeia
Pisces
Cetus
Triangulum
Aries
Fornax
Eridanus
Tauro

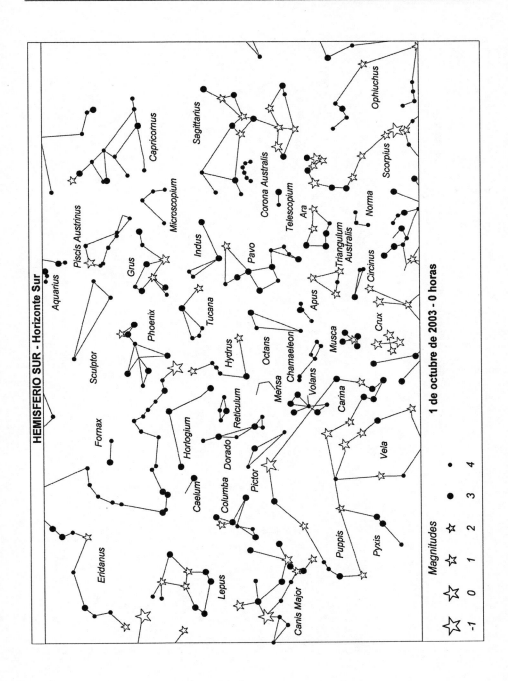

HEMISFERIO SUR - Horizonte Sur

1 de octubre de 2003 - 0 horas

Magnitudes

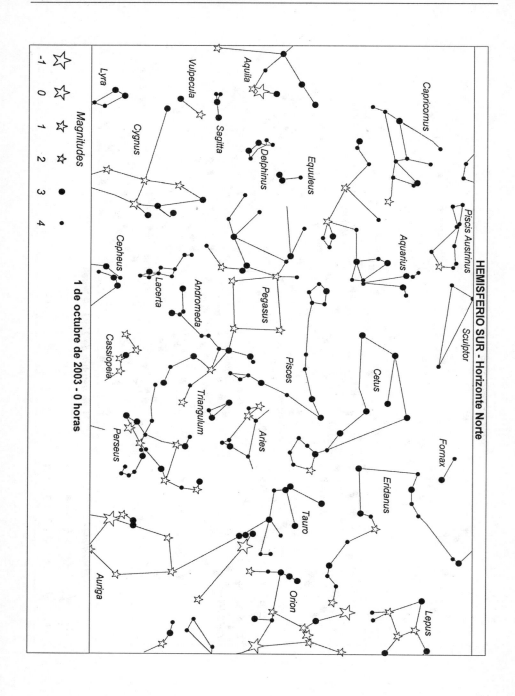

HEMISFERIO SUR - Horizonte Norte

1 de octubre de 2003 - 0 horas

Magnitudes

-1 0 1 2 3 4

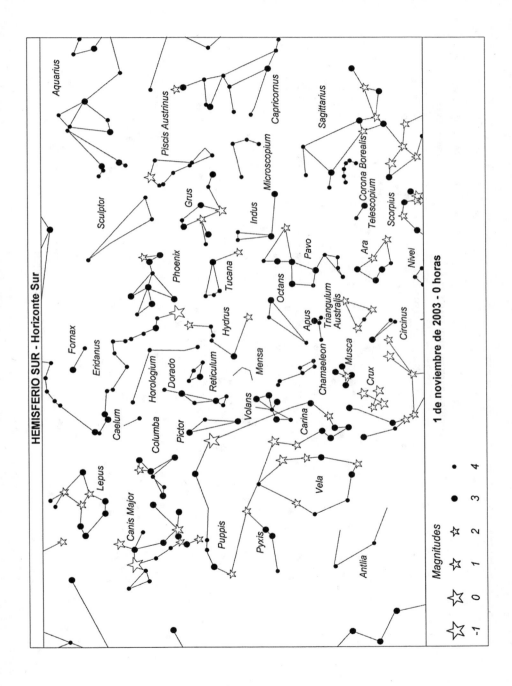

HEMISFERIO SUR - Horizonte Sur

1 de noviembre de 2003 - 0 horas

Aquarius

Piscis Austrinus

Capricornus

Sagittarius

Sculptor

Grus

Indus

Microscopium

Corona Borealis

Telescopium

Scorpius

Nivel

Phoenix

Tucana

Pavo

Ara

Fornax

Eridanus

Hydrus

Octans

Apus

Triangulum
Australe

Circinus

Horologium

Dorado

Reticulum

Mensa

Chamaeleon

Musca

Crux

Caelum

Volans

Carina

Columba

Pictor

Lepus

Canis Major

Puppis

Pyrix

Vela

Antlia

Magnitudes

-1   0   1   2   3   4

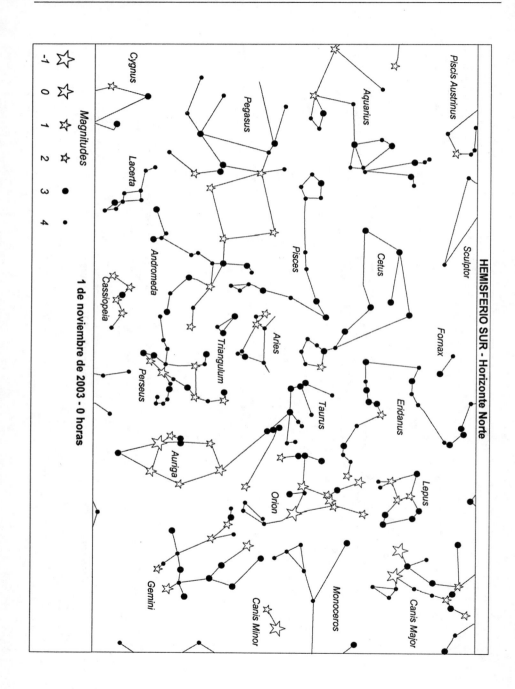

HEMISFERIO SUR - Horizonte Norte

1 de noviembre de 2003 - 0 horas

Magnitudes

-1 0 1 2 3 4

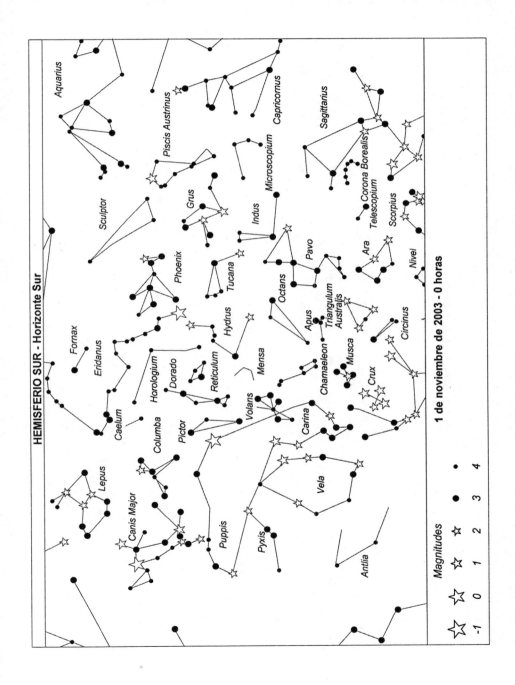

HEMISFERIO SUR - Horizonte Sur

1 de noviembre de 2003 - 0 horas

Aquarius

Piscis Austrinus

Capricornus

Sagittarius

Corona Borealis

Telescopium

Scorpius

Nivel

Microscopium

Indus

Pavo

Ara

Circinus

Grus

Octans

Apus

Triangulum Australe

Sculptor

Tucana

Chamaeleon

Musca

Crux

Phoenix

Hydrus

Mensa

Fornax

Eridanus

Horologium

Dorado

Reticulum

Volans

Carina

Caelum

Columba

Pictor

Vela

Lepus

Canis Major

Puppis

Pyxis

Antlia

Magnitudes

☆ -1	☆ 0	☆ 1	☆ 2	● 3	• 4

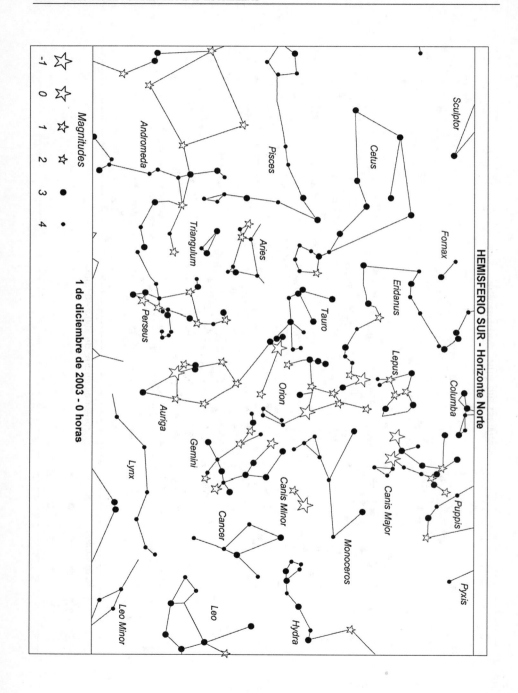

HEMISFERIO SUR - Horizonte Norte

1 de diciembre de 2003 - 0 horas

Magnitudes

-1 0 1 2 3 4

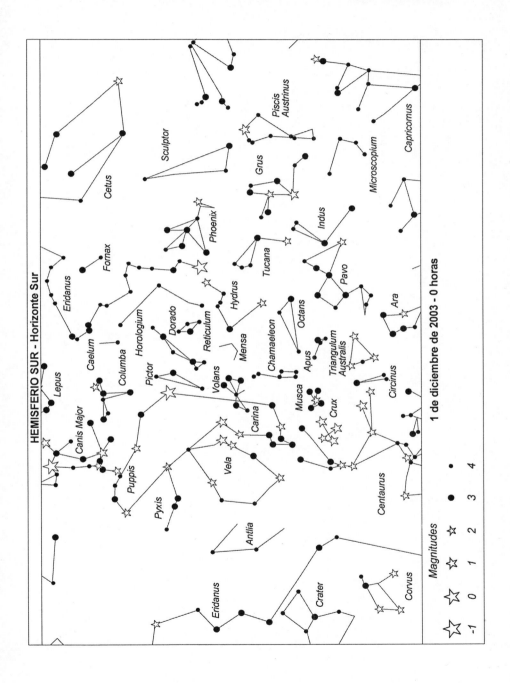

HEMISFERIO SUR - Horizonte Sur

1 de diciembre de 2003 - 0 horas

Magnitudes

☆	☆	☆	☆	●	●	•
-1	0	1	2	3	3	4

Apéndices

APÉNDICE A: CONSTELACIONES

Nombre	Traducción	Abreviatura	Localización
Andromeda	Andrómeda	And	Hemisf. norte
Antlia Bomba	Neumática o		
	Máquina Neumát.	Ant	Hemisf. sur
Apus	Ave del Paraíso	Aps	Circumpolar sur
Aquarius	Acuario	Aqr	Zodiacal
Aquila	Águila	Aql	Ecuatorial
Ara	Altar	Ara	Circumpolar sur
Aries	Carnero	Ari	Zodiacal
Auriga	Cochero	Aur	Hemisf. norte
Bootes	Boyero	Boo	Hemisf. norte
Caelum	Cincel o Buril	Cae	Hemisf. sur
Camelopardalis	Jirafa	Cam	Circumpolar norte
Cancer	Cangrejo	Cnc	Zodiacal
Canes Venatici	Perros de Caza		
	o Lebreles	Cvn	Hemisf. norte
Canis Major	Can Mayor	CMa	Hemisf. sur
Canis Minor	Can Menor	CMi	Ecuatorial
Capricornus	Capricornio o Cabra	Cap	Zodiacal
Carina	Quilla	Car	Circumpolar sur
Cassiopeia	Casiopea	Cas	Hemisf. norte
Centaurus	Centauro	Cen	Hemisf. sur
Cepheus	Cefeo	Cef	Ecuatorial
Cetus	Ballena	Cet	Circumpolar sur

Chamaeleon	Camaleón	Cha	Circumpolar sur
Circinus	Compás	Cir	Hemisf. sur
Columba	Paloma	Col	Hemisf. sur
Coma Berenices	Cabellera de Berenice	Com	Hemisf. norte
Corona Australis	Corona Austral	CrA	Hemisf. norte
Corona Borealis	Corona Boreal	CrB	Hemisf. sur
Corvus	Cuervo	Crv	Hemisf. sur
Crater	Copa	Crt	Hemisf. sur
Crux	Cruz del Sur	Cru	Hemisf. sur
Cygnus	Cisne	Cyg	Hemisf. norte
Delphinus	Delfín	Del	Ecuatorial
Dorado	Dorado	Dor	Circumpolar sur
Draco	Dragón	Dra	Circumpolar norte
Equuleus	Caballito	Equ	Ecuatorial
Eridanus	Eridano	Eri	Hemisf. sur
Fornax	Horno	For	Hemisf. sur
Gemini	Gemelos	Gem	Zodiacal
Grus	Grulla	Gru	Hemisf. sur
Hercules	Hércules	Her	Hemisf. norte
Horologium	Reloj	Hor	Hemisf. sur
Hydra	Serpiente de Mar	Hya	Hemisf. sur
Hydrus	Serpiente de Río	Hyi	Hemisf. sur
Indo	Indio	Ind	Hemisf. sur
Lacerta	Lagarto	Lac	Hemisf. norte
Leo	León o Leo	Leo	Zodiacal
Leo Minor	León o Leo Menor	LMi	Hemisf. norte
Lepus	Liebre	Lep	Hemisf. sur
Libra	Balanza	Lib	Zodiacal
Lupus	Lobo	Lyr	Hemisf. sur
Lynx	Lince	Lyn	Hemisf. norte
Lyra	Lira	Lyr	Hemisf. norte
Mensa	Mesa	Men	Circumpolar sur
Microscopium	Microscopio	Mic	Ecuatorial
Monoceros	Unicornio	Mon	Circumpolar sur
Musca	Mosca	Mus	Circumpolar sur
Norma	Escuadra o Nivel	Nor	Circumpolar sur

Octans	Octante	Oct	Circumpolar sur
Ophiuchus	Ofiuco	Oph	Ecuatorial
Orion	Orión	Ori	Ecuatorial
Pavo	Pavo	Pav	Circumpolar sur
Pegasus	Pegaso	Peg	Hemisf. norte
Perseus	Perseo	Per	Hemisf. norte
Phoenix	Ave Fénix	Phe	Circumpolar sur
Pictor	Caballete de Pintor	Pic	Circumpolar sur
Pisces	Peces	Psc	Zodiacal
Piscis Austrinum	Pez Austral	PsA	Hemisf. sur
Puppis	Popa	Pup	Hemisf. sur
Pyxis	Brújula	Pyx	Hemisf. sur
Reticulum	Retículo	Ret	Hemisf. sur
Sagitta	Flecha	Sge	Hemisf. norte
Sagittarius	Sagitario	Sgr	Zodiacal
Scorpius	Escorpión	Scp	Zodiacal
Sculptor	Escultor	Scl	Hemisf. sur
Scutum	Escudo	Sct	Ecuatorial
Serpens Caput	Serpiente (Cabeza de la Serpiente)	Ser	Ecuatorial
Serpens Cauda	Serpiente (Cola de la Serpiente)	Ser	Ecuatorial
Sextans	Sextante	Sex	Ecuatorial
Taurus	Toro	Tau	Zodiacal
Telescopium	Telescopio	Tel	Circumpolar sur
Triangulum	Triángulo	Tri	Hemisf. norte
Triang. Australe	Triángulo Austral	TrA	Circumpolar sur
Tucana	Tucán	Tuc	Circumpolar sur
Ursa Major	Osa Mayor	UMa	Circumpolar norte
Ursa Minor	Osa Menor	UMi	Circumpolar norte
Vela	Vela	Vel	Circumpolar sur
Virgo	Virgen	Vir	Zodiacal
Volans	Pez Volador	Vol	Circumpolar sur
Volpecula	Zorrilla	Vul	Hemisf. norte

Apéndice B: Las 90 estrellas más brillantes

Nombre	Estrella	Mag.	Distancia años luz
Sirius	α CMa	-1,46	8.600
Canopus	α Car	-0,72	74
Rigil Kent	α Cen	-0,01	4.300
Arcturus	α Boo	-0,04	34
Vega	α Lyr	0,03	25.300
Capella	α Aur	0,08	41
Rigel	β Ori	0,12	815
Procyon	α CMi	0,38	11.400
Archenar	α Eri	0,46	69
Betelgeuse	α Ori	0,50	650
Hadar	β Cen	0,61	320
Altair	α Aql	0,77	16.800
Aldebaran	α Tau	0,85	60
Spica	α Vir	0,98	220
Antares	α Sco	0,96	425
Pollux	β Gem	1,14	40
Fomalhaut	α PsA	1,16	22
Deneb	α Cyg	1,25	1.630
Mimosa	β Cru	1,25	460
Regulus	α Leo	1,35	69
Adhara	ε CMa	1,50	570
Acrux	α Cru	1,58	510
Castor	α Gem	1,58	46
Gacrux	γ Cru	1,63	120
Shaula	λ Sco	1,63	325
Bellatrix	g Ori	1,64	303
El Nath	b Tau	1,65	130
Miaplacidus	β Car	1,68	137
Alnilam	ε Ori	1,70	28.000
Al Na'ir	α Gru	1,74	91
Alioth	ε UMa	1,77	49
Regor	γ Vel	1,78	15.000
Marfak o Algenib	α Per	1,79	270

Dubhe	α UMa	1,79	105
Al Wazor	δ CMa	1,84	650
Kaus Australis	ε Sgr	1,85	160
She (Avior)	ε Car	1,86	330
Benetnasch o Alkaid	η UMa	1,86	375
Sargas	θ Sco	1,87	140
Menkalinam	β Aur	1,90	84
Ras al Muthallath o Atria	α TrA	1,92	130
Almisan o Alhena	γ Gem	1,93	78
Joo Tseo	α Pav	1,94	160
Koo She	δ Vel	1,96	70
Murzim	β CMa	1,98	300
Ard	α Hya	1,98	200
Hamal	α Ari	2,00	74
T de Corona Borealis	T CrB	2,00	
Polaris	α UMi	2,02	470
Nunki	σ Sgr	2,02	160
Deneb Kaitos	β Cet	2,04	57
Alnitak	ζ1 Ori	2,05	400
Alpheratz	α And	2,06	120
Mirach	β And	2,06	76
Alamach	γ1 And	2,06	400
Haratan o Menkent	θ Cen	2,06	56
Saiph	κ Ori	2,06	550
Ras Alhague	α Oph	2,08	67
Kochab	β UMi	2,08	120
Al Dhanab	β Gru	2,10	270
Algol	β Per	2,12	100
Denebola	β Leo	2,14	42
Koo Low	γ Cen	2,17	130
Sadr	γ Cyg	2,20	470
Suhail	λ Vel	2,21	220
Schedir	α Cas	2,23	230

Alphecca (Gemma)	α CrB	2,23	67
Etamin	γ Dra	2,23	148
Mintaka	δ Or	2,23	600
Caph	β Cas	2,25	45
Tureis (Aspidiske)	ι Car	2,25	6.000
Suhail Hadar (Naos)	ζ Pup	2,25	800
Mizar	ζ UMa	2,27	190
Wei	ε Sco	2,29	69
a de Lupus	α Lup	2,30	130
e de Centauro	ε Cen	2,30	2.00
h de Centauro	η Cen	2,31	1.140
Dschubba	δ Sco	2,32	3.450
Merak	β UMa	2,37	76
Ankaa	α Phe	2,39	76
e de Pegasus	ε Peg	2,39	4.500
k de Scorpius	κ Sco	2,41	1.250
Scheat	β Peg	2,42	290
Alderamin	α Cep	2,44	49
Phecda	γ UMa	2,44	88
Aludra	η CMa	2,45	270
e de Cygnus	ε Cyg	2,46	39
Cih	γ Cas	2,47	200
Markab	α Peg	2,49	65
Cih	κ Vel	2,50	1.250

APÉNDICE C: LAS 15 ESTRELLAS MÁS PRÓXIMAS

N.º	Estrella	Constelación	Mag. Aparente	Distancia
1	Proxima Centauri	Centaurus	11,22	4,22
2	α Centauri A	Centaurus	-0,01	4,40
3	α Centauri B	Centaurus	1,33	4,40
4	Estrella de Barnard	Ophiuchus	9,54	5,94
5	Wolf 359	Leo	13,46	7,78
6	Lalande 21185	Ursa Major	7,5	8,1

7	α Sirius A	Canis Major	-1,46	8,60
8	Sirius B	Canis Major	8,44	8,60
9	Luyten 726-8A	Cetus	12,56	8,73
10	Luyten 726-8B	Cetus	12,96	8,73
11	Ross 154	Sagittarius	10,45	9,69
12	Ross 248	Andromeda	12,27	10,32
13	ε Eridani	Eridanus	3,73	10,50
14	Luyten 789-6	Aquarius	12,2	10,8
15	Ross 128	Virgo	11,11	10,89

APÉNDICE D: OBJETOS DEL CIELO PROFUNDO

EL MARATÓN MESSIER

Casi todos los años, hacia el mes de marzo, en los días próximos al equinoccio de primavera, tiene lugar el llamado Maratón Messier. Consiste en capturar la mayor cantidad de Objetos Messier en una sola noche. Es difícil lograr los 110, pero vale la pena intentarlo. Muchos clubes de Astronomía hacen salidas al campo a este fin y la gente se entrena durante todo el año tratando de visualizar con rapidez los objetos que componen este catálogo.

Para llevar a cabo esta tarea, basta un par de prismáticos.

LISTA DE OBJETOS MESSIER

En esta lista se muestran los 110 objetos del catálogo Messier. En la constelación correspondiente se encuentra su descripción.

Nombre	Const.	Objeto	Nombre común
M1 (NGC 1952)	Tau	Restos de supernova	Nebulosa del Cangrejo
M2 (NGC 7089)	Aqu	Cúmulo globular	
M3 (NGC 5272)	CVn	Cúmulo globular	
M4 (NGC 6121)	Sco	Cúmulo globular	
M5 (NGC 5904)	Ser	Cúmulo globular	
M6 (NGC 6405)	Sco	Cúmulo abierto	Cúmulo de la Mariposa
M7 (NGC 6475)	Sco	Cúmulo abierto	Cúmulo de Ptolomeo

M8 (NGC 6523)	Sgr	Nebulosa	Nebulosa de la Laguna
M9 (NGC 6333)	Oph	Cúmulo globular	
M10 (NGC 6254)	Oph	Cúmulo globular	
M11 (NGC 6705)	Sct	Cúmulo abierto	Cúmulo de los Patos Salvajes
M12 (NGC 6218)	Oph	Cúmulo globular	
M13 (NGC 6205)	Her	Cúmulo globular	Gran Cúmulo de Hércules
M14 (NGC 6402)	Oph	Cúmulo globular	
M15 (NGC 7078)	Peg	Cúmulo globular	
M16 (NGC 6611)	Ser	Nebulosa asociada a cúmulo	Nebulosa del Águila
M17 (NGC 6618)	Sgr	Nebulosa	Nebulosa Omega
M18 (NGC 6613)	Sgr	Cúmulo abierto	
M19 (NGC 6273)	Oph	Cúmulo globular	
M20 (NGC 6514)	Sgr	Nebulosa	Nebulosa Trífida
M21 (NGC 6531)	Sgr	Cúmulo abierto	
M22 (NGC 6656)	Sgr	Cúmulo globular	
M23 (NGC 6494)	Sgr	Cúmulo abierto	
M24 (NGC 6603)	Sgr	Nube estelar en la Vía Láctea	
M25 (NGC 4725)	Sgr	Cúmulo abierto	
M26 (NGC 6694)	Sct	Cúmulo abierto	
M27 (NGC 6853)	Vul	Nebulosa Planetaria	Nebulosa de Dumbbell
M28 (NGC 6626)	Sgr	Cúmulo globular	
M29 (NGC 6913)	Cyg	Cúmulo abierto	
M30 (NGC 7099)	Cap	Cúmulo globular	
M31 (NGC 224)	And	Galaxia espiral	Galaxia de Andrómeda
M32 (NGC 221)	And	Galaxia elíptica	
M33 (NGC 598)	Tri	Galaxia espiral	Galaxia del Triángulo
M34 (NGC 1039)	Per	Cúmulo abierto	
M35 (NGC 2168)	Gem	Cúmulo abierto	
M36 (NGC 1960)	Aur	Cúmulo abierto	
M37 (NGC 2099)	Aur	Cúmulo abierto	
M38 (NGC 1912)	Aur	Cúmulo abierto	
M39 (NGC 7092)	Cyg	Cúmulo abierto	
M40	UMa	Binaria Winnecke4	
M41 (NGC 2287)	CMa	Cúmulo abierto	

M42 (NGC 1976)	Ori	Nebulosa difusa	Gran Nebulosa de Orión
M43 (NGC 1982)	Ori	Nebulosa difusa	Nebulosa de Mairan
M44 (NGC 2632)	Cnc	Cúmulo abierto	Praesepe
M45 (NGC 1432)	Tau	Cúmulo abierto	Las Siete Hermanas o Subaru
M46 (NGC 2437)	Pup	Cúmulo abierto	
M47 (NGC 2422)	Pup	Cúmulo abierto	
M48 (NGC 2548)	Hya	Cúmulo abierto	
M49 (NGC 4472)	Vir	Galaxia elíptica	
M50 (NGC 2323)	Mon	Cúmulo abierto	
M51 (NGC 5194)	CVn	Galaxia espiral	
M52 (NGC 7654)	Cas	Cúmulo abierto	
M53 (NGC 5024)	Com	Cúmulo globular	
M54 (NGC 6715)	Sgr	Cúmulo globular	
M55 (NGC 6809)	Sgr	Cúmulo globular	
M56 (NGC 6779)	Lyr	Cúmulo globular	
M57 (NGC 6720)	Lyr	Nebulosa planetaria	Nebulosa del Anillo
M58 (NGC 4579)	Vir	Galaxia espiral	
M59 (NGC 4621)	Vir	Galaxia elíptica	
M60 (NGC 4649)	Vir	Galaxia elíptica	
M61 (NGC 4303)	Vir	Galaxia espiral	
M62 (NGC 6266)	Oph	Cúmulo globular	
M63 (NGC 5055)	CVn	Galaxia espiral	Galaxia Girasol
M64 (NGC 4826)	Com	Galaxia espiral	Galaxia del Ojo Negro
M65 (NGC 3623)	Leo	Galaxia espiral	
M66 (NGC 3627)	Leo	Galaxia espiral	
M67 (NGC 2682)	Cnc	Cúmulo abierto	
M68 (NGC 4590)	Hya	Cúmulo globular	
M69 (NGC 6637)	Sgr	Cúmulo abierto	
M70 (NGC 6681)	Sgr	Cúmulo globular	
M71 (NGC 6838)	Sge	Cúmulo globular	
M72 (NGC 6981)	Aqr	Cúmulo globular	
M73 (NGC 6994)	Aqr	Asterismo de 4 estrellas	
M74 (NGC 628)	Psc	Galaxia espiral	
M75 (NGC 6864)	Sgr	Cúmulo globular	

M76 (NGC 650)	Per	Nebulosa planetaria	Nebulosa de la Mariposa
M77 (NGC 1068)	Cet	Galaxia espiral	
M78 (NGC 2068)	Ori	Nebulosa difusa	
M79 (NGC 1904)	Lep	Cúmulo globular	
M80 (NGC 6093)	Sco	Cúmulo globular	
M81 (NGC 3031)	UMa	Galaxia espiral	
M82 (NGC 3034)	UMa	Galaxia irregular	
M83 (NGC 5236)	Hya	Galaxia espiral	
M84 (NGC 4374)	Vir	Galaxia elíptica	
M85 (NGC 4382)	Com	Galaxia elíptica	
M86 (NGC 4406)	Vir	Galaxia elíptica	
M87 (NGC 4486)	Vir	Galaxia elíptica	Virgo A
M88 (NGC 4501)	Com	Galaxia espiral	
M89 (NGC 4552)	Vir	Galaxia elíptica	
M90 (NGC 4569)	Vir	Galaxia espiral	
M91 (NGC 4548)	Com	Galaxia espiral	
M92 (NGC 6341)	Her	Cúmulo globular	
M93 (NGC 2447)	Pup	Cúmulo abierto	
M94 (NGC 4736)	CVn	Galaxia espiral	
M95 (NGC 3351)	Leo	Galaxia espiral	
M96 (NGC 3368)	Leo	Galaxia espiral	
M97 (NGC 3587)	UMa	Nebulosa planetaria	Nebulosa del Búho
M98 (NGC 4192)	Com	Galaxia espiral	
M99 (NGC 4254)	Com	Galaxia espiral	
M100 (NGC 4321)	Com	Galaxia espiral	
M101 (NGC 5457)	UMa	Galaxia espiral	
M102 (NGC 5866)	Dra	Galaxia espiral	
M103 (NGC 581)	Cas	Cúmulo Abierto	
M104 (NGC 4594)	Vir	Galaxia espiral	Galaxia del Sombrero
M105 (NGC 3379)	Leo	Galaxia elíptica	
M106 (NGC 4258)	CVn	Galaxia espiral	
MA07 (NGC 6171)	Oph	Cúmulo globular	
M108 (NGC 3556)	UMa	Galaxia espiral	
M109 (NGC 3992)	UMa	Galaxia espiral	
M110 (NGC 205)	And	Galaxia elíptica	Satélite de la de Andrómeda

Apéndice E: Lluvias de estrellas y meteoros

Esta lista incuye las lluvias más importantes ordenadas según el momento de su aparición. Sólo se han consignado aquellas en las que el promedio de meteoros que caen son de 10 o más por hora. (Radiante: lugar desde donde se ven partir.)

Cuadrántidas
Período de aparición: 1 al 5 de enero.
Día de máxima actividad: 4 de enero.
Cantidad aproximada de objetos: 100 por hora.
Radiante: Bootes.
Cometa que la origina: Entre todas las lluvias de meteoros importantes, las Cuadrántidas es la única de la que no se sabe qué cometa la produce.

En ocasiones aparecen las llamadas «bolas de fuego» de las Cuadrántidas: meteoros de gran tamaño cuya estela puede mantenerse en el cielo durante tres o cuatro minutos.

Líridas de Abril
Período de aparición: 19 al 24 de abril.
Día de máxima actividad: 22 de abril.
Cantidad aproximada de objetos: 15 por hora.
Radiante: Lira. Las estrellas parecen partir de un punto cercano a Vega.
Cometa que la origina: Thatcher.

En algunos casos, se producen en las Líridas explosiones a modo de fuegos artificiales. La más espectacular ocurrió en 1803. Un periodista de Virginia, Estados Unidos, dijo de ella que hacía pensar en una lluvia de fuegos pirotécnicos.

η Acuáridas
Período de aparición: 1 al 8 de mayo.
Día de máxima actividad: 5 de mayo.
Cantidad aproximada de objetos: 20 por hora.
Radiante: Acuario; en un punto cercano a Sadalachbia.
Cometa que la origina: Halley.

La alta velocidad a la que las partículas chocan con la atmósfera produce bólidos muy luminosos que tienen una larga trayectoria.

Ophiuchidas
Período de aparición: 17 al 26 de junio.
Día de máxima actividad: 20 de junio
Cantidad aproximada de objetos: 15 por hora.
Radiante: Ophiuchus.

Bootidas de Junio
Período de aparición: 26 de junio al 2 de julio.
Día de máxima actividad: 27 de junio.
Cantidad aproximada de objetos: variable.
Radiante: Bootes.
Cometa que la origina: 7P/Pons-Winnecke.
Esta lluvia a partir de 1998 cobró inusitada actividad.

Capricórnidas
Período de aparición: 10 de julio al 5 de agosto.
Día de máxima actividad: 25 de julio.
Cantidad aproximada de objetos: 15.
Radiante: Capricornio.

δ Acuáridas
Período de aparición: 15 de julio al 15 de agosto.
Día de máxima actividad: 29 de julio.
Cantidad aproximada de objetos: 20 por hora.

Pisces Austrálidas
Período de aparición: 15 de julio al 20 de agosto.
Día de máxima actividad: 30 de julio.
Radiante: Piscis Austrinum.
Cantidad aproximada de objetos: 15 por hora.

α Capricórnidas
Período de aparición: 15 de julio al 25 de agosto.
Día de máxima actividad: 1 de agosto.
Radiante: Capricornus.
Cantidad aproximada de objetos: 10 por hora.

ι Aquáridas

Período de aparición: 15 de julio al 20 de agosto.
Día de máxima actividad: 30 de julio.
Radiante: Aquarium.
Cantidad aproximada de objetos: 15 por hora.

Perseidas

Período de aparición: 25 de julio al 18 de agosto.
Día de máxima actividad: 12 de agosto.
Radiante: Perseus.
Cantidad aproximada de objetos: 70 por hora.

Ha sido una de las lluvias más espectaculares de la década de 1990. En ocasiones, la cantidad de objetos en el momento de más actividad ha llegado a 400.

κ Cygnidas

Período de aparición: 18 al 22 de agosto.
Día de máxima actividad: 20 de agosto.
Radiante: Cygnus.
Cantidad aproximada de objetos: 10 por hora.

Oriónidas

Período de aparición: 16 al 27 de octubre.
Día de máxima actividad: 21 de octubre.
Radiante: Orión.
Cantidad aproximada de objetos: 35 por hora.
Cometa que la produce: Halley.

Táuridas

Período de aparición: 10 de octubre al 5 de diciembre.
Día de máxima actividad: 1 de noviembre.
Radiante: Tauro.
Cantidad aproximada de objetos: 15 por hora.

Leónidas

Período de aparición: 14 al 20 de noviembre.
Día de máxima actividad: 17 de noviembre.

Radiante: Leo.
Cantidad aproximada de objetos: 20 por hora.
Cometa que la produce: Tempel-Tuttle.

En el año 1966 se registró una actividad increíblemente superior a la de los demás años; llegaron a caer 500.000 estrellas.

GEMÍNIDAS

Período de aparición: 7 al 15 de diciembre.
Día de máxima actividad: 13 de diciembre.
Radiante: Gemini.
Cantidad aproximada de objetos: 55 por hora.

ÚRSIDAS

Período de aparición: 17 al 24 de diciembre.
Día de máxima actividad: 22 de diciembre.
Radiante: Ursa Minor.
Cantidad aproximada de objetos: 20 por hora.